职业教育建筑类专业"新形态一体化"系列教材

建筑
CAD

主 编 闫国艳 吕新华

参 编 赵 倩 王 艳 主 勇

主 审 王广军

机械工业出版社

本书是一本学习利用AutoCAD软件绘制建筑施工图的信息化立体教材。全书围绕建筑施工图绘制这一工作任务，以任务的实施过程为导向，来介绍软件相关命令的操作方法和技巧，以任务的完成效果来检验软件相关命令的掌握情况。每个任务后面都配有技能操作训练题，帮助学生巩固所学的知识和技能。

本书共设置了3个教学模块，包括项目一AutoCAD基础与快速入门，项目二利用AutoCAD软件绘制建筑施工图，项目三利用天正软件绘制建筑施工图（项目三作为本书配套资源，教师可在机械工业出版社教育服务网自行下载）。

本书可作为职业院校建筑设计、建筑工程技术、建设工程管理、工程造价、建筑装饰工程技术、建筑室内设计等专业的教学用书，也可作为相关专业人员的学习参考用书。

本书配套有操作视频、CAD教学文件、电子图纸等数字化资源，登录机械工业出版社教育服务网（www.cmpedu.com）可进行下载；还配套建设了学银在线的开放课程"建筑CAD"，网址 https://www.xueyinonline.com/detail/221760250，能够帮助职业院校教师实现线上线下混合式教学。

图书在版编目（CIP）数据

建筑CAD / 闫国艳，吕新华主编. -- 北京 ： 机械工业出版社，2024. 5. --（职业教育建筑类专业"新形态一体化"系列教材）. -- ISBN 978-7-111-76028-3

Ⅰ. TU201.4

中国国家版本馆 CIP 数据核字第 2024344TW1 号

机械工业出版社（北京市百万庄大街22号　邮政编码100037）
策划编辑：沈百琦　　　　　　责任编辑：沈百琦　于伟蓉
责任校对：樊钟英　梁　静　封面设计：马精明
责任印制：郜　敏
中煤（北京）印务有限公司印刷
2024年8月第1版第1次印刷
184mm×260mm · 15.25印张 · 374千字
标准书号：ISBN 978-7-111-76028-3
定价：49.00 元

电话服务　　　　　　　　网络服务
客服电话：010-88361066　机 工 官 网：www.cmpbook.com
　　　　　010-88379833　机 工 官 博：weibo.com/cmp1952
　　　　　010-68326294　金 书 网：www.golden-book.com
封底无防伪标均为盗版　机工教育服务网：www.cmpedu.com

前　言

本书的编写以专业教学标准、绘图员职业岗位能力要求为依据，参考了建筑工程识图职业资格证书的考试要求，与全国职业院校技能大赛"建筑工程识图"相关 CAD 软件操作要求相对应。通过调研该课程在职业院校中的课时安排，去繁存简，突出重点，以建筑施工图的绘制为主线，选取相关命令，并结合建筑制图规范要求，保证了制图的规范性。本书主要特色如下：

1）对接职业资格考试和竞赛要求。本书的内容融合当前建筑工程识图职业资格证书的考试要求，与全国职业院校技能大赛"建筑工程识图"相关 CAD 软件操作要求相对应。

2）落实立德树人根本任务。本书的每个任务设置"素养目标"，从多方面、多角度增加对学生打好本专业基础知识、基本技能、职业素养等方面的正向引导。

3）以行业普遍使用软件为蓝本。针对当前职业院校进行的职业资格考试，全国职业院校职业技能大赛使用的中望 CAD 软件，以及建筑设计院普遍使用的天正 CAD 软件，编者认为，掌握 AutoCAD 软件有利于学习其他二次开发的 CAD 软件，故本书以 AutoCAD 软件的应用为主进行编写。

4）项目化组织教学内容。本书从企业岗位需求以及建筑工程识图职业资格考试出发，提炼职业技能，按照实际工作程序以及工程项目特征将全书拆分为 3 个项目（项目三作为本书配套资源，教师可在机械工业出版社教育服务网自行下载），形成 10 个教学任务，每个任务形成"学习目标→任务描述→任务实施"学习路径，任务实施按照本任务的工作实际，进行逐一拆分，由简入繁，循序渐进，形成多项实施操作，每项实施操作形成"基础知识→技能训练→情境思考"的操作思路，以学生为中心，学生在做中学，在学中做，做学结合，完成一步步操作，不断夯实自身的职业技能。

5）融媒体建设开发。本书配套多种数字资源，包括软件操作类微课视频、电子课件、案例素材等，同时，还同步建设了学银在线的网络课程"建筑 CAD"，网址 https：//www.xueyinonline.com/detail/221760250，能够帮助职业院校教师实现线上线下混合式教学。

本书由潍坊工程职业学院闫国艳、吕新华担任主编，参编者还有潍坊工程职业学院赵倩、莱钢集成建筑（青岛）发展有限公司王艳和山东天元装饰工程有限公司主勇。吕新华、赵倩有在建筑设计院的工作经历，绘图实践经验丰富。闫国艳、赵倩曾指导学生在省职业院校技能大赛中取得优异成绩，近年来一直进行 AutoCAD 教学改革与实践。可以说，本书是五位编者多年教学和工作成果的总结。本书在编写过程中还邀请了职教专家参与教材的审核及论证。

限于编者的水平，本书或许存在不足之处，衷心希望读者在使用过程中，对其不足之处提出中肯的意见，以便在今后的修订中进一步完善。

编　者

本书微课视频清单

序号	名称	图形	序号	名称	图形
1	AutoCAD 工作界面介绍		8	对象捕捉追踪确定点的位置	
2	AutoCAD 命令的基础操作		9	坐标输入法绘图	
3	图形文件的新建、打开与保存		10	文字的注写	
4	选择对象的方式		11	标高符号的绘制	
5	视图的显示控制		12	实训练习（采用直线命令绘制图形）	
6	AutoCAD 选项对话框的设置		13	楼梯上下指示箭头与拱形门的绘制	
7	对象捕捉类型		14	实训练习（采用多段线命令绘制图形）	

（续）

序号	名称	图形	序号	名称	图形
15	圆的绘制		23	实训练习（绘制浴缸）	
16	实训练习（利用圆命令绘制图形）		24	倒角和圆角命令	
17	矩形的绘制		25	马桶的绘制	
18	偏移命令		26	实训练习（绘制马桶）	
19	移动命令		27	阵列命令	
20	修剪和延伸命令		28	镜像命令	
21	夹点编辑		29	炉灶的绘制	
22	浴缸的绘制		30	实训练习（绘制炉灶）	

（续）

序号	名称	图形	序号	名称	图形
31	平面门的绘制		39	尺寸标注	
32	实训练习（绘制平面门）		40	带有属性的标高符号	
33	拉伸命令		41	带有属性的定位轴线	
34	立面门的绘制		42	C1 窗正立面的绘制	
35	实训练习（绘制立面门）		43	阳台正立面图的绘制	
36	绘图环境的设置		44	C2 窗侧立面图的绘制	
37	图层的设置与管理		45	图案填充	
38	多线命令		46	C6 窗正立面图的绘制	

（续）

序号	名称	图形	序号	名称	图形
47	阳台剖面图的绘制		50	老虎窗剖面图的绘制	
48	挑檐剖面图的绘制		51	实训练习（绘制建筑剖面图）	
49	露台立面图的绘制				

本书学银在线开放课程	

目　录

前言
本书微课视频清单

项目一　AutoCAD 基础与快速入门 ……………………………………… 1

任务一　学会 AutoCAD 软件的基础操作 …………………………………… 1
一、能正确使用 AutoCAD 工作界面 ……………………………………… 2
二、学会 AutoCAD 软件的基础操作 ……………………………………… 6
三、能管理 AutoCAD 的图形文件 ………………………………………… 8
四、能根据 AutoCAD 的绘图需要正确选择图形对象 ………………… 11
五、能控制 AutoCAD 的视图显示 ……………………………………… 14
六、能根据绘图需要设置 AutoCAD "选项" 对话框 ………………… 17

任务二　掌握 AutoCAD 软件精确绘图方法 …………………………… 19
一、能利用状态栏中的辅助工具进行精确绘图 ……………………… 20
二、能利用坐标输入法进行绘图 ………………………………………… 24

项目二　利用 AutoCAD 软件绘制建筑施工图 ……………………… 28

任务一　绘制图纸目录、门窗说明表与设计说明 …………………… 28
一、能注写与编辑文字 …………………………………………………… 29
二、能绘制与编辑表格 …………………………………………………… 37

任务二　建筑平面图的绘制与输出 …………………………………… 40
一、能识读建筑平面图 …………………………………………………… 40
二、能绘制建筑平面图中的符号、家具及洁具图例 ………………… 43
三、能设置专业绘图环境 ………………………………………………… 83
四、能设置与管理图层 …………………………………………………… 88
五、能绘制定位轴线 ……………………………………………………… 92

六、能绘制墙体 ·· 94

七、能绘制门窗平面图 ····································· 98

八、能绘制室内、外楼梯平面图 ······················· 111

九、能绘制散水、排烟道、雨水管和留置洞口 ········ 115

十、能绘制厕所洁具与厨房设备平面图 ··············· 116

十一、能注写文字说明 ···································· 117

十二、能完成尺寸标注 ···································· 118

十三、能创建带有属性的标高符号和定位轴线编号 ··· 124

十四、能绘制剖切符号、图名及比例 ··················· 131

十五、能完成建筑平面图虚拟打印出图 ··············· 133

任务三　建筑立面图的绘制与输出 ······················· 136

一、能识读建筑立面图 ···································· 136

二、能完成建筑立面图的绘图准备 ····················· 138

三、能绘制 C1 窗正立面图 ······························ 141

四、能绘制阳台正立面图 ································· 144

五、能绘制 C2 窗侧立面图 ······························ 149

六、能绘制 C6 窗正立面图、屋顶及立面轮廓线 ······ 154

七、能绘制墙面分格线、室外楼梯踏步、M4 推拉门和雨水管 ··· 165

八、能绘制标高符号、文字、轴线编号、图名及比例 ··· 170

九、能完成建筑立面图虚拟打印出图 ··················· 172

任务四　建筑剖面图的绘制与输出 ······················· 176

一、能识读建筑剖面图 ···································· 176

二、能完成建筑剖面图的绘图准备 ····················· 178

三、能绘制室外台阶、地坪线及剖面轮廓线 ··········· 182

四、能绘制阳台剖面图、雨篷立面图及挑檐剖面图 ···· 184

五、能绘制立面门及门窗剖面图 ························· 194

六、能绘制楼板与楼梯剖面图 ···························· 212

七、能绘制露台立面图、C6 窗剖面图 ················· 216

八、能完成屋顶与楼板图案填充、尺寸标注、定位轴线编号及图名与比例的绘制 ··· 220

九、能完成建筑剖面图虚拟打印出图 ··················· 225

附录　AutoCAD 软件常用快捷键 ······················· 230

参考文献 ·· 232

AutoCAD基础与快速入门

【项目概述】

本项目主要介绍 AutoCAD 软件的基础操作、辅助绘图工具和利用坐标输入法绘图。

【项目分析】

项目名称	学习任务	课时分配
AutoCAD 基础与快速入门	任务一　学会 AutoCAD 软件的基础操作	2 课时
	任务二　掌握 AutoCAD 软件精确绘图方法	6 课时
总计		8 课时

任务一　学会AutoCAD软件的基础操作

【学习目标】

1. 知识目标

1）了解 AutoCAD 软件的发展历程与应用。

2）了解 AutoCAD 2018 软件的计算机安装环境要求。

3）了解 AutoCAD 2018 的功能特性。

4）了解 AutoCAD 2018 "草图与注释" 工作界面。

2. 能力目标

1）能正确切换 AutoCAD 2018 工作空间界面。

2）能完成 AutoCAD 2018 基础命令操作。

3）能管理 AutoCAD 2018 的图形文件。

4）能根据 AutoCAD 的绘图需要正确选择图形对象。

5）能控制 AutoCAD 2018 的视图显示。

6）掌握 "选项" 对话框的相关设置。

3. 素养目标

1）能及时发现 AutoCAD 2018 工作界面操作过程中存在的问题并有效解决。

2）具备独立学习新知识、新技能的能力。

3）培养爱岗敬业的职业精神。

【任务描述】

本任务是根据 AutoCAD 2018 的应用特点，针对其工作界面、主要功能和基本操作进行介绍和讲解的。

【任务实施】

一、能正确使用 AutoCAD 工作界面

1. 基础知识

（1）AutoCAD 软件发展概述

CAD（Computer Aided Design）是计算机辅助设计的缩写。AutoCAD 是由美国 Autodesk（欧特克）公司开发的通用计算机辅助设计软件，该软件是目前最流行的计算机绘图软件之一。AutoCAD 在建筑制图领域应用非常广泛，是绝大多数工程类设计师的首选工具。它广泛应用于建筑设计、结构设计、室内设计、装饰装修、建筑施工、城市规划和园林景观设计等领域。AutoCAD 由最早的 V1.0 版到 2018 版，已经更新了数十次。这些更新使它具有了强大的绘图、编辑、图案填充、尺寸标注、三维造型、渲染和出图等功能。

我国 CAD 的技术经历了探索、技术攻关、普及推广与深化应用四个阶段。20 世纪 70 年代末，我国计算机尚处于萌芽阶段，二维图纸设计是我国最早应用的 CAD 技术，也是我国 CAD 技术的探索阶段。20 世纪 80 年代我国开始开发 CAD 的通用支撑软件，即技术攻关阶段。20 世纪 90 年代，我国政府开始注重 CAD 技术的应用推广，掀起了自主开发 CAD 软件的热潮，国产 CAD 企业也建立了起来，如高华 CAD、武汉的开目 CAD、北航海尔 CAXA、凯图 CAD 等。加入 WTO 以来，中国政府逐步加大对知识产权的保护力度，大力推广软件正版化普及工作，国产 CAD 又迎来了新的发展契机，出现了如浩辰 CAD、天正 CAD、中望 CAD 等。目前，这些企业在国内市场甚至国外市场都占有了一席之地。

（2）AutoCAD 2018 安装环境要求

AutoCAD 2018 安装环境要求见表 1-1。

表 1-1 AutoCAD 2018 的安装环境要求

安装环境	要求
操作系统	Microsoft® Windows® 7 SP1（32 位和 64 位） Microsoft Windows 8.1（含更新 KB2919355）（32 位和 64 位） Microsoft Windows 10（仅限 64 位）（建议 1607 及更高版本）
CPU 类型	32 位：1GHz 或更高频率的 32 位（x86）处理器 64 位：1GHz 或更高频率的 64 位（x64）处理器

（续）

安装环境	要求
内存	32 位：2GB（建议使用 4GB） 64 位：4GB（建议使用 8GB）
显示器分辨率	传统显示器：1360×768 像素真彩色显示器（建议使用 1920×1080 像素） 高分辨率显示器：在 Windows10 64 位系统（配支持的显卡）上支持高达 3840×2160 像素的分辨率
显卡	支持 1360×768 像素分辨率、真彩色功能和 DirectX® 9 的 Windows 显示适配器。建议使用与 DirectX 11 兼容的显卡 支持的操作系统建议使用 DirectX 9
磁盘空间	安装可用系统空间不小于 4.0GB
指针设备	Microsoft 鼠标兼容的指针设备
数字化仪	支持 WINTAB
介质（DVD）	通过下载安装或通过 DVD 安装
工具动画演示媒体播放器	Adobe Flash Player v10 或更高版本
.NET Framework	.NET Framework 版本 4.6

（3）AutoCAD 2018 的新功能特性

1）支持高分辨率（4K）显视器。光标、导航栏和 UCS 图标等用户界面元素可正确显示在高分辨率（4K）的显示器上。

2）PDF 输入。在 AutoCAD 中，能够将 PDF 文件中的数据输入到当前图形中作为对象使用。

3）视觉体验。图案填充显示和性能得到增强。

4）外部参照路径。外部参照的默认路径类型现已设置为"相对"。有两个新路径选项可用，即"选择新路径"和"查找并替换"。

5）DWG 格式更新。DWG 格式已更新，改善了打开和保存操作的效率，尤其是对于包含多个注释性对象和视口的图形。

6）"图层控制"选项成为"快速访问工具栏"菜单的一部分，方便用户使用。

（4）AutoCAD 2018 工作界面

打开 AutoCAD 软件，单击右下角"切换工作空间界面"三角形按钮，可以看到三个工作界面，分别是"草图与注释""三维基础"和"三维建模"，默认情况下进入的是"草图与注释"工作界面。AutoCAD"草图与注释"工作界面主要由标题栏、绘图窗口、坐标系统、十字光标、ViewCube、文本与命令窗口和状态栏等部分组成，如图 1-1 所示。

AutoCAD工作界面介绍

1）标题栏。标题栏位于 AutoCAD 工作界面的最上部。在标题栏的左侧是常用的文件操作工具，包括新建、打开、保存、另存为、打印、放弃和重做，如图 1-2a

所示。中间是软件名称和当前打开的图形文件名称，如当前启动的软件为 AutoCAD 2018，打开的文件名为"Drawing1.dwg"，如图 1-2b 所示。与 Windows 标准窗口一样，在标题栏的右侧有 3 个按钮，分别用来控制软件窗口的最小化、最大化和关闭。

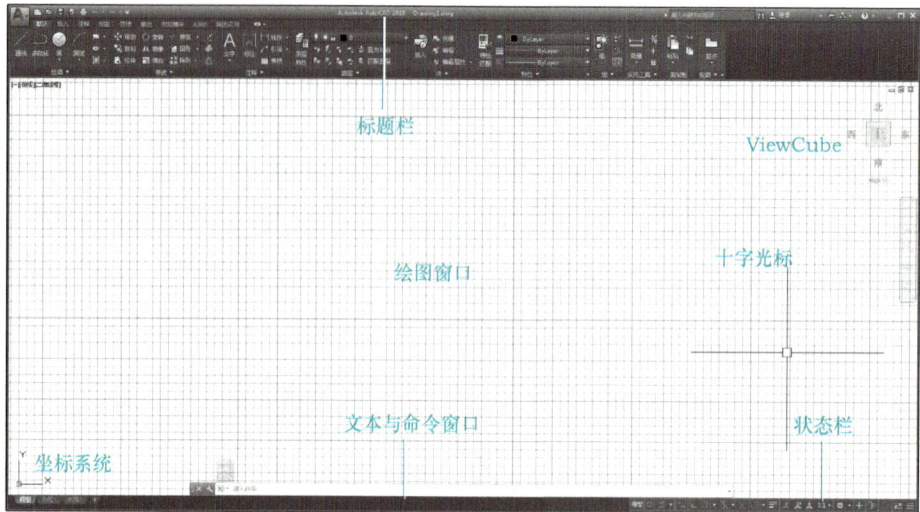

图　1-1

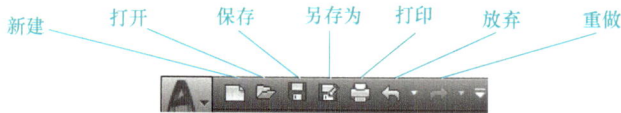

a)

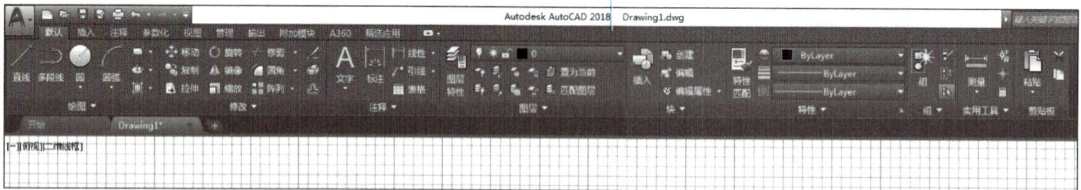

b)

图　1-2

2）绘图窗口。绘图窗口是 CAD 工作界面中最大的一个区域，它代表一张无限大的图纸。用户可以在绘图区中绘制任意图形，如图 1-1 所示。

3）文本与命令窗口。文本与命令窗口用于记录已用过的命令的提示信息及一些系统提示信息。默认状态下，文本与命令窗口在绘图窗口下方。用户可通过按 <F2> 功能键单独打开文本窗口，如图 1-3 所示。

4）状态栏。状态栏功能按钮依从左往右依次为模型或图纸空间、图形栅格、栅格捕捉、正交模式、极轴追踪、等轴侧草图、对象捕捉追踪、对象捕捉、线宽、注释对象、切换工作空间、注释监视器、隔离对象、硬件加速和全屏显示，如图 1-4 所示。

图　1-3

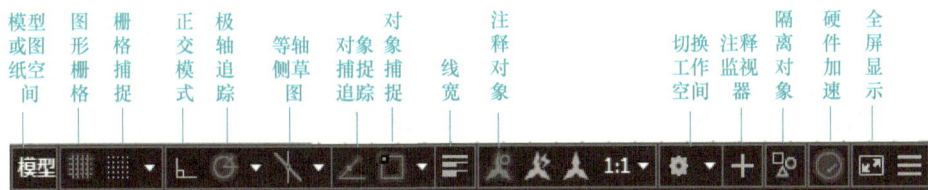

图　1-4

5）动态输入。动态输入就是把用户的注意力从命令行的输入转移到绘图窗口鼠标指针处的输入方法，使用户注意力更集中于绘图窗口。动态输入的三个组件包括指针输入、标注输入与动态提示。打开动态输入后，命令提示和命令输入在光标附近显示，如图1-5a所示。当动态输入提示显示红色边框时，即操作错误，必须进行修改，如图1-5b所示。

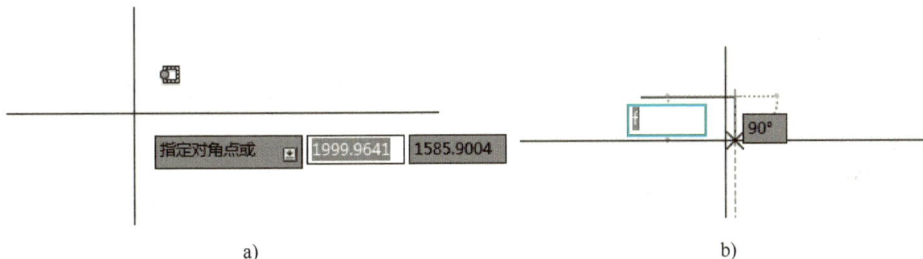

a)　　　　　　　　　　　b)

图　1-5

2. 技能训练

技能训练内容：能正确打开"草图与注释"工作界面。学习结果评价见表1-2。

表 1-2　学习结果评价——使用 AutoCAD 工作界面

序号	评价内容	评价标准				评价结果
		优秀 （91~100）	良好 （81~90）	一般 （71~80）	较差 （60~70）	
1	能正确打开"草图与注释"工作界面					
2	能及时发现 AutoCAD 2018 工作界面操作过程中存在的问题并有效解决					
3	能独立学习新知识、新技能					

5

【情境思考】

在 AutoCAD 软件操作过程中，因操作不当，不能正常显示"草图与注释"工作界面时，该怎么处理？

二、学会 AutoCAD 软件的基础操作

AutoCAD命令的基础操作

1. 基础知识

（1）在命令行中输入命令

在命令行中输入命令后按 <Enter> 键，按照提示可进行绘图。例如，在命令行中输入绘制圆的命令"Circle"（简写为"C"），如图 1-6 所示。

图 1-6

命令：_circle
指定圆的圆心或［三点（3P）/两点（2P）/切点、切点、半径（T）］：
（在绘图区域内任意单击某一点作为圆心）
指定圆的半径或［直径（D）］<0>：（输入"200"，按 <Enter> 键）

操作说明：

1）"［ ］"中以"/"隔开的内容列出了该命令的各种选项，输入其后面圆括号内的数值可选择其操作。

2）"（ ）"中列出各选项的键盘输入值。

3）"< >"中表示当前选项的默认值，如果输入数值和其一样，则不必输入，直接按 <Enter> 键即可。

（2）直接选择命令

一是在工作界面的工具面板上直接单击命令按钮进行绘图；二是单击标题栏上的 ▼ 按钮，勾选"显示菜单栏"，可弹出菜单栏，下拉菜单选择相应的命令进行绘图，如图 1-7 所示。

a)

b)

图 1-7

（3）从快捷菜单中选择命令

在绘图区域、命令窗口中右击，可弹出快捷菜单，选择命令即可实现操作。在绘图前右击弹出的快捷菜单，如图 1-8a 所示；在绘图过程中右击弹出的快捷菜单，如图 1-8b 所示。

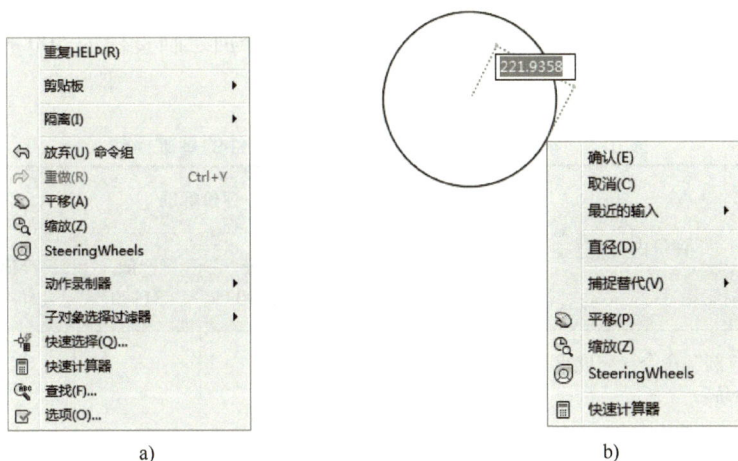

图　1-8

（4）重复、取消与恢复命令

重复、取消与恢复命令在 AutoCAD 软件操作过程中使用频率较高，具体操作方法见表 1-3。

表 1-3　重复、取消与恢复命令介绍

序号	内容	说明
1	重复命令	1）按 \<Enter\> 键或 \<Space\> 键，可结束命令或者重复调出刚使用的命令 2）按 \< ↑ \> 键可浏览以前使用的命令 3）在绘图窗口中右击，在弹出的快捷菜单中选择"最近的输入"选项
2	取消命令	按 \<Esc\> 键无条件终止正在使用的命令
3	恢复命令	如需恢复上一步操作可按 \<Ctrl+Z\> 键，也可点击标准工具栏里的 ⟲▾ 按钮，还可以在命令提示符下输入"放弃"（UNDO，简写"U"）命令

（5）正确使用鼠标

在 AutoCAD 软件操作过程中，应熟练掌握鼠标的使用。按下鼠标中间滑轮不放，会执行"平移"命令操作；滑动鼠标中间滑轮，可实现视图缩放；双击鼠标中间滑轮，可将视图全部显示。

操作提示：

1）输入命令后，可根据命令行中的提示进行下一步操作。

2）命令后跟有三角符号，表示该命令下还有子命令。

3）命令后跟有功能键，表示按下该功能键即可执行该命令。

4）命令后跟有省略号，表示选择该命令后会弹出相应的对话框。

5）命令呈现灰色，表示该命令在当前状态下不可用。

2. 技能训练

技能训练内容：显示菜单栏，下拉"绘图"菜单，找到"圆"命令；利用"圆"命令，分别做重复、取消与恢复命令练习；利用"圆"命令，分别绘制直径为 500 和半径为 500 的圆。学习结果评价见表1-4。

表 1-4　学习结果评价——AutoCAD 软件的基础操作

序号	评价内容	评价标准				评价结果
		优秀 （91~100）	良好 （81~90）	一般 （71~80）	较差 （60~70）	
1	能利用"圆"命令，完成重复、取消与恢复命令练习					
2	能利用"圆"命令，分别绘制直径为 500 和半径为 500 的圆					
3	能及时发现 AutoCAD 2018 命令操作过程中存在的问题并有效解决					
4	能独立学习新知识、新技能					

【情境思考】

在 AutoCAD 软件操作过程中，输入正确命令后，软件不执行该操作，该怎么处理？

三、能管理 AutoCAD 的图形文件

1. 基础知识

（1）AutoCAD 图形文件的格式及属性

在 AutoCAD 中，常用的图形文件格式有 4 种，见表1-5。

表 1-5　图形文件格式及属性

文件格式	属性
*.dws	包含标准图层、标注样式、线型、文字样式和标题栏的样板文件
*.dwt	标准的样板文件
*.dxf	图形交换文件扩展名
*.dwg	默认图形文件扩展名，建议保存此格式

图形文件的新建、打开与保存

（2）图形文件的新建、打开与保存

AutoCAD 中图形文件的新建、打开与保存见表 1-6。

表 1-6　图形文件的新建、打开与保存

序号	内容	说明	结果
1	新建图形文件	新建图形文件的方法有以下 4 种： 1）单击"文件"→"新建"，弹出"选择样板"对话框，如右图所示 2）单击 ▢ 按钮，弹出"选择样板"对话框 3）在命令窗口中输入"NEW" 4）功能键：<Ctrl+N>	
2	打开图形文件	打开图形文件的方法有以下 5 种： 1）单击"文件"→"打开"，弹出"选择文件"对话框如右图所示 2）单击 ▢ 按钮，弹出"选择文件"对话框 3）在命令窗口中输入"OPEN" 4）功能键：<Ctrl+O> 5）双击图形文件名	
		打开图形文件的方式： 单击"打开"下拉菜单，弹出"打开""以只读方式打开""局部打开""以只读方式局部打开"四种方式，如右图所示	

（续）

序号	内容	说明	结果
2	打开图形文件	"局部打开"操作应用于处理大型图形文件，可以在打开图形时选择需要加载尽可能少的几何图形，如右图所示	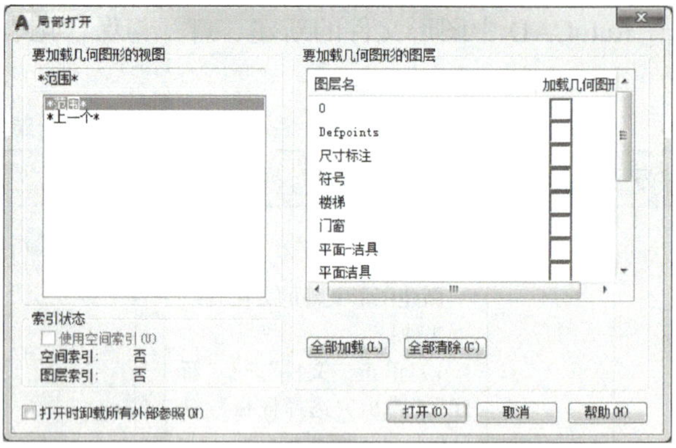
3	保存图形文件	图形文件的保存方法有2种：一是"保存"，二是"另存为" 1）当图形文件初次进行保存，可单击"保存"按钮，弹出"图形另存为"对话框，如右图所示 2）当图形文件已经进行过保存，绘图过程中单击"保存"按钮，不会弹出"图形另存为"对话框 3）"保存"文件需要在命令窗口中输入"save"，"另存为"文件需要在命令窗口中输入"Save as" 4）"保存"文件的功能键为 <Ctrl+S>，"另存为"文件的功能键为 <Shift+Ctrl+S>	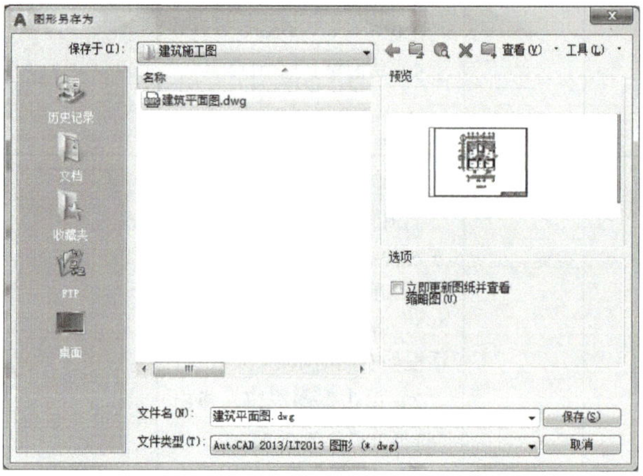

2. 技能训练

技能训练内容：将绘制的"圆"图形进行保存，文件名为"圆命令操作练习"，文件格式为".dwg"；再重新打开"圆命令操作练习.dwg"文件。学习结果评价见表 1-7。

表 1-7　学习结果评价——管理 AutoCAD 的图形文件

序号	评价内容	评价标准				评价结果
		优秀 （91~100）	良好 （81~90）	一般 （71~80）	较差 （60~70）	
1	能正确保存绘制的"圆"图形					
2	能正确打开"圆命令操作练习.dwg"文件					

（续）

序号	评价内容	评价标准				评价结果
		优秀 （91~100）	良好 （81~90）	一般 （71~80）	较差 （60~70）	
3	能及时发现图形文件新建、保存与打开过程中存在的问题并有效解决					
4	能独立学习新知识、新技能					

【情境思考】

在 AutoCAD 软件操作过程中，不小心将保存的 *.dwg 文件删除，该怎么恢复？

四、能根据 AutoCAD 的绘图需要正确选择图形对象

1. 基础知识

在进行"编辑"命令操作时，系统提示"选择对象"，这时鼠标指针变化为"矩形"，将"矩形"移至图形对象上，单击就可以选中该对象。选择对象的方式可以在命令执行前或命令执行后进行。常用的选择方式有 7 种，见表 1-8。

选择对象的
方式

表 1-8　选择对象的方式

序号	内容	说明	结果
1	全选	执行命令后，在系统提示"选择对象"时，直接输入"ALL"，全部选择对象	
2	单选	执行命令后，在系统提示"选择对象"时，依次单击选择对象	
3	窗选	执行命令后，在系统提示"选择对象"时，从左下或左上拉矩形窗口，窗口内对象被选中，如右图所示	 a)  b)

11

（续）

序号	内容	说明	结果
4	窗交	执行命令后，从右上或右下拉矩形窗口，窗口内和与窗口边线相交对象被选中 执行命令后，在系统提示"选择对象"时，输入"C"，无论从哪个方向拉矩形窗口，窗口内和与窗口边线相交对象都被选中，如右图所示	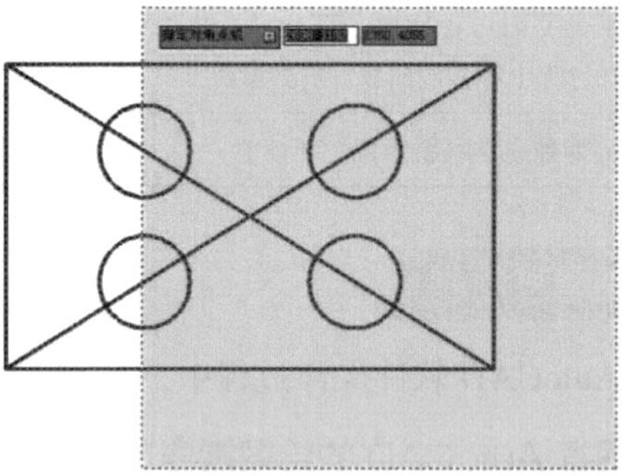 a) 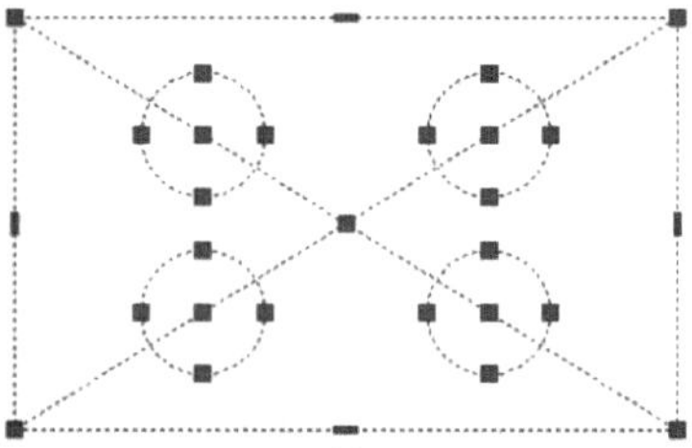 b)
5	圈围	执行命令后，在系统提示"选择对象"时，输入"WP"，围在任意多边形窗口内对象被选中，如右图所示	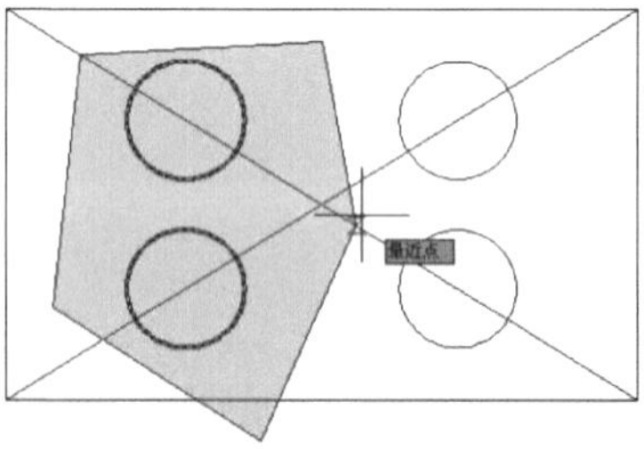 a) 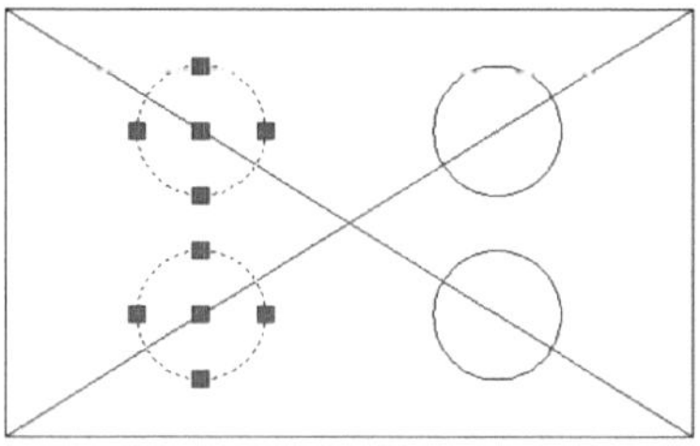 b)

（续）

序号	内容	说明	结果
6	圈交	执行命令后，在系统提示"选择对象"，输入"CP"，围在任意多边形窗口内和与窗口边线相交对象被选中，如右图所示	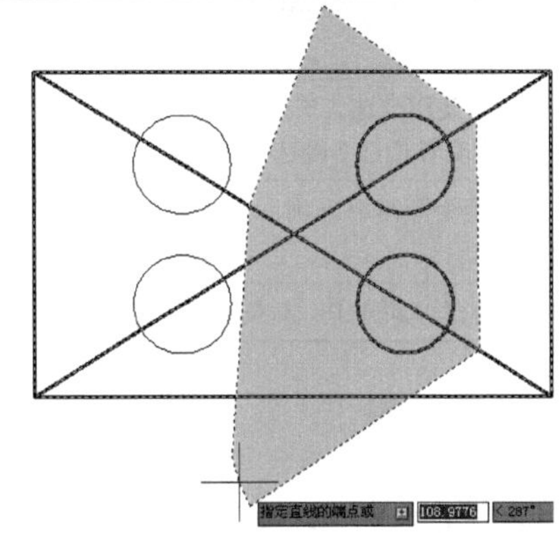 a) 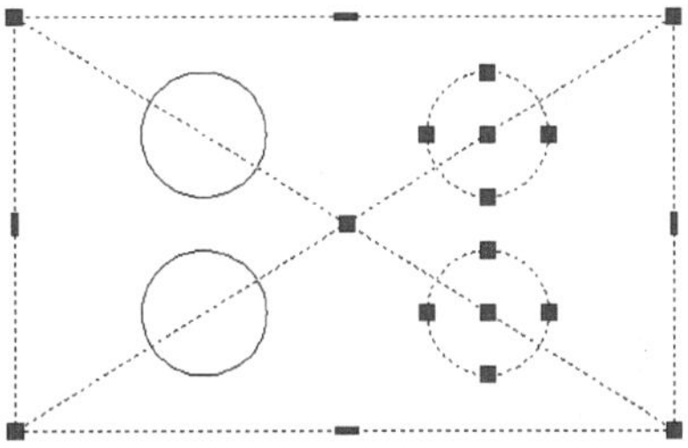 b)
7	栏选	执行命令后，在系统提示"选择对象"时，输入"F"，与选择线相交对象被选中，如右图所示	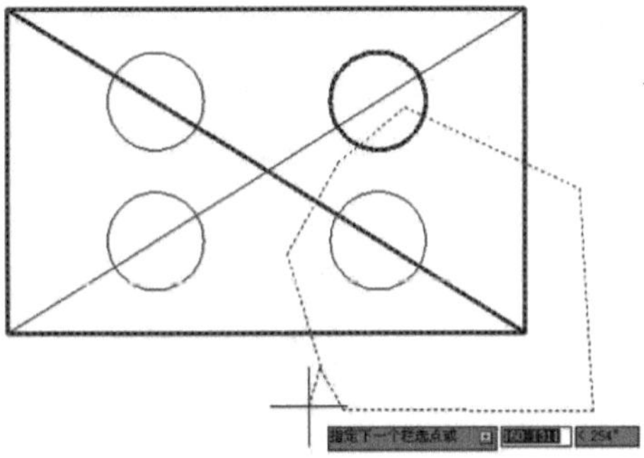 a) 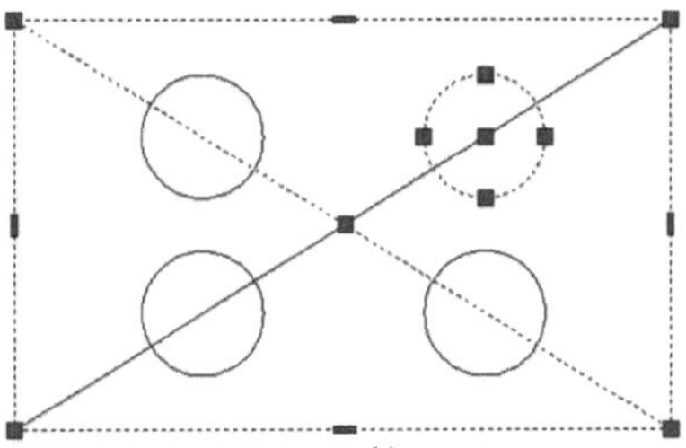 b)

2. 技能训练

技能训练内容：打开"选择对象"练习文件，进行全选、单选、窗选、窗交、圈围、圈交和栏选 7 种选择对象方式练习。学习结果评价见表 1-9。

表 1-9　学习结果评价——选择图形对象

序号	评价内容	评价标准				评价结果
		优秀 (91~100)	良好 (81~90)	一般 (71~80)	较差 (60~70)	
1	能正确使用全选、单选、窗选、窗交、圈围、圈交和栏选 7 种选择对象方式					
2	能根据绘图需要准确、快速地选择图形对象					
3	能独立学习新知识、新技能					

【情境思考】

在 AutoCAD 软件操作过程中，"编辑"命令操作前可以使用哪几种方式来选择对象？

五、能控制 AutoCAD 的视图显示

1. 基础知识

在绘图过程中，为方便观察和操作，经常需要调整对象显示的大小和位置，这就需要进行视图的缩放和平移。

视图的显示控制

（1）视图缩放命令

视图缩放是调整图形在绘图区域内显示的大小，只是改变图形的视觉效果，并不改变图形的实际尺寸，相当于把图纸移远和靠近。

执行视图"缩放"命令（ZOOM，简写为"Z"）途径有两种：

1）显示状态栏，单击"视图"→"缩放"，选择相应的缩放方式，如图 1-9a 所示。

2）在命令窗口中输入"Z"（ZOOM），选择相应的缩放命令，如图 1-9b 所示。

a)

图　1-9

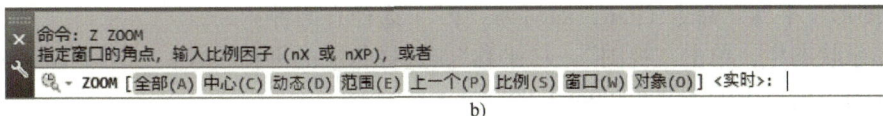

```
命令: Z ZOOM
指定窗口的角点，输入比例因子 (nX 或 nXP)，或者
ZOOM [全部(A) 中心(C) 动态(D) 范围(E) 上一个(P) 比例(S) 窗口(W) 对象(O)] <实时>:
```
b)

图　1-9（续）

（2）视图缩放类型及操作要点

视图缩放包括 9 种类型，其具体分类及操作要点见表 1-10。

表 1-10　视图缩放类型及操作要点介绍

序号	类型	图标	操作要点
1	范围（E）		显示整个图形范围
2	上一个（P）		单击该图标将缩放显示上一个视图；连续单击几次，将恢复显示前几次显示过的视图，最多可恢复此前的 10 个视图
3	窗口（W）		缩放显示由两个角点定义的矩形窗口框定的区域
4	动态（D）		在屏幕上动态地显示一个视图框，以确定显示范围。移动视图框或调整它的大小，将其中的视图平移或缩放，以充满整个窗口。单击后可更改视图框的大小，再次单击可确定视图框的新尺寸。若要使用视图框进行缩放图形，可将其拖动到所需的位置，然后按 <Enter> 键
5	比例（S）		要求输入比例因子（nx 或 nxp），以指定的比例因子缩放显示。输入的值后面跟着 "x"，是根据当前视图指定比例，如输入 "0.5x" 使屏幕上的每个对象显示为原大小的 1/2；输入的值后面跟着 "xp"，是指定相对于图纸空间单位的比例，如输入 "0.5xp" 则以图纸空间单位的 1/2 显示模型空间
6	中心（C）		显示由中心点和高度（或缩放比例）所定义的范围。高度值指所要显示图形本身占屏幕的高度值，高度值较小时，放大图形；高度值较大时，缩小图形
7	对象		缩放为显示对象的范围，以便尽可能大地显示一个或多个选定的对象并使其位于视图的中心
8	放大或缩小		放大或缩小指定对象的外观尺寸
9	全部（A）		显示图形界限区域或整个图形范围。当图形所在区域在定义的图形界限范围内时，显示图形界限；当图形所在区域超出图形界限范围时，显示图形所在区域

（3）视图平移

视图平移是指不改变图形显示的大小，只改变图形在绘图区域内的位置。命令操作时连同坐标系一起平移，所以平移并不改变对象中任意点的坐标。

执行图形"平移"命令（Pan，简写为"P"）途径有两种：

1）显示状态栏，单击"视图"→"平移"，选择相应的平移方式，如图 1-10 所示。

2）在命令窗口中输入"P"（Pan）。

图　1-10

2. 技能训练

技能训练内容：打开"建筑平面图"练习文件，进行视图缩放与平移练习。学习结果评价见表 1-11。

表 1-11　学习结果评价——控制 AutoCAD 的视图显示

序号	评价内容	评价标准				评价结果
		优秀 （91~100）	良好 （81~90）	一般 （71~80）	较差 （60~70）	
1	能正确操作 9 种视图缩放方式					
2	能根据视图显示需要，正确选择视图缩放的类型					
3	能正确操作视图的平移					
4	能独立学习新知识、新技能					

【情境思考】

在 AutoCAD 中绘制了图形，但是重新打开文件后看不到，该怎么处理？

六、能根据绘图需要设置 AutoCAD"选项"对话框

AutoCAD选项
对话框的设置

1. 基础知识

更改"选项"对话框的相关设置，可控制其颜色方案、背景色、十字光标、夹点、默认文件路径、工具提示显示、命令行字体和许多其他应用程序元素，见表 1-12。

表 1-12 "选项"对话框的相关设置

序号	内容	说明	结果
1	"文件"选项卡的设置	为了避免绘图过程中因计算机故障等原因出现文件丢失，可以在"文件"选项卡中，设置自动保存文件位置 操作方法： 显示状态栏，打开"工具"→"选项"，或在绘图窗口右击，弹出"选项"对话框，打开"文件"选项卡，找到"自动保存文件位置"，通过双击文件路径"C:\Users\Administrator\appdata\local\temp\"，弹出"浏览文件夹"对话框，可重新设置自动保存文件路径，如右图所示	
2	"显示"选项卡的设置	1）切换至"显示"选项卡，可设置"窗口元素""布局元素""显示精度"和"十字光标大小"，如右图所示	

序号	内容	说明	结果
2	"显示"选项卡的设置	2）单击"颜色"，弹出"图形窗口颜色"对话框，设置"统一背景"为"白色"，如右图所示	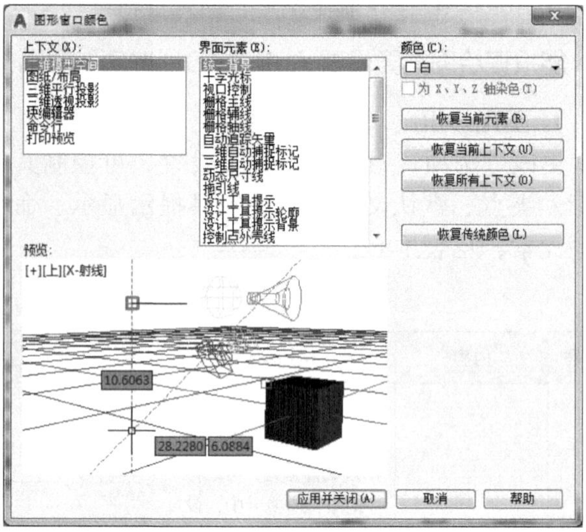
3	"打开和保存"选项卡的设置	"打开和保存"选项卡可设置"文件默认保存的版本和格式""文件安全措施"和"文件打开"等内容，如右图所示	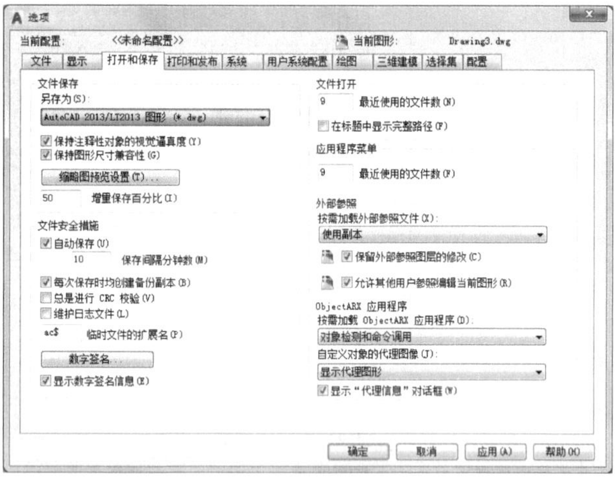
4	"绘图"选项卡的设置	"绘图"选项卡可设置"自动捕捉设置""自动捕捉标记大小"和"靶框大小"等内容，如右图所示	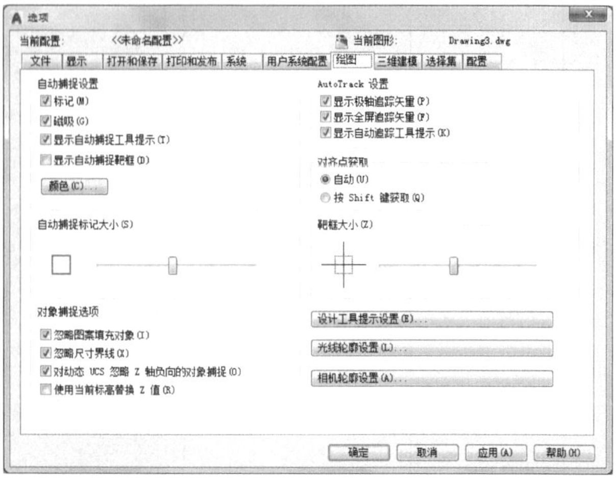

2．技能训练

技能训练内容：打开"选项"对话框，修改自动保存文件的位置，设置文件保存的版本及格式为 AutoCAD 2013（*.dwg），并调整"统一背景"为白色。学习结果评价见表 1-13。

表 1-13　学习结果评价——设置 AutoCAD "选项"对话框

序号	评价内容	评价标准				评价结果
		优秀（91~100）	良好（81~90）	一般（71~80）	较差（60~70）	
1	能正确修改自动保存文件的位置					
2	能调整"统一背景"为白色					
3	能设置文件保存的版本及格式为 AutoCAD 2013（*.dwg）					
4	能根据绘图需要合理地调整"选项"对话框的相关内容					
5	能独立学习新知识、新技能					

【情境思考】

利用 AutoCAD 软件绘图过程中，计算机宕机，但文件未能及时保存，该怎么处理？

任务二　掌握AutoCAD软件精确绘图方法

【学习目标】

1．知识目标

1）了解辅助绘图工具的类型及特点。

2）了解坐标系的概念与分类。

2．能力目标

1）能根据绘图需要正确设置对象捕捉的类型。

2）能正确使用正交命令绘制直线。

3）会使用极轴追踪绘制特殊角度的直线。

4）能利用对象捕捉追踪确定点的位置绘制特殊位置直线。

5）能利用坐标输入法绘图。

3．素养目标

1）养成独立学习新知识、新技能的能力。

2）培养严谨、细致、精益求精的工作精神。

3）培养爱岗敬业的职业精神。

【任务描述】

本任务主要是针对精确绘图所使用的工具和命令，包括辅助工具栏和坐标输入法绘图进行介绍和讲解的。

【任务实施】

一、能利用状态栏中的辅助工具进行精确绘图

1. 基础知识

绘图辅助工具也是精确绘图工具，主要包括状态栏中的正交、极轴追踪、对象捕捉和对象捕捉追踪，如图 1-11 所示，其操作快捷键见表 1-14。

图 1-11

表 1-14 常用绘图辅助工具一览表

序号	绘图辅助工具名称	快捷键
1	正交	<F8>
2	极轴追踪	<F10>
3	对象捕捉	<F3>
4	对象捕捉追踪	<F11>

（1）对象捕捉

对象捕捉功能可以捕捉到对象上的特征点，如端点、中点、圆心和交点等，而无须知道该点的坐标，也不用担心单击到该特征点之外的位置。熟练掌握"对象捕捉"命令对于准确绘图来说非常重要。

单击"对象捕捉"按钮旁三角形 ，可以打开对象捕捉模式，显示"√"即当前处于打开状态，如图 1-12a 所示。也可以单击"对象捕捉设置"，弹出"草图设置"对话框，勾选需要的对象捕捉模式，如图 1-12b 所示。

a)

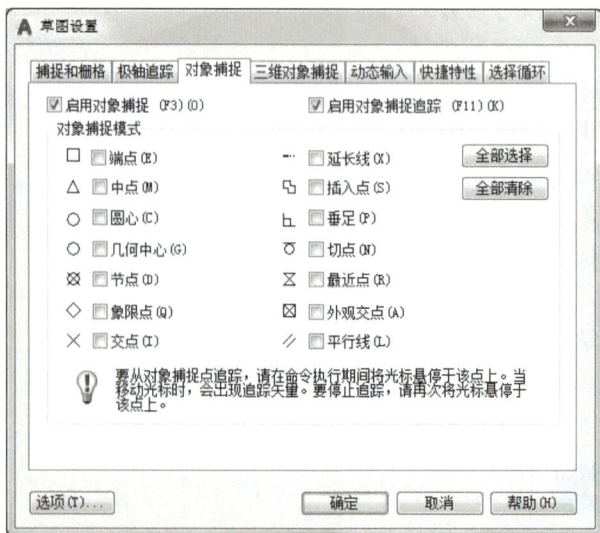

b)

对象捕捉类型

图 1-12

各个捕捉模式的类型及说明见表 1-15。

表 1-15　捕捉模式的类型及说明

序号	类型	说明
1	端点	捕捉到对象（如圆弧、直线、多线、多段线线段、样条曲线、面域或三维对象）的最近端点或角
2	中点	捕捉到对象（如圆弧、椭圆、直线、多段线线段、面域、样条曲线、构造线或三维对象的边）的中点
3	圆心	捕捉到圆弧、圆、椭圆或椭圆弧的中心点
4	几何中心	捕捉到多段线、二维多段线和二维样条曲线的几何中心点
5	节点	捕捉到点对象、标注定义点或标注文字原点
6	象限点	捕捉到圆弧、圆、椭圆或椭圆弧的象限点
7	交点	捕捉到对象（如圆弧、圆、椭圆、直线、多段线、射线、面域、样条曲线或构造线）的交点
8	延长线	当光标经过对象的端点时，显示临时延长线或圆弧，以便用户在延长线或圆弧上指定点
9	插入点	捕捉到对象（如属性、块或文字）插入点
10	垂足	捕捉到对象（如圆弧、圆、椭圆、椭圆弧、直线、多线、多段线、射线、面域、二维实体、样条曲线或构造线）的垂足
11	切点	捕捉到圆弧、圆、椭圆、椭圆弧或样条曲线的切点
12	最近点	捕捉到对象（如圆弧、圆、椭圆、椭圆弧、直线、点、多段线、射线、样条曲线或构造线）的最近点
13	外观交点	捕捉在三维空间中不相交但在当前视图中看起来可能相交的两个对象的视觉交点
14	平行线	将直线段、多段线线段、射线或构造线限制为与其他线性对象平行

操作提示：

　　在绘图过程中，右击弹出快捷菜单，利用"捕捉替代"，可灵活选择对象捕捉模式，如图 1-13 所示。其中，利用"两点之间的中点"，可绘制位于任意两点之间中点的图形，如图 1-14 所示。

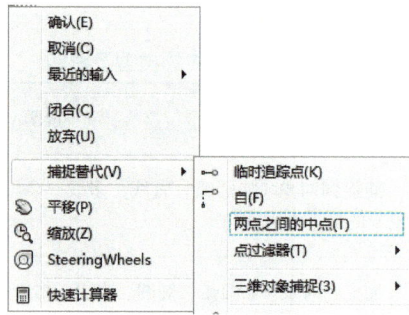

图 1-13

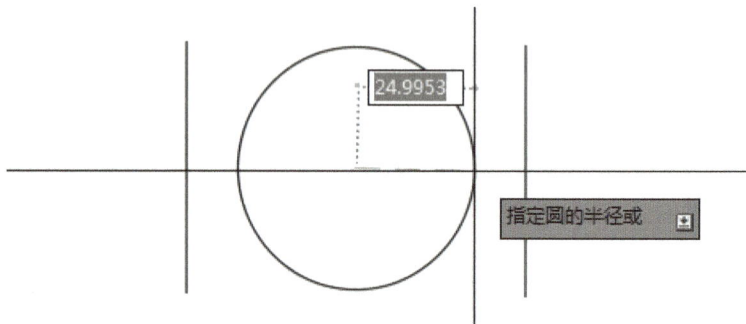

图 1-14

（2）正交

正交是为了追踪到水平和垂直方向，使鼠标指针仅限于在 X 轴和 Y 轴上移动，而不会发生倾斜。在正交的状态下绘图，如图 1-15 所示。

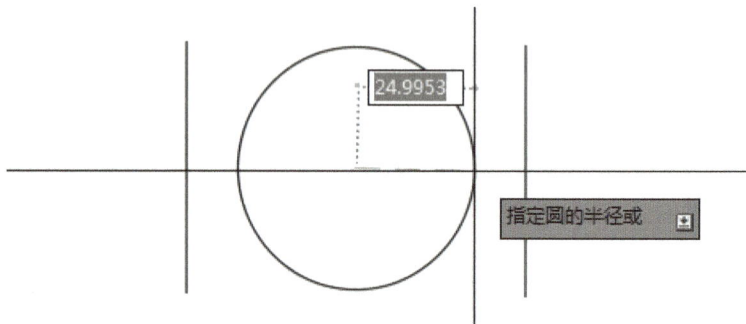

图 1-15

操作提示：

1）按住 <shift> 键不放，即可实现正交模式下绘图。

2）在绘图过程中，"正交"和"极轴追踪"只能使用其中一种。

（3）极轴追踪

极轴追踪是为了追踪到用户设定的任意角度，是一种比正交功能更强大的辅助绘图工具。极轴追踪在默认状态下，角度增量角为45°、90°、135°、180°…，用户可以选择其他角度，如图1-16所示。在选定角度控制下鼠标指针左右和上下移动（屏幕中出现点虚线），此状态和正交状态相似，如图1-17所示。

图　1-16

图　1-17

（4）对象捕捉追踪确定点的位置

打开"对象捕捉""极轴追踪"和"对象捕捉追踪"，设置对象捕捉模式为"端点""交点"和"延长线"，用于沿极轴路径下，实现两条水平直线"长对正""高平齐"，如图1-18a、b所示，以及确定任意角度直线与另一对象在延长线上的相交，如图1-18c、d所示。

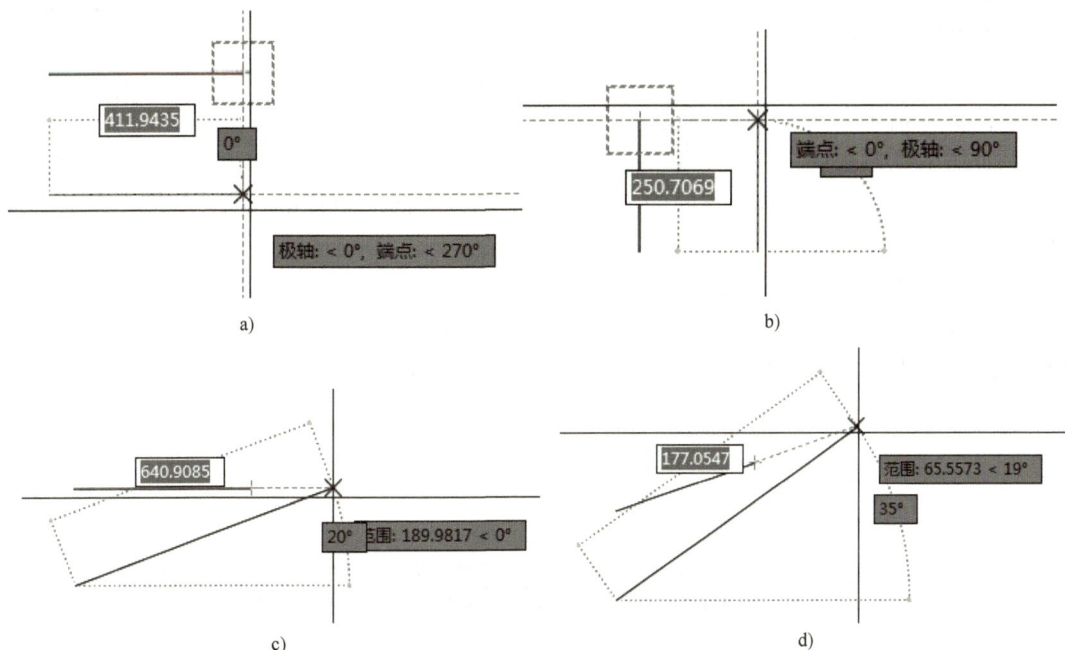

对象捕捉追踪确定点的位置

a)

b)

c)

d)

图　1-18

2. 技能训练

技能训练内容：绘制位于任意两点之间中点的圆。利用正交绘制直线，利用极轴追踪绘制倾斜 45° 的直线，利用对象捕捉追踪确定点的位置绘制特殊位置的直线。学习结果评价见表 1-16。

表 1-16　学习结果评价——利用辅助工具精确绘图

序号	评价内容	评价标准				评价结果
		优秀 （91~100）	良好 （81~90）	一般 （71~80）	较差 （60~70）	
1	能利用"两点之间的中点"绘制圆图形					
2	能利用正交绘制任意长度的直线					
3	能利用极轴追踪绘制倾斜 45° 的直线					
4	能利用对象捕捉追踪确定点的位置绘制特殊位置的直线					
5	培养严谨、细致、精益求精的工作精神					
6	养成独立学习新知识、新技能的能力					

二、能利用坐标输入法进行绘图

1. 基础知识

在屏幕上指定点的位置是绘图的基本任务之一。要精确地指定点的位置，就要了解坐标系的概念和坐标的输入方法。

坐标输入法绘图

（1）世界坐标系和用户坐标系

1）世界坐标系（World Coordinate System，WCS）是 AutoCAD 默认的坐标系，又称笛卡尔坐标系或直角坐标系。它由一个原点和两个通过原点相互垂直的坐标轴构成。在该坐标系中，屏幕左下角为坐标原点；水平方向的坐标轴为 X 轴，以向右为其正方向；垂直方向的坐标轴为 Y 轴，以向上为其正方向，如图 1-19a 所示。WCS 主要用于二维绘图。

2）用户坐标系（User Coordinate System，UCS）是不固定的，是以 WCS 为基础创建的坐标系。UCS 主要应用于三维绘图。在三维绘图中，UCS 的坐标原点及 X、Y、Z 坐标轴可移动或旋转，甚至可依赖图形中的某个特定对象，从而使三维绘图更具灵活性，如图 1-19b 所示。

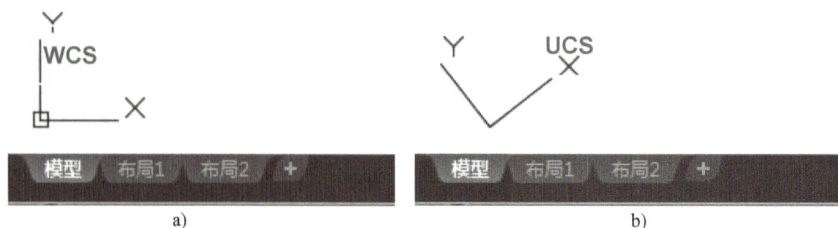

a) b)

图　1-19

（2）坐标分类和输入方式

1）坐标的分类。在世界坐标系（WCS）中，常用的坐标有三种，即绝对坐标、相对坐标和极坐标，见表 1-17。

表 1-17 坐标的分类

序号	类型	说明	结果
1	绝对坐标	表示某点相对于坐标原点的距离，如右图所示	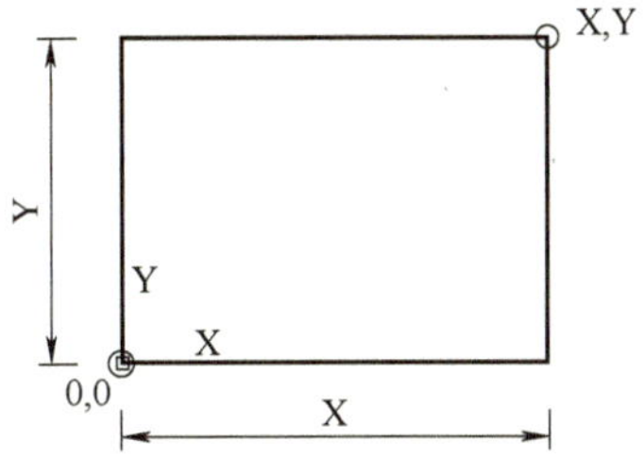
2	相对坐标	表示某点与上一点的相对位移值，在 AutoCAD 中相对坐标用 "@" 标识，如右图所示	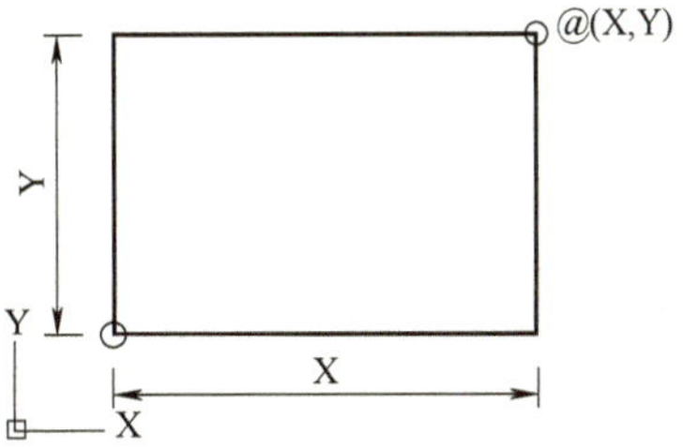
3	极坐标	包括绝对极坐标和相对极坐标。它由一个极点和一个极轴构成，以坐标原点或上一点为参照极点，通过输入极距增量和角度来定义下一个点的位置，如右图所示	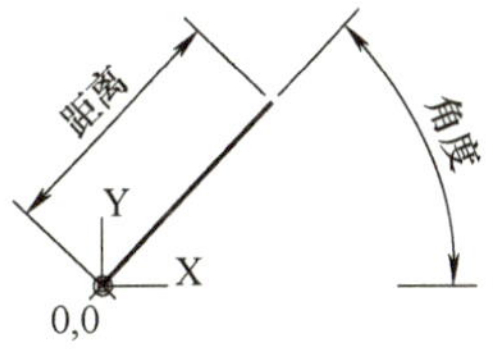

2）坐标输入方式。坐标的输入方式包括绝对坐标输入、相对坐标输入、绝对极坐标输入和相对极坐标输入四种方式，见表 1-18。

表 1-18 坐标输入方式

序号	类型	说明	结果
1	绝对坐标输入格式：X，Y	"30，60" 即点在 X 方向距原点的距离为 30，点在 Y 方向距原点的距离为 60，如右图所示	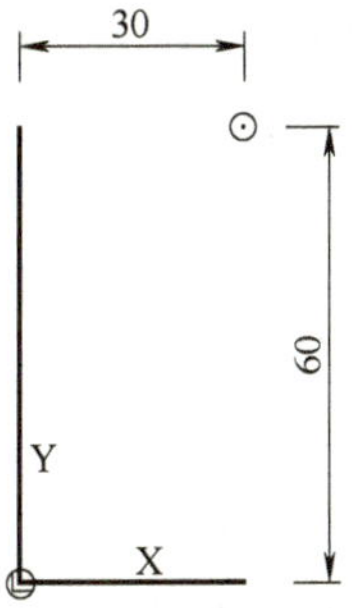

（续）

序号	类型	说明	结果
2	相对坐标输入格式：@X，Y	"@30，60"即点在 X 方向距上一点的距离为 30，点在 Y 方向距上一点的距离为 60，如右图所示	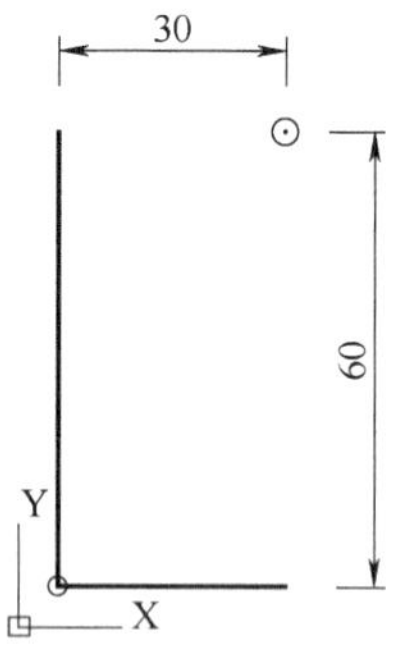
3	绝对极坐标输入格式：距离 < 角度	"30<60"即点距原点的距离为 30，与 X 轴正向的夹角为 60°，如右图所示	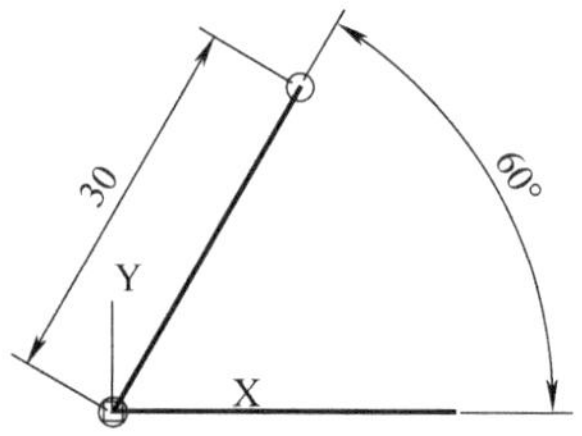
4	相对极坐标输入格式：@ 距离 < 角度	"@30<60"即点距上一点的距离为 30，与 X 轴正向的夹角为 60°，如右图所示	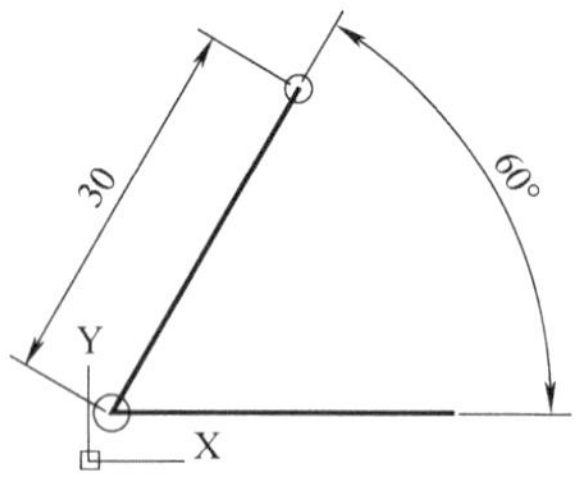

操作提示：

利用坐标输入法绘图，水平方向的坐标轴为 X 轴，以向右为其正方向，向左为其负方向，负方向需要在数字前加"−"号；垂直方向的坐标轴为 Y 轴，以向上为其正方向，向下为其负方向，负方向需要在数字前加"−"号。

2．技能训练

技能训练内容：打开直线命令，在指定第一点提示下输入绝对坐标"30，60"，在下一点提示下输入相对坐标"@30，60"。继续利用直线命令，输入绝对极坐标"30<60"。学习结果评价见表 1-19。

表 1-19 学习结果评价——坐标输入

序号	评价内容	评价标准				评价结果
		优秀 （91~100）	良好 （81~90）	一般 （71~80）	较差 （60~70）	
1	能利用直线命令，完成绝对坐标、相对坐标与极坐标的输入					
2	能掌握坐标输入法，并在绘图中正确应用					
3	养成独立学习新知识、新技能的能力					

【情境思考】

利用坐标输入法绘图过程中，有些同学无法输入正确的角度值，导致绘图不准确，该怎么处理？

项目二

利用AutoCAD软件绘制建筑施工图

【项目概述】

本项目以某小型住宅楼建筑施工图的绘制为例，通过分析图纸，了解建筑各构造的造型及尺寸数据，依据 GB/T 50001—2017《房屋建筑制图统一标准》等相关标准、规范，利用 AutoCAD 软件详细讲解了图纸目录、门窗说明表与设计说明、建筑平面图、立面图与剖面图的绘制方法和流程，重点培养学生绘制建筑施工图的能力。

【项目分析】

项目名称	学习任务		课时分配
利用 AutoCAD 软件绘制建筑施工图	任务一	绘制图纸目录、门窗说明表与设计说明	3 课时
	任务二	建筑平面图的绘制与输出	18 课时
	任务三	建筑立面图的绘制与输出	6 课时
	任务四	建筑剖面图的绘制与输出	8 课时
总计			35 课时

任务一　绘制图纸目录、门窗说明表与设计说明

【学习目标】

1. 知识目标

1）通过查看 GB/T 50001—2017《房屋建筑制图统一标准》，了解图框、标题栏及索引符号绘制要求。

2）掌握设计说明、图纸目录与门窗说明表绘制的基本方法、技巧与流程。

2. 能力目标

1）能根据 GB/T 50001—2017《房屋建筑制图统一标准》，读懂图纸目录、门窗说明表与设计说明。

2）能根据绘图要求正确设置文字样式与注写文字。

3）能根据绘图要求正确编辑文字样式和文字内容。

4）能根据绘图要求正确的创建与编辑表格。

5）能利用 AutoCAD 软件绘制图纸目录、门窗说明表与设计说明。

3. 素养目标

1）能及时发现文字注写与编辑、表格创建与编辑操作过程中存在的问题并有效解决。

2）培养学生严谨、细致的工作作风和良好的职业道德。

3）激发学生应用现代信息技术的兴趣和开拓创新的职业精神。

【任务描述】

本任务主要介绍图纸目录、门窗说明表与设计说明绘制的方法和步骤。

【任务实施】

一、能注写与编辑文字

1. 基础知识

查看 GB/T 50001—2017《房屋建筑制图统一标准》，了解图纸幅面、索引符号与详图符号的相关规定。

（1）文字样式设置

建筑工程图纸中不仅有图形对象，还包含文字对象。撰写设计说明、施工技术要求、施工说明和标注尺寸等都要用到文字。图形中的所有文字都具有与之相关联的文字样式，注写文字或标注尺寸之前，必须要给文字定义文字样式。在文字样式中可以设置文字的字体、字号、倾斜角度、方向及其他特征。当前文字样式的设置显示在命令行提示中。用户可以使用或修改当前文字样式，或者创建和加载新的文字样式。创建了文字样式，就可以修改其特征和名称，也可以在不需要时将其删除。

执行"文字样式"命令（style，简写为"st"）有以下两种途径：

1）单击工具栏"注释"组上的"文字样式"命令按钮 A。

2）在命令窗口中输入"st"（style）。

系统默认样式为 Standard 和 Annotative 两种。Standard 样式名不能删除或重命名。Annotative 为带有"注释"性的文字样式，可以修改和删除。使用时应该新建文字样式，单击"新建"按钮，弹出"新建文字样式"对话框，输入新的样式名即可，如图 2-1 所示。关于"文字样式"对话框各选项组的相关说明见表 2-1。

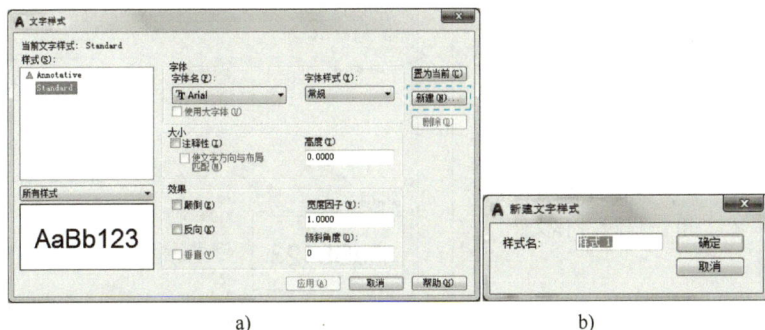

a）　　　　　　　　　　　　　　　　　　b）

图　2-1

表 2-1 "文字样式"对话框各选项组的相关说明

序号	类型	内容	结果
1	"字体"选项组	该选项组用于设置文字的字体名和字体样式 字体名:打开"文字样式"对话框之后,默认显示的字体是 Fonts 文件夹中所有注册的 TrueType 字体和所有编译的形(SHX)字体的族名,如我们常用的宋体、黑体、仿宋字体等,如右图所示	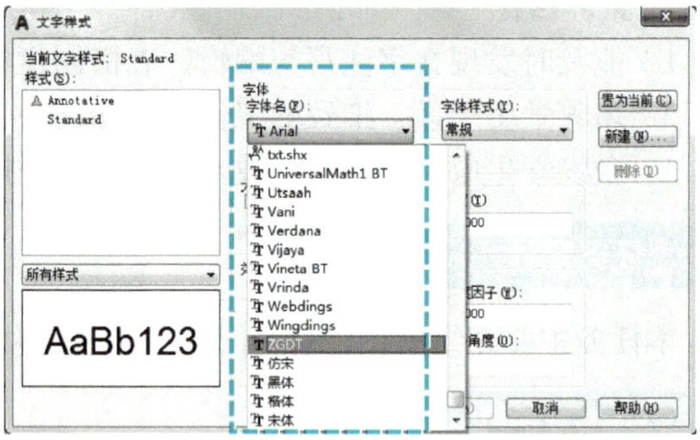
		True Type 字 体(扩 展 名为".ttf"):由 Apple 公 司 和 Microsoft 公 司 联合提出的一种新型数学字形描述技术,是 Windows 系统的通用字库。字体安装在 Windows 的 Fonts 目录里	
		SHX 字体(字体扩展名为".shx"):CAD 专有字库,放置在 AutoCAD 安装目录 Fonts 里。在"字体"选项内左侧显示的 SHX 字体被称为小字体,这些字体文件中只包含英文、数字、符号等单字节的字符。在"字体"选项内右侧显示的 SHX 字体被称为大字体,可以书写双字节文字,它是为亚洲语言(包括简体与繁体汉字、日语、韩语等)而设置的。其中,名为"gbcbig.shx"的字体是符合国际标准的简体长仿宋体,其宽度比例默认为 0.7,它既可以标注中文、英文,还可以标注特殊字符,如右图所示	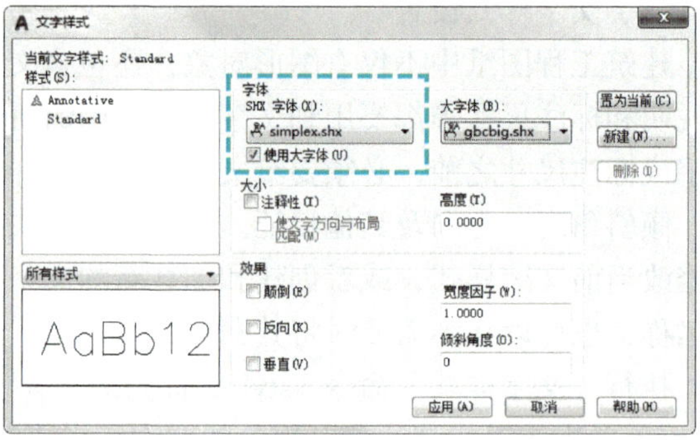
		字体样式:指定文字格式,比如斜体、粗体或常规字体,如右图所示。勾选"使用大字体"后,该选项变为"大字体",用于选择大字体文件	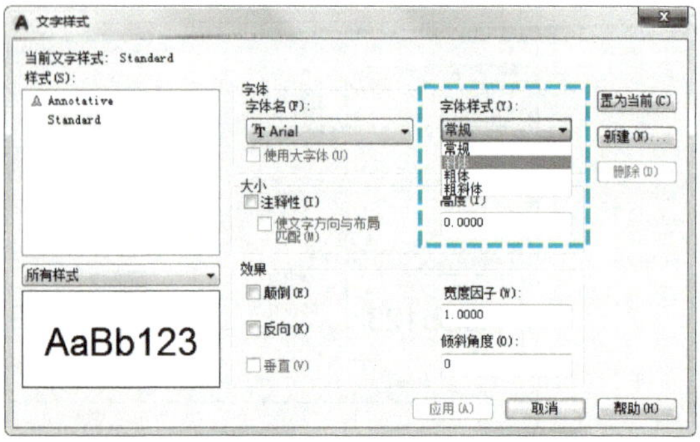

（续）

序号	类型	内容	结果
2	"大小"选项组	该选项组用于设置文字的高度和注释性。使用 Standard 标准样式进行修改，勾选"注释性"时，Standard 标准样式前自动显示"注释性"符号，如右图所示	
		"图纸文字高度"选项用于设置文字的高度值，如右图所示。当高度设置为 0 时，字体高度在书写时可以变动。若为非 0，则每次书写时字高是固定的	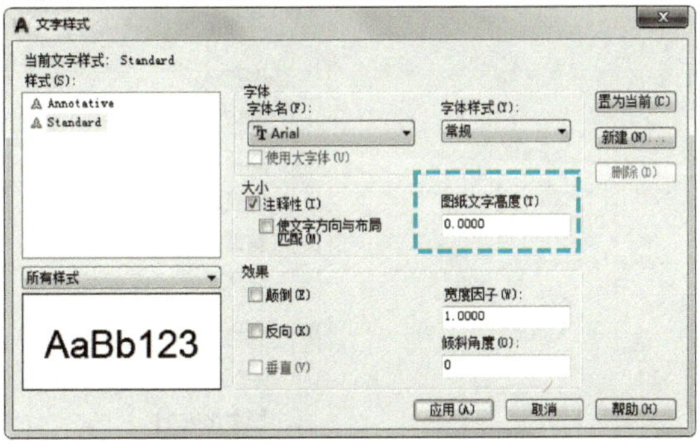
3	"效果"选项组	该选项组可以设置文字的效果为颠倒、反向和垂直，以及进行文字的宽度因子和倾斜角度的设置，如右图所示	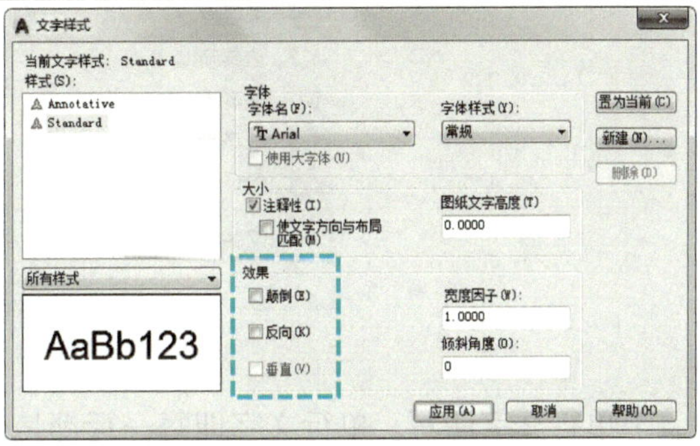

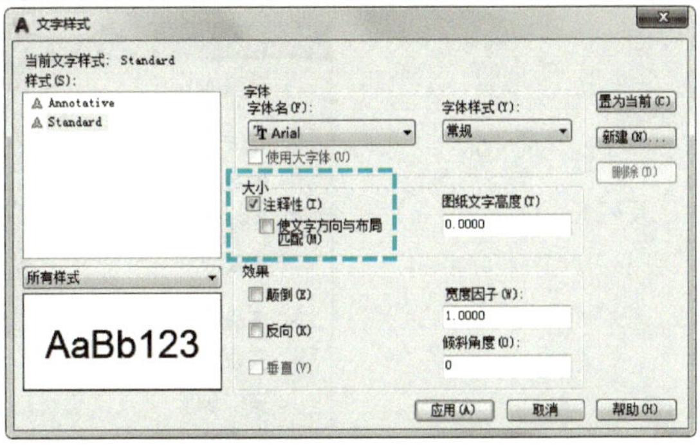

操作提示：

1）勾选"使用大字体"复选框时，仅显示 SHX 字体；不勾选时，显示 SHX 和 True Type 字体。

2）当选用 True Type 字体时，不允许勾选"使用大字体"复选框，允许在"字体样式"下拉列表中选择常规、斜体、粗体和粗斜体样式。当选择 SHX 字体时，如不勾选"使用大字体"复选框，"字体样式"只有"常规"。

3）特殊字符的输入举例：

%%D：度数的输入，如"30°"，则输入"30%%D"。

%%C：直径的输入，如"φ30"，则输入"%%C30"。

%%P：正负号的输入，如"±30"，则输入"%%P30"。

（2）文字注写

在 AutoCAD 中系统提供了单行文字和多行文字两种文字注写方式，如图 2-2 所示。

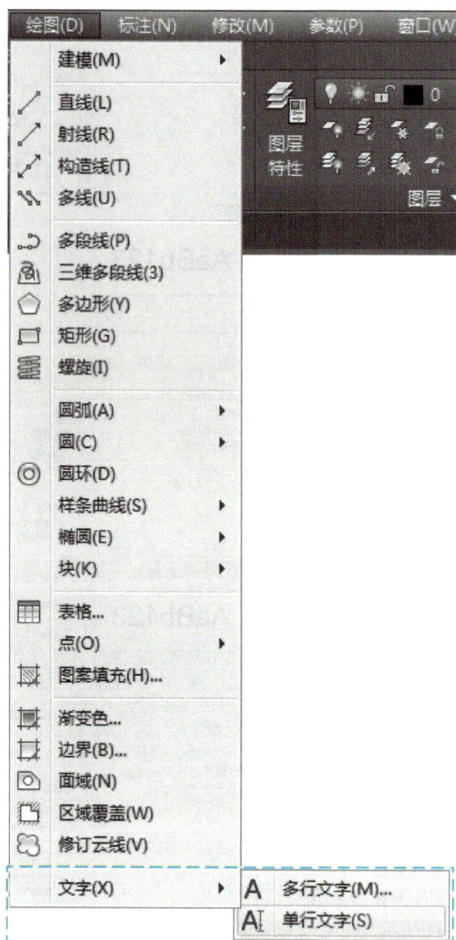

图 2-2

1）单行文字注写。单行文字即每一行都是一个文字对象，可用来创建内容比较简短的文字对象。

执行"单行文字"命令（text，简写"dt"）有两种途径：

① 单击工具栏"注释"组上的"单行文字"命令按钮。

② 在命令窗口中输入"dt"（text）。

命令：_text

当前文字样式："Standard"文字高度：0.2000   注释性：否   对正：左

指定文字的起点或［对正（J）/样式（S）］：

指定高度 <0.2000>：

指定文字的旋转角度 <0>：

关于各选项的说明如下：

对正（J）：对正方式决定字符的哪一部分与插入点对齐，左对齐是默认选项对齐方式，如图 2-3 所示。

样式（S）：指定文字样式。

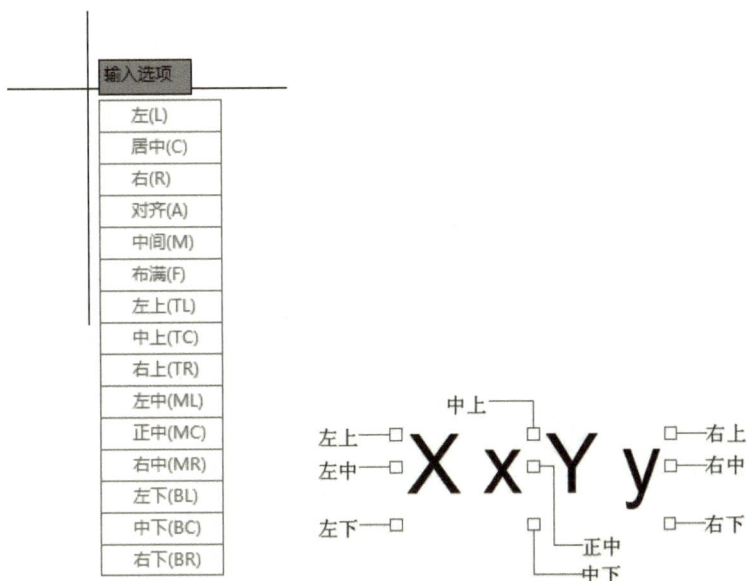

图 2-3

2）多行文字注写。多行文字又称为段落文字，是一种易于管理的文字对象。

执行"多行文字"命令（mtext，简写"t"或者"mt"）有两种途径：

① 单击工具栏"注释"组上的"多行文字"命令按钮 A 多行文字 。

② 在命令窗口中输入"t"或者"mt"（mtext）。

命令：_mtext

当前文字样式："Standard" 文字高度：2.5　注释性：否

指定第一角点：指定文本边框第一点 A

指定对角点或 [高度（H）/ 对正（J）/ 行距（L）/ 旋转（R）/ 样式（S）/ 宽度（W）/ 栏（C）]：

关于各选项的说明如下：

高度（H）：指定多行文字字符的高度。

对正（J）：指定矩形区域中文字的对正方式。

行距（L）：指定多行文字的行间距。

旋转（R）：指定文字区域的旋转角度。

样式（S）：指定多行文字的文字样式。

宽度（W）：指定多行文字边界的宽度。

栏（C）：指定多行文字对象的列选项，有"静态""动态""不分栏"三个选项。其中，"静态"指定总栏宽、栏数、栏间距（栏之间的间距）和栏高；"动态"指定栏宽、栏间距和栏高；"不分栏"将不分栏模式设置给当前多行对象。

（3）文字编辑

1）文字样式替换。文字样式替换包括修改段落文字样式和修改单个或部分文字样式，见表 2-2。

表 2-2　文字样式替换介绍

序号	内容	说明
1	修改段落文字样式	1）单击相关文字，按 <Ctrl+1> 键，弹出"特性"对话框，修改文字样式。适用于单行文字和多行文字的样式修改 2）单击"特性匹配"按钮，直接进行文字样式匹配修改。适用于单行文字和多行文字的样式修改  3）双击相应的多行文字，弹出"文字编辑器"对话框，然后在工具栏"样式"组中单击所需的文字样式，完成文字样式替换
2	修改单个或部分文字样式	1）单击相应的文字，选取要进行修改的单个或部分文字，然后在工具栏"格式"组中单击所需的文字样式，完成文字样式替换。适用于单行文字和多行文字的样式修改 2）双击相应的多行文字，弹出"文字编辑器"对话框，选中匹配文字，单击"匹配文字格式"按钮，刷取要进行匹配的文字 

2）文字内容修改。双击相关文字，直接进行文字内容编辑。适用于单行文字和多行文字的内容修改。

2. 图纸分析

查看某住宅小区建筑施工图"设计说明"，绘制 A3 图框，设置文字样式（仿宋字体，宽度因子为 0.7，字体大小为 4），用于设计说明图纸文字注写。此外，索引符号直径为 8mm，文字大小为 3。

3. 操作步骤

某住宅小区建筑施工图"设计说明"的绘制见表 2-3。

表 2-3　某住宅小区建筑施工图"设计说明"的绘制

序号	操作步骤	内容	结果
1	绘制 A3 图框	1）打开"图框 - 粗线"图层，利用矩形命令，绘制长度为 420，宽度为 297 的矩形，如右图所示	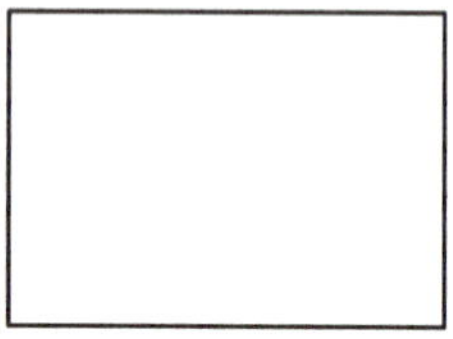
		2）执行"偏移"命令，将矩形向内偏移 10，如右图所示	
		3）利用夹点编辑命令，将左侧夹点激活，向右移动 15，完成 A3 图框的绘制，如右图所示	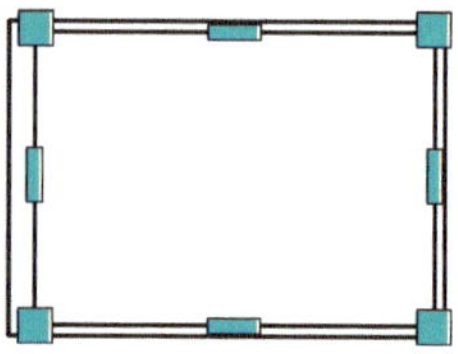

（续）

序号	操作步骤	内容	结果
2	设置文字样式	1）创建"仿宋"文字样式，字体名设置为仿宋，高度设置为0，宽度因子设置为0.7，如右图所示	
		2）创建"数字"文字样式，其小字体设置为simplex.shx，大字体设置为gbcbig.shx，高度为0，宽度因子为0.7，如右图所示	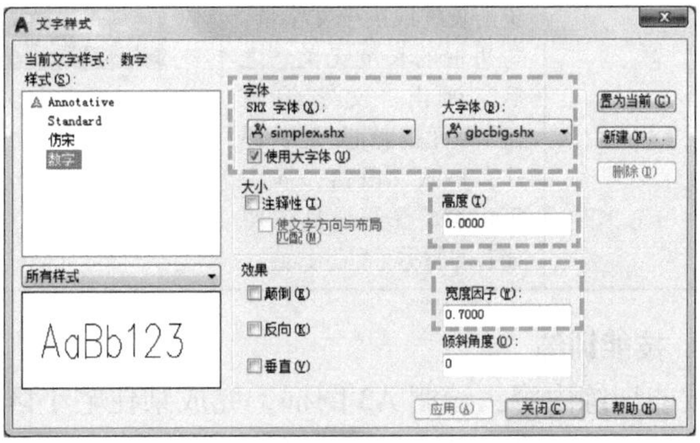
3	绘制索引符号	1）执行"圆"命令，绘制直径为8mm的圆，利用直线命令，通过圆心点B绘制水平直线	
		2）利用单行文字注写，文字样式设置为"仿宋"，在"指定文字的中间点"提示下，右击，弹出快捷菜单，选择"两点之间的中点"，单击圆的象限点A和圆心B，确定文字的位置。文字的对正方式选择正中（MC），指定高度为3，旋转角度为0，完成详图编号"1"的绘制。以A点为基点将数字"1"复制到B点，完成详图索引符号的绘制，如右图所示	

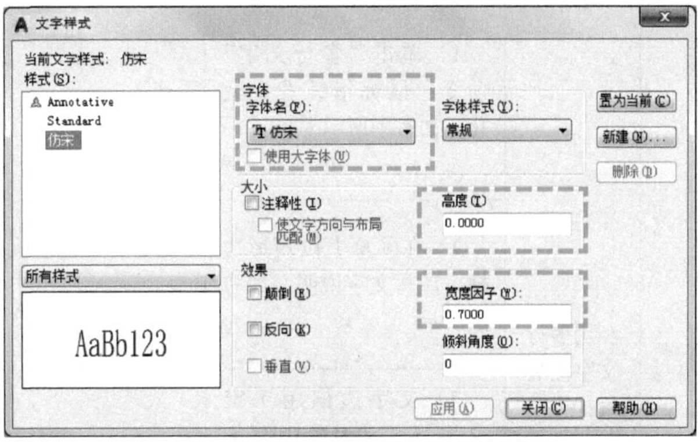

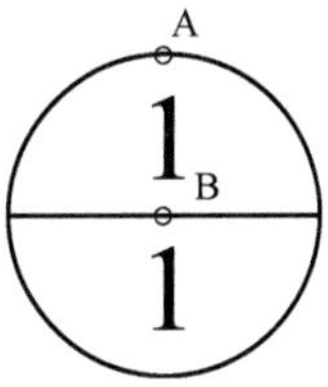

（续）

序号	操作步骤	内容	结果
4	利用多行文字注写设计说明	1）单击"多行文字"命令，鼠标指针发生变化，如右图所示	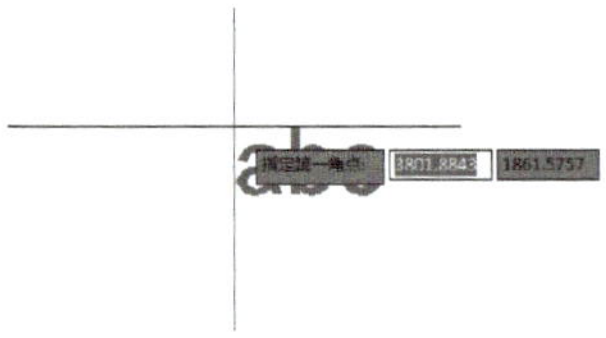
		2）在屏幕上拉矩形边框，注写文字说明，如右图所示	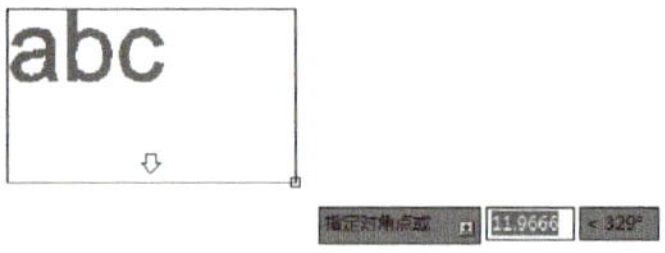 abc
		3）文字边框用于定义多行文字对象中段落的宽度，而多行文字对象的长度取决于文字量，与边框的长度无关。之后，弹出"文字编辑器"，可以修改文字样式、格式、段落、插入等内容，注写设计说明如右图所示	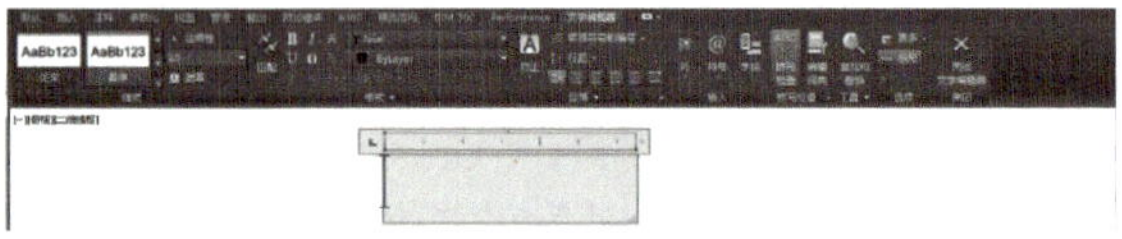

4. 技能训练

技能训练内容：绘制 A3 图框，完成某住宅小区建筑施工图"设计说明"文字样式的设置与文字输入，绘制设计说明中的索引符号。学习结果评价见表 2-4。

表 2-4　学习结果评价——注写与编辑文字

序号	评价内容	评价标准				评价结果
		优秀（91~100）	良好（81~90）	一般（71~80）	较差（60~70）	
1	能熟练查阅有关国家制图标准、规范					
2	能根据规范要求，设置文字样式，完成某住宅小区建筑施工图——设计说明的绘制					
3	能根据规范要求，绘制索引符号					
4	培养学生严谨、细致的工作作风和良好的职业道德					

【情境思考】

在 AutoCAD 软件中打开图纸，发现图纸中所有的属性文字都不见了，自己检查之后发现文字图层没有关闭，对应的字体也没有丢失，此时该怎么处理？

二、能绘制与编辑表格

1. 基础知识

查看 GB/T 50001—2017《房屋建筑制图统一标准》，了解标题栏的相关规定。

（1）创建表格

表格是在行和列中包含数据的对象。创建表格对象时，首先创建一个空表格，然后在表格的单元格中添加内容。

执行"表格"命令（table，简写"tb"）有以下两种途径：

1）单击工具栏"注释"组上的"表格"命令按钮▦，弹出"插入表格"对话框，如图 2-4 所示。

2）在命令窗口中输入"tb"（table）。

命令：_table

指定插入点：

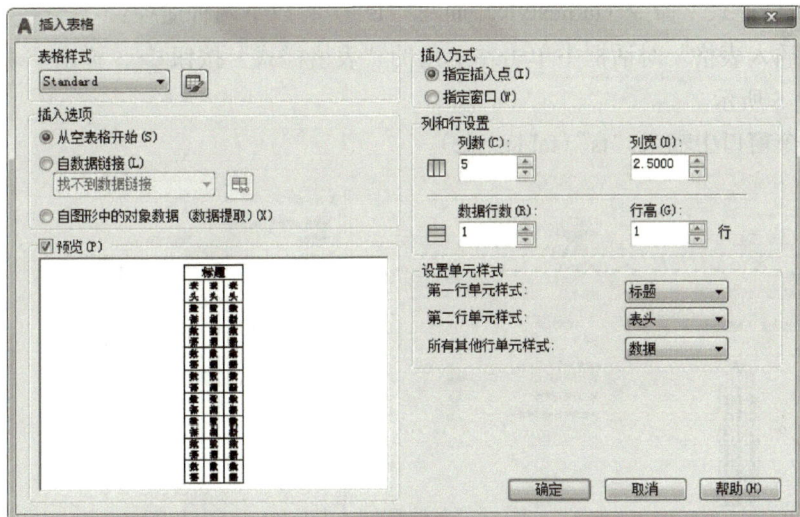

图　2-4

关于"插入表格"对话框各部分的说明见表 2-5。

表 2-5　"插入表格"对话框各部分说明

序号	内容	说明
1	表格样式	通过单击旁边的"表格样式"按钮▣可以创建新的表格样式
2	从空表格开始	创建可以手动填充数据的空表格
3	指定插入点	指定表格左上角的位置。如果表格样式将表格的方向设定为由下而上读取，则插入点位于表格的左下角
4	指定窗口	指定表格的大小和位置。选定此选项时，行数、列数、列宽和行高取决于窗口的大小以及列和行设置

（续）

序号	内容	说明
5	列数	指定列数。选定"指定窗口"选项并指定列宽时，"自动"选项将被选定，且列数由表格的宽度控制
6	列宽	指定列的宽度。若选定"指定窗口"选项并指定列数，则选定了"自动"选项，且列宽由表格的宽度控制。最小列宽为一个字符
7	行数	指定行数。若选定"指定窗口"选项并指定行高，则选定了"自动"选项，且行数由表格的高度控制。带有标题行和表格头行的表格样式最少应有三行，最小行高为一个文字行
8	行高	按照行数指定行高。文字高度基于行高和单元边距，这两项均在表格样式中设置。若选定"指定窗口"选项并指定行数，则选定了"自动"选项，且行高由表格的高度控制

（2）设置表格样式

"表格样式"对话框用于设置插入表格的样式。

执行"表格样式"命令（tablestyle，简写"ts"）有以下两种途径：

1）在"插入表格"对话框中单击左上角的"表格样式"按钮 ，弹出"表格样式"对话框，如图 2-5 所示。

2）在命令窗口中输入"ts"（tablestyle）。

图　2-5

（3）编辑表格

1）编辑表格数据。操作方法如下：

① 选中需要修改的内容，激活表格，如图 2-6a 所示。

② 在选中的表格内双击，弹出"文字格式"对话框即可修改相应的单元格内容，如图 2-6b 所示。

③ 单元格的内容修改完毕后，单击表格外部的绘图区域或连续按 <Enter> 键即可退出。

2）编辑表格结构。操作方法如下：

① 单击单元格内部或单元格线条均可选中需要修改尺寸的单元格，结合 <Shift> 键可实现多个单元格的选取，如图 2-7 所示。

图中表格内容（a图）：

	A	B	C	D	E	F	G	H
1	XX建筑设计院				建设单位	XX房地产公司		
2					项目名称	某小型住宅楼		
3	批准		专业负责		设计说明		比例	
4	审定		核对				日期	
5	审核		设计				设计阶段	
6	项目负责		插图				图号	建施—SM

a)

	A	B	C	D	E	F	G	H
1	XX建筑设计院				建设单位	XX房地产公司		
2					项目名称	某小型住宅楼		
3	批准		专业负责		设计说明		比例	
4	审定		核对				日期	
5	审核		设计				设计阶段	
6	项目负责		插图				图号	建施—SM

b)

图　2-6

图　2-7

② 单击选中的单元格，工具栏出现"表格单元"选项卡，可对表格的行、列、单元样式和单元格式等进行修改，如图 2-8 所示。

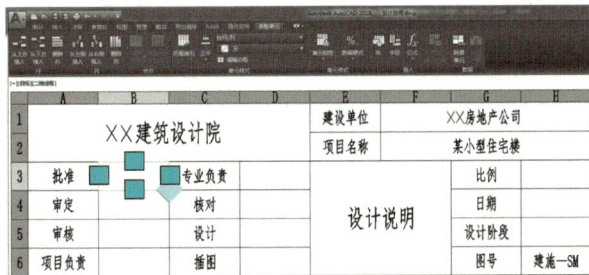

图　2-8

③ 单击选中的单元格，单元格周围会出现四个编辑点，移动编辑点可以修改单元格的

宽度和高度。

2. 技能训练

技能训练内容：完成某住宅小区建筑施工图——设计说明中标题栏的绘制。学习结果评价见表 2-6。

表 2-6　学习结果评价——绘制与编辑表格

序号	评价内容	评价标准				评价结果
		优秀（91~100）	良好（81~90）	一般（71~80）	较差（60~70）	
1	能根据规范要求，完成某住宅小区建筑施工图——设计说明中标题栏的绘制					
2	能及时发现表格创建与编辑操作过程中存在的问题并有效解决					
3	培养学生严谨、细致的工作作风					

任务二　建筑平面图的绘制与输出

【学习目标】

1. 知识目标

1）了解建筑平面图的绘制原理、方法与步骤。

2）掌握建筑平面图中辅助线、墙体、门窗、室内外楼梯、散水、家具及洁具、尺寸标注、文字说明、符号、图名及比例等绘制的方法和技巧。

2. 能力目标

1）能根据 GB/T 50001—2017《房屋建筑制图统一标准》，读懂建筑平面图。

2）能独立查找图纸中建筑平面图的相关尺寸。

3）能根据 GB/T 50001—2017《房屋建筑制图统一标准》，利用 AutoCAD 软件，完成建筑平面图的绘制。

3. 素养目标

1）在绘图过程中养成严谨、细致、精益求精的绘图员素质。

2）激发学生应用现代信息技术的兴趣和开拓创新的职业精神。

【任务描述】

本任务主要介绍建筑平面图绘制的方法和步骤。

【任务实施】

一、能识读建筑平面图

1. 基础知识

建筑平面图简称平面图，是建筑施工中比较重要的基本图。

（1）平面图的形成、命名与用途

假想用一个水平面剖切平面，沿着房屋各层门、窗洞口处将房屋切开，移去剖切平面以上部分，向下所作的水平剖面图，称为建筑平面图，简称平面图，如图 2-9 所示。

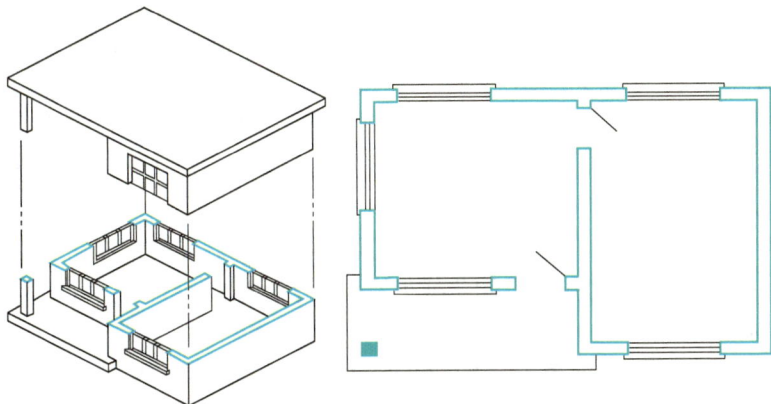

图　2-9

用剖切平面沿房屋底层门、窗洞口剖切，所得到的平面图称为底层平面图，又称首层平面图或一层平面图。通常楼层房屋应画出各层平面图（称二、三……层平面图），当有些楼层平面布置相同，或者只有局部不同时，也可只画一个共同的平面图（标准层平面图），对于局部不同的部分，则另画局部平面图。平面图是放线、砌筑墙体、安装门窗、室内装修及编制预算、备料等的基本依据。

（2）平面图的主要内容

平面图的主要内容可概括如下（并可按其顺序识读）：

1）图名、比例。

2）纵横定位轴线及其编号。

3）各种房间的布置和分隔，墙、柱断面形状和大小。

4）门、窗布置及其型号。

5）楼梯梯段的走向。

6）台阶、花坛、阳台、雨篷等的位置，盥洗间、厕所、厨房等固定设施的布置，以及雨水管、明沟（散水）等的布置。

7）平面图的轴线尺寸、各建筑构配件的大小尺寸和定位尺寸及楼地面的标高、某些坡度及其下坡方向。

8）剖面图的剖切位置线和投射方向及其编号，表示房屋朝向的指北针（这些仅在底层平面图中表示）。

9）详图索引符号。

10）施工说明等。

（3）平面图的图示内容

1）底层平面图。为了使图面清晰，主次分明，便于识读，对底层平面图的表示方法有如下规定：

① 定位轴线。凡承重的墙、柱，都必须标注定位轴线，并按规定给予编号。

② 图线。凡被剖切到的墙、柱的断面轮廓线用粗实线画出（墙、柱轮廓线都不包括粉刷层的厚度，粉刷层在 1∶100 的平面图中不必画出）；没有剖切到的可见轮廓线，如墙身窗台、梯段等用中粗实线画出；尺寸线、引出线用细实线画出，轴线用细点画线画出。

③ 图例。在平面图中，门、窗均按规定的图例画出，在门、窗图例旁应注明它们的代号（门的代号是 M，窗的代号是 C）。对于不同类型的门、窗，应在代号后面写上编号，以示区别。各种门、窗的形式和具体尺寸，可在汇总编制的门、窗表中查对。在 1∶100 的平面图中，剖切到的砖墙的材料图例不必画出。剖切到的钢筋混凝土构件的断面，其材料图例用涂黑表示。

④ 剖切符号与索引符号。建筑剖面图的剖切位置和投射方向，应在底层平面图中用剖切符号表示，并应编号。凡套用标准图集或另有详图表示的构配件、节点，均需画出详图索引符号，以便对照阅读。

⑤ 尺寸标注。上下、左右都对称的建筑平面图形，其外墙的尺寸一般注在平面图形的下方和左侧，如果平面图形不对称，则四周都要标注尺寸。外墙的尺寸一般分三道标注：最外面一道是外包尺寸，表示建筑物的总长度和总宽度；中间一道尺寸表示定位轴线间的距离，是房屋的"开间"或"进深"尺寸；最里面的一道尺寸，表示门窗洞口、洞间墙、墙厚的尺寸。内墙尺寸要标注内墙厚度、内墙上的门窗洞尺寸及门窗洞与墙或柱的定位尺寸。此外还应标注某些局部尺寸，如固定设备的定位尺寸，台阶、花坛、散水等尺寸。在底层平面图中，还应注写室内外地面的标高。

⑥ 朝向。有时在底层平面图外面，还要画出指北针符号，以表明房屋的朝向。

2）楼层平面图。图示内容与底层平面图相同。因为室外的台阶、花坛、明沟、散水和雨水管的形状和位置已经在底层平面图中表达清楚了，所以中间各层平面图除要表达本层室内情况外，只需画出本层的室外阳台和下一层室外的雨篷、遮阳板等。此外，因为剖切情况不同，楼层平面图中楼梯间部分表达梯段的情况与底层平面图也不同。

3）屋顶平面图。比较简单，可用较小的比例绘制。屋顶平面图表明了屋顶的形状，屋面排水方向及坡度，天沟或檐沟的位置，还有女儿墙、屋檐线、雨水管、上人孔及水箱的位置等。

（4）建筑平面图的绘制步骤

第一步：画出轴线网。

第二步：画墙体。

第三步：画出门窗及阳台。

第四步：画出室内、室外楼梯平面图。

第五步：画出散水及其他细部。

第六步：标注文字。

第七步：尺寸标注。

第八步：画出符号、图名及比例。

第九步：虚拟打印出图。

2. 技能训练

技能训练内容：查看本书数字化资源中的建施 -01 一层平面图，了解该建筑物底层的平面形状，各室的平面布置，出入口、走廊、楼梯的位置，各种门窗的布置以及厨房、卫生间内的固定设备及其布置情况，该建筑物室外可见的台阶、明沟（或散水）、花坛等形状与位置。进一步了解室内、室外楼梯梯段宽度、踏步宽度，内、外墙体的厚度，室内外高差，散水宽度，纵横定位轴线的编号，楼梯间留洞尺寸，门窗的具体尺寸，1—1 剖切符号所在位置等。学习结果评价见表 2-7。

表 2-7　学习结果评价——识读建筑平面图

序号	评价内容	评价标准				评价结果
		优秀 （91~100）	良好 （81~90）	一般 （71~80）	较差 （60~70）	
1	能根据规范要求，以小组为单位，完成一层平面图的识读					
2	培养团队合作的职业素质					

二、能绘制建筑平面图中的符号、家具及洁具图例

（一）绘制标高符号

1. 基础知识

查看 GB/T 50001—2017《房屋建筑制图统一标准》，了解关于标高的规定。

（1）"直线"命令

二维图形都是由直线和曲线构成的，"直线"是绘制图形的主要命令，使用"直线"命令，可以创建一系列连续的直线段，每条线段都是可以单独进行编辑的对象。

执行"直线"命令（Line，简写"L"）有以下两种途径：

1）单击工具栏"绘图"组上的"直线"命令按钮 ◣。

2）在命令窗口中输入"L"（Line）。

命令：_line

指定第一个点：

指定下一点或［放弃（U）］：

指定下一点或［放弃（U）］：

指定下一点或［闭合（C）/ 放弃（U）］：

关于各选项的说明如下：

放弃（U）：放弃上一步操作。

闭合（C）：闭合直线段。

（2）"删除"命令

"删除"命令用来删除所绘制的图形对象。

执行"删除"命令（Erase，简写"E"）有以下两种途径：

1）单击工具栏"修改"组上的"删除"命令按钮 ◢。

2）在命令窗口中输入"删除"命令"E"（Erase）。

命令：_erase
选择对象：找到 1 个
选择对象：

2. 操作步骤

标高符号可以利用坐标输入法和对象捕捉追踪法进行绘制，具体操作步骤见表 2-8、表 2-9。

表 2-8　利用坐标输入法绘制标高符号

序号	命令行提示	操作内容	结果
1	命令：_line 指定第一个点：	在绘图区域任意单击某一位置作为第一点	
2	指定下一点或[放弃（U）]：	输入"@-16，0"或"@-16<0" ✓，如右图所示	
3	指定下一点或[放弃（U）]：	输入"@3，3" ✓，如右图所示	
4	指定下一点或[闭合（C）/放弃（U）]：	输入"@3，3" ✓，如右图所示	
5	指定下一点或[闭合（C）/放弃（U）]：	按<Enter>键或<Space>键，或者右击，执行"退出"命令，完成标高的绘制	

表 2-9　利用对象捕捉追踪法绘制标高符号

序号	命令行提示	操作内容	结果
1		单击"极轴追踪"右下端的三角形按钮，选择 45, 90, 135, 180...，设置对象捕捉模式为"端点"和"交点"，打开"对象捕捉追踪"	
2	命令：_line 指定第一个点：	在绘图区任意单击某一位置作为第一点	
3	指定下一点或[放弃（U）]：	输入"@0，-3"或"@-3<90" ✓，如右图所示	
4	指定下一点或[闭合（C）/放弃（U）]：	输入"@-3，3" ✓，如右图所示	极轴：< 135°，端点：< 180°

（续）

序号	命令行提示	操作内容	结果
5	指定下一点或［放弃（U）］：	输入"@16, 0"或"@16<0"↙，如右图所示	
6	指定下一点或［闭合（C）/放弃（U）］：	结束"直线"命令	
7	命令：_line 指定第一个点：	以垂直线下端点为起点，沿轴线 45° 绘制与水平直线相交于一点的直线，如右图所示	
8	指定下一点或［闭合（C）/放弃（U）］：	删除垂直辅助线，完成标高符号绘制，如右图所示	

3. 技能训练

技能训练内容：利用坐标输入法和对象捕捉追踪法绘制标高符号。学习结果评价见表 2-10。

表 2-10　学习结果评价——绘制标高符号

序号	评价内容	评价标准				评价结果
		优秀（91~100）	良好（81~90）	一般（71~80）	较差（60~70）	
1	能利用坐标输入法绘制标高符号					
2	能利用对象捕捉追踪法绘制标高符号					
3	能查找规范，了解标高的绘制要求					
4	养成独立学习新知识、新技能的能力					

操作提示：

1）绘图时，应打开状态栏中的"极轴追踪""对象捕捉"和"对象捕捉追踪"三个按钮。

2）以最近绘制的直线或圆弧的端点为起点绘制新的直线时，可再次启动"直线"命令，然后在"指定第一点"提示下按 <Enter> 键或 <Space> 键，完成操作。

4. 实训练习

利用直线命令，采用坐标输入法绘制图 2-10，其中 A 点坐标为（200，200）。

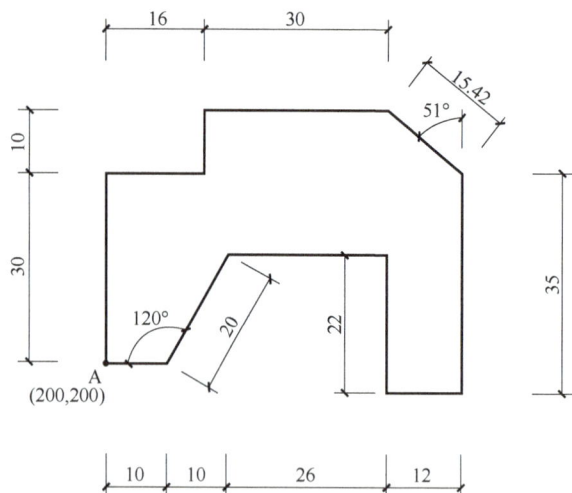

图 2-10

（二）绘制楼梯上下指示箭头与拱形门

1. 基础知识

"多段线"命令

多段线是由直线段和圆弧段组成的单个对象，它不仅具有一般直线和圆弧的特性，而且还具有线宽的特性，多段线中的各线段（圆弧）可设定不同的宽度，而且同一段也可设置不同的宽度。使用"多段线"命令，无论绘制了多少条直线和多少个圆弧，都是单独的一个对象。

执行"多段线"命令（PLine，简写"PL"）有以下两种途径：

1）单击工具栏"绘图"组上的"多段线"按钮 ⊐ 。

2）在命令窗口中输入"PL"（PLine）。

命令：_pline

指定起点：

当前线宽为 0.0000

指定下一个点或［圆弧（A）/闭合（C）/半宽（H）/长度（L）/放弃（U）/宽度（W）］：

（输入"a"↙）

指定圆弧的端点或［角度（A）/圆心（CE）/方向（D）/半宽（H）/直线（L）/半径（R）/第二个点（S）/放弃（U）/宽度（W）］：

关于各选项的说明如下：

圆弧（A）：输入"A"后可以从画直线命令切换为画圆弧命令。

闭合（C）：输入"C"后直接闭合多段线，结束命令。

方向（D）：输入"D"后指定圆弧的起点切向。

半宽（H）：输入"H"可以调整多段线的线宽，输入的值为宽度的一半。

长度（L）：输入"L"指定直线段的长度。

直线（L）：输入"L"可以从画圆弧方式切换为画直线方式。

半径（R）：输入"R"指定圆弧的半径。

第二个点（S）：输入"S"指定圆弧的第二个点。

放弃（U）：输入"U"放弃上一次的操作。

宽度（W）：输入"W"指定多段线的宽度。

楼梯上下指示箭头与拱形门的绘制

2. 操作步骤

楼梯上下指示箭头的操作步骤见表 2-11，拱形门的操作步骤见表 2-12。

表 2-11　绘制楼梯上下指示箭头

序号	命令行提示	操作内容	结果
1	命令：_pline 指定起点： 当前线宽为 0	在绘图区域任意单击某一点作为起点	
2	指定下一个点或［圆弧（A）/半宽（H）/长度（L）/放弃（U）/宽度（W）]：	输入"@0，770"↙	
3	指定下一点或［圆弧（A）/闭合（C）/半宽（H）/长度（L）/放弃（U）/宽度（W）]：	输入"w"↙	
4	指定起点宽度 <0.0000>：	输入"100"↙	
5	指定端点宽度 <100.0000>：	输入"0"↙	
6	指定下一点或［圆弧（A）/闭合（C）/半宽（H）/长度（L）/放弃（U）/宽度（W）]：	输入"@0，336"↙	
7	指定下一点或［圆弧（A）/闭合（C）/半宽（H）/长度（L）/放弃（U）/宽度（W）]：	按 <Enter> 键或空格键结束命令，完成图形的绘制，如右图所示	

表 2-12　绘制拱形门

序号	命令行提示	操作内容	结果
1	命令：_pline 指定起点： 当前线宽为 0	在绘图区域任意单击某一点作为起点	
2	指定下一个点或［圆弧（A）/半宽（H）/长度（L）/放弃（U）/宽度（W）]：	输入"w"↙	
3	指定起点宽度 <0.0000>：	输入"10"↙	
4	指定端点宽度 <10.0000>：	↙	
5	指定下一点或［圆弧（A）/闭合（C）/半宽（H）/长度（L）/放弃（U）/宽度（W）]：	输入"@0，100"或"@100<90"↙	
6	指定下一点或［圆弧（A）/闭合（C）/半宽（H）/长度（L）/放弃（U）/宽度（W）]：	输入"a"↙	
7	指定圆弧的端点或［角度（A）/圆心（CE）/闭合（CL）/方向（D）/半宽（H）/直线（L）/半径（R）/第二个点（S）/放弃（U）/宽度（W）]：	输入"w"↙	

（续）

序号	命令行提示	操作内容	结果
8	指定起点宽度 <10.0000>：	↵	
9	指定端点宽度 <10.0000>：	输入 "0" ↵	
10	指定圆弧的端点（按住 Ctrl 键以切换方向）或 [角度（A）/圆心（CE）/闭合（CL）/方向（D）/半宽（H）/直线（L）/半径（R）/第二个点（S）/放弃（U）/宽度（W）]：	输入 "D" ↵	
11	指定圆弧的起点切向：	在上方单击确定起点切向	
12	指定圆弧的端点或 [角度（A）/圆心（CE）/闭合（CL）/方向（D）/半宽（H）/直线（L）/半径（R）/第二个点（S）/放弃（U）/宽度（W）]：	输入 "@100<0" 或 "@100, 0" ↵	
13	指定圆弧的端点或 [角度（A）/圆心（CE）/闭合（CL）/方向（D）/半宽（H）/直线（L）/半径（R）/第二个点（S）/放弃（U）/宽度（W）]：	输入 "L" ↵	
14	指定下一点或 [圆弧（A）/闭合（C）/半宽（H）/长度（L）/放弃（U）/宽度（W）]：	输入 "@0, -100" 或 "@-100<270" ↵	
15	指定下一点或 [圆弧（A）/闭合（C）/半宽（H）/长度（L）/放弃（U）/宽度（W）]：	结束命令，完成拱形门绘制，如右图所示	

操作提示：

1）"多段线"命令操作过程中，由直线段切换为画弧线段时，圆弧的起点就是上一条直线段的端点。

2）"半宽"选项是通过指定多段线的中心到外边缘的距离来设置。"半宽"为"宽度"数值的一半。

3）多段线是否填充，受 Fill 命令的控制，运行该命令，输入" ON "，"填充"模式打开，则填充该线宽，如图 2-11a 所示；如果输入" OFF "，"填充"模式关闭，则只画出轮廓，如图 2-11b 所示。

a)

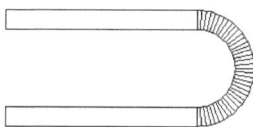

b)

图　2-11

4）多段线的圆弧"方向（D）"，可以指定圆弧的起点切向，并按 <Ctrl> 键以切换方向，如图 2-12 所示。

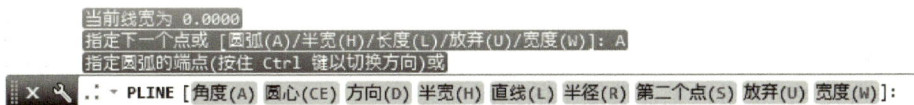

图 2-12

3. 技能训练

技能训练内容：利用多段线绘制楼梯上下指示箭头和拱形门。学习结果评价见表 2-13。

表 2-13　学习结果评价——绘制楼梯上下指示箭头和拱形门

序号	评价内容	评价标准				评价结果
		优秀 （91~100）	良好 （81~90）	一般 （71~80）	较差 （60~70）	
1	能利用多段线绘制楼梯上下指示箭头					
2	能利用多段线绘制拱形门					
3	养成独立学习新知识、新技能的能力					

4. 实训练习

利用多段线命令，采用坐标输入法绘制图 2-13。

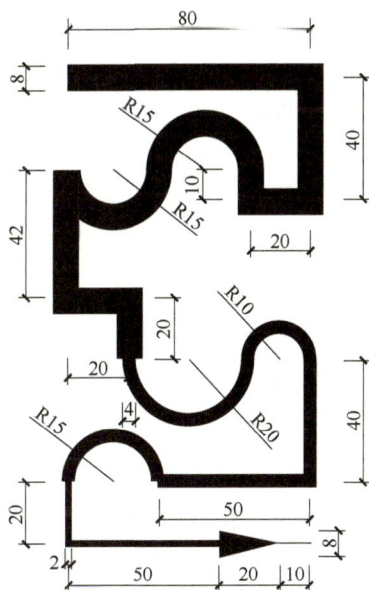

实训练习

图 2-13

（三）绘制指北针

1. 基础知识

查看 GB/T 50001—2017《房屋建筑制图统一标准》，了解关于指北针的规定。

圆的绘制

（1）"圆"命令

圆是 AutoCAD 中最常见、最简单的封闭曲线。

执行"圆"命令（Circle，简写"C"）的操作有两种途径：

1）单击工具栏"绘图"组上"圆"命令按钮⊘。

2）在命令窗口中输入"C"（Circle）。

命令：_circle

指定圆的圆心或［三点（3P）/两点（2P）/切点、切点、半径（T）］：

关于各选项的说明如下：

三点（3P）：利用三点绘圆

两点（2P）：利用两点绘圆

切点、切点、半径（T）：利用切点、切点、半径绘圆

（2）"圆"命令使用示例

1）以直线的中点为圆心，绘制半径与直径分别为 100 的圆，具体操作步骤见表 2-14。

表 2-14 绘制半径与直径分别为 100 的圆

序号	命令行提示	操作内容	结果
1	命令：_circle 指定圆的圆心或［三点（3P）/两点（2P）/切点、切点、半径（T）］：	单击直线中点为圆心	
2	指定圆的半径或［直径（D）］：	输入"100" ↙，如右图所示	
3	命令：_circle 指定圆的圆心或［三点（3P）/两点（2P）/切点、切点、半径（T）］：	单击直线中点为圆心	
4	指定圆的半径或［直径（D）］<0.0000>	输入"d" ↙	
5	指定圆的直径 <0.0000>：	输入"100" ↙，完成圆形绘制，如右图所示	

2）以三角形的三个端点绘制圆，具体操作步骤见表 2-15。

表 2-15　利用三角形的三个端点绘制圆

序号	命令行提示	操作内容	结果
1	命令：_circle 指定圆的圆心或［三点（3P）/两点（2P）/切点、切点、半径（T）］：	单输入"3P"↙	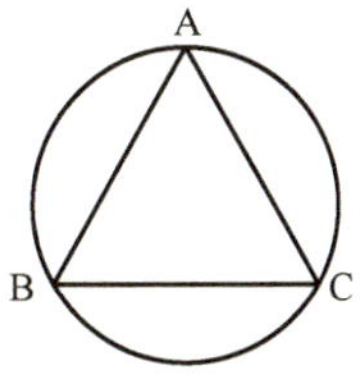
2	指定圆上的第一个点：	单击三角形端点 A	
3	指定圆上的第二个点：	单击三角形端点 B	
4	指定圆上的第三个点：	单击三角形端点 C，完成圆形绘制，如右图所示	

3）以三角形的三条边线分别做相切绘制圆，具体操作步骤见表 2-16。

表 2-16　利用三角形的三条边线分别做相切绘制圆

序号	命令行提示	操作内容	结果
1	单击工具栏上"绘图"→"圆"→"相切、相切、相切"		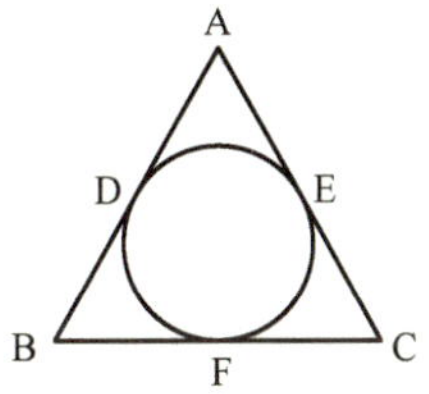
2	指定圆上的第一个点：	单击三角形 AB 边线上的切点 D	
3	指定圆上的第二个点：	单击三角形 BC 边线上的切点 F	
4	指定圆上的第三个点：	单击三角形 AC 边线上的切点 E，完成圆形绘制，如右图所示	

4）以直线的两个端点绘制圆，具体操作步骤见表 2-17。

表 2-17　利用直线的两个端点绘制圆

序号	命令行提示	操作内容	结果
1	命令：_circle		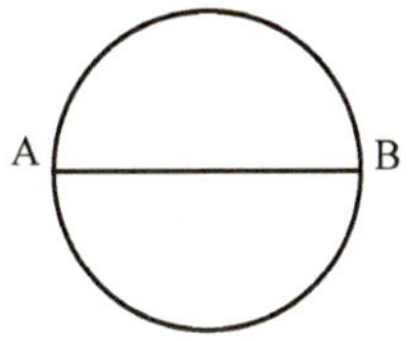
2	指定圆的圆心或［三点（3P）/两点（2P）/切点、切点、半径（T）］：	输入"2P"↙	
3	指定圆直径的第一个端点：	单击直线端点 A	
4	指定圆直径的第二个端点：	单击直线端点 B，完成圆形绘制，如右图所示	

5）以三角形的两条边线分别做相切，绘制半径为 300 的圆，具体操作步骤见表 2-18。

表 2-18　利用三角形的两条边线分别做相切绘制圆

序号	命令行提示	操作内容	结果
1	命令：_circle		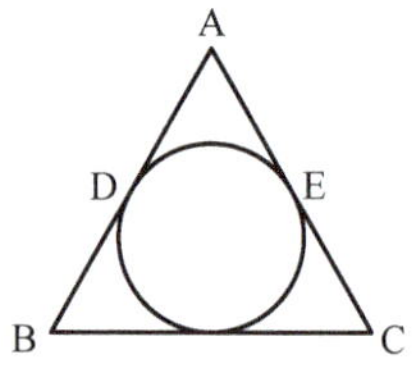
2	指定圆的圆心或〔三点（3P）/两点（2P）/切点、切点、半径（T）〕：	输入"T" ↙	
3	指定对象与圆的第一个切点：	单击三角形 AB 边线上的切点 D	
4	指定对象与圆的第二个切点：	单击三角形 AC 边线上的切点 E	
5	指定圆的半径 <0.0000>：	输入"300" ↙，完成圆形绘制，如右图所示	

2. 操作步骤

指北针的具体操作步骤见表 2-19。

表 2-19　指北针的绘制

序号	命令行提示	操作内容	结果
1	命令：_circle 指定圆的圆心或〔三点（3P）/两点（2P）/切点、切点、半径（T）〕：	在屏幕上任意单击某一点做圆心	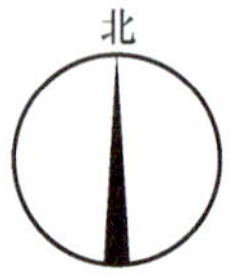
2	指定圆的半径或〔直径（D）〕：	输入"1200" ↙	
3	命令：_pline 指定起点：	以圆的上部象限点为起点	
4	指定下一个点或〔圆弧（A）/半宽（H）/长度（L）/放弃（U）/宽度（W）〕：	输入"w" ↙	
5	指定起点宽度 <0>：	↙	
6	指定端点宽度 <0>：	输入"300" ↙	
7	指定下一个点或〔圆弧（A）/半宽（H）/长度（L）/放弃（U）/宽度（W）〕：	单击圆的下部象限点	
8	指定下一点或〔圆弧（A）/闭合（C）/半宽（H）/长度（L）/放弃（U）/宽度（W）〕：	按 <Enter> 键结束命令	
9		将"宋体"文字样式置为当前，利用"单行文字"命令注写"北"，文字大小为400，完成指北针的绘制，如右图所示	

3. 技能训练

技能训练内容：以直线的中点为圆心，分别绘制半径与直径为 100 的圆；以三角形的三个端点绘制圆；以三角形的三条边线分别做相切绘制圆；以直线的两个端点绘制圆；以三角形的两条边线分别做相切，绘制半径为 300 的圆；绘制指北针。学习结果评价见表 2-20。

表 2-20 学习结果评价——绘制圆和指北针

序号	评价内容	评价标准				评价结果
		优秀 （91~100）	良好 （81~90）	一般 （71~80）	较差 （60~70）	
1	能正确完成圆的绘制练习					
2	能利用圆和多段线命令绘制指北针					
3	养成独立学习新知识、新技能的能力					

4. 实训练习

利用"圆"命令绘制图 2-14。

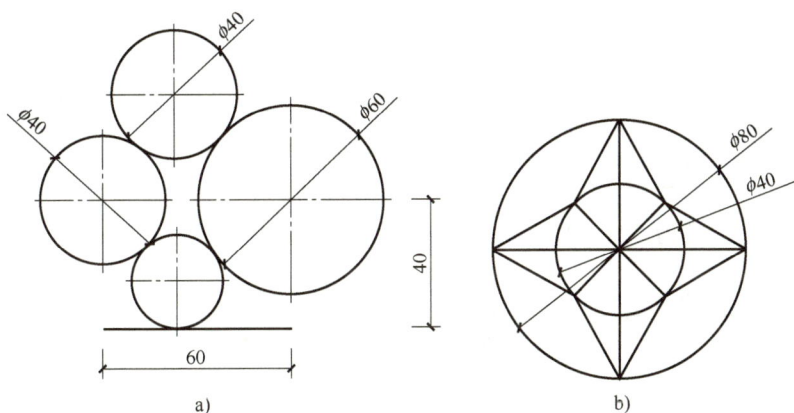

实训练习

图 2-14

a) b)

（四）绘制浴缸

1. 基础知识

（1）"矩形"命令

利用"矩形"命令可以创建矩形的闭合多段线，并通过指定面积、尺寸和旋转位置来确定其形状，同时还可以设置矩形的线宽、倒角和圆角。此外，还可以绘制具有一定标高和厚度的矩形。

矩形的绘制

执行"矩形"命令（Rectang，简写"Rec"）有以下两种途径：

1）单击工具栏"绘图"组上"矩形"按钮█。

2）在命令窗口中输入"Rec"（Rectang）。

命令：_rectang

指定第一个角点或［倒角（C）/标高（E）/圆角（F）/厚度（T）/宽度（W）］：

指定另一个角点或［面积（A）/尺寸（D）/旋转（R）］：

关于各选项的说明如下：

倒角（C）：绘制倒角矩形。

标高（E）：输入矩形相对于 XY 平面的距离。

圆角（F）：绘制圆角矩形。

厚度（T）：指定矩形的厚度。

宽度（W）：指定矩形四条边的宽度。

面积（A）：通过指定矩形的面积绘制矩形。

尺寸（D）：通过指定矩形的长度和宽度绘制矩形。

旋转（R）：指定矩形的旋转角度。

"矩形"命令使用示例：

1）绘制长度为 100、宽度为 50 的矩形，具体操作步骤见表 2-21。

表 2-21　绘制长度为 100、宽度为 50 的矩形

序号	命令行提示	操作内容	结果
1	命令：_rectang 指定第一个角点或［倒角（C）/标高（E）/圆角（F）/厚度（T）/宽度（W）］：	绘图区域任意单击某一位置作为第一点	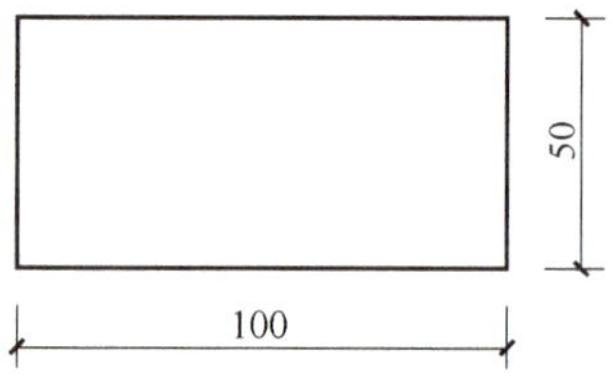
2	指定另一个角点或［面积（A）/尺寸（D）/旋转（R）］：	输入" @100, 50"↙，完成矩形绘制，如右图所示	

2）绘制长度为 100、宽度为 50、倒角为 10 的矩形，具体操作步骤见表 2-22。

表 2-22　绘制长度为 100、宽度为 50、倒角为 10 的矩形

序号	命令行提示	操作内容	结果
1	命令：_rectang 指定第一个角点或［倒角（C）/标高（E）/圆角（F）/厚度（T）/宽度（W）］：	在输入"c"↙	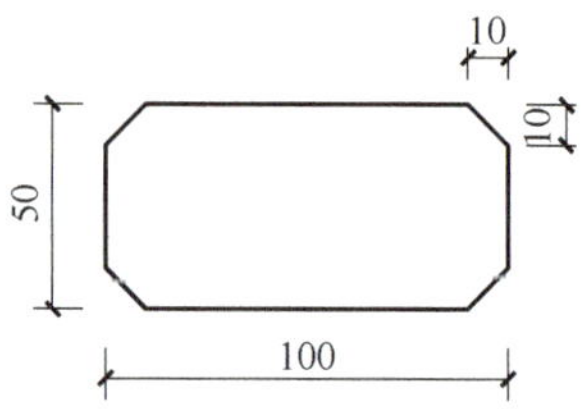
2	指定矩形的第一个倒角距离<0.0000>：	输入"10"↙	
3	指定矩形的第二个倒角距离<10.0000>：	↙	
4	指定第一个角点或［倒角（C）/标高（E）/圆角（F）/厚度（T）/宽度（W）］：	在绘图区域单击某一位置作为第一点	
5	指定另一个角点或［面积（A）/尺寸（D）/旋转（R）］：	输入" @100, 50"↙，完成矩形绘制，如右图所示	

3）绘制长度为 100、宽度为 50、圆角半径为 20 的矩形，具体操作步骤见表 2-23。

表 2-23 绘制长度为 100、宽度为 50、圆角半径为 20 的矩形

序号	命令行提示	操作内容	结果
1	命令：_rectang 指定第一个角点或［倒角（C）/标高（E）/圆角（F）/厚度（T）/宽度（W）］：	在绘图区域单击某一位置作为第一点	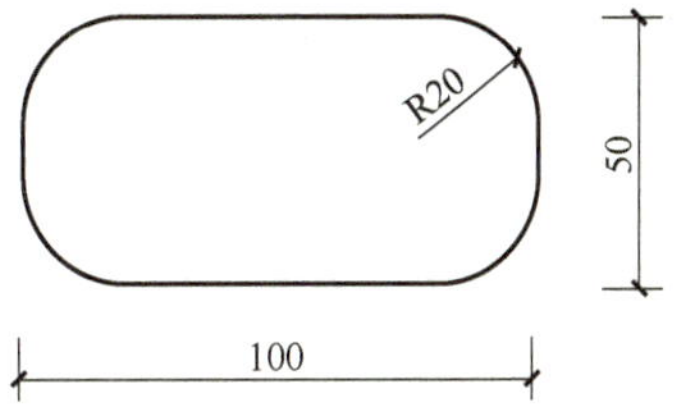
2	指定第一个角点或［倒角（C）/标高（E）/圆角（F）/厚度（T）/宽度（W）］：	输入"f"↙	
3	指定矩形的圆角半径 <0.0000>：	输入"20"↙	
4	指定另一个角点或［面积（A）/尺寸（D）/旋转（R）］：	输入"@100，50"↙，完成矩形绘制，如右图所示	

4）绘制长度为 100、宽度为 50、线宽为 5 的矩形，具体操作步骤见表 2-24。

表 2-24 绘制长度为 100、宽度为 50、线宽为 5 的矩形

序号	命令行提示	操作内容	结果
1	命令：_rectang 指定第一个角点或［倒角（C）/标高（E）/圆角（F）/厚度（T）/宽度（W）］：	输入"w"↙	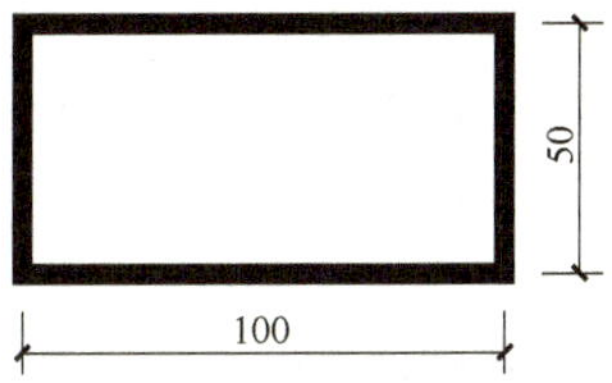
2	指定矩形的线宽 <0.0000>：	输入"5"↙	
3	指定第一个角点或［倒角（C）/标高（E）/圆角（F）/厚度（T）/宽度（W）］：	在绘图区域单击某一位置作为第一点	
4	指定另一个角点或［面积（A）/尺寸（D）/旋转（R）］：	输入"@100，50"↙，完成矩形绘制，如右图所示	

5）绘制面积为 5000、宽度为 50 的矩形，具体操作步骤见表 2-25。

表 2-25 绘制面积为 5000、宽度为 50 的矩形

序号	命令行提示	操作内容	结果
1	命令：_rectang 指定第一个角点或［倒角（C）/标高（E）/圆角（F）/厚度（T）/宽度（W）］：	在绘图区域单击某一位置作为第一点	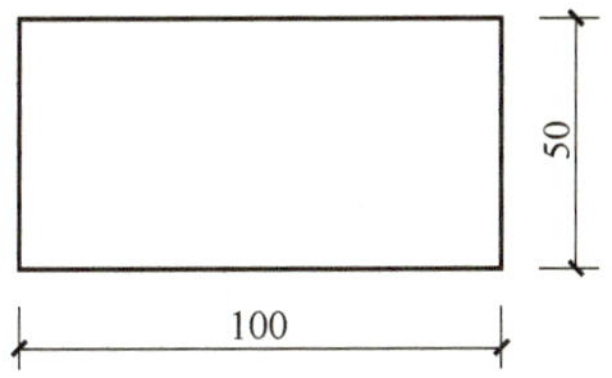
2	指定另一个角点或［面积（A）/尺寸（D）/旋转（R）］：	输入"a"↙	
3	输入以当前单位计算的矩形面积 <100.0000>：	输入"5000"↙	
4	计算矩形标注时依据［长度（L）/宽度（W）］<长度>：	输入"w"↙	
5	输入矩形宽度 <10.0000>：	输入"50"↙，完成矩形绘制，如右图所示	

6）绘制长度为100、宽度为50、旋转角度为30°的矩形，具体操作步骤见表2-26。

表2-26　绘制长度为100、宽度为50、旋转角度为30°的矩形

序号	命令行提示	操作内容	结果
1	命令：_rectang 指定第一个角点或［倒角（C）/标高（E）/圆角（F）/厚度（T）/宽度（W）］：	在绘图区域单击某一位置作为第一点	
2	指定另一个角点或［面积（A）/尺寸（D）/旋转（R）］：	输入"r"↙	
3	指定旋转角度或［拾取点（P）］<0>：	输入"30"↙	
4	指定另一个角点或［面积（A）/尺寸（D）/旋转（R）］：	输入"d"↙	
5	指定矩形的长度<0.0000>：	输入"100"↙	
6	指定矩形的宽度<0.0000>：	输入"50"↙，完成矩形的绘制，如右图所示	

（2）"偏移"命令

在绘图过程中经常使用"偏移"命令，如绘制建筑平面图中墙体的定位轴线。

执行"偏移"命令（Offset，简写"O"）有以下两种途径：

1）单击工具栏"修改"组上"偏移"按钮 。

2）在命令窗口中输入"O"（Offset），如：

命令：_offset

指定偏移距离或［通过（T）/删除（E）/图层（L）］<通过>：

关于各选项的说明如下：

通过（T）：创建通过指定点的对象。

删除（E）：偏移源对象后将其删除。

图层（L）：确定将偏移对象创建在当前图层上还是源对象所在的图层上。

偏移命令

操作提示：

1）"偏移"命令是一个单对象编辑命令，只能以直接选取的方式选择对象，每次只能偏移一个对象。

2）使用"偏移"命令，既可以直接输入偏移的距离，也可以选择"通过（T）"，创建通过指定点的对象，如图2-15所示，将圆偏移至端点和节点的位置。

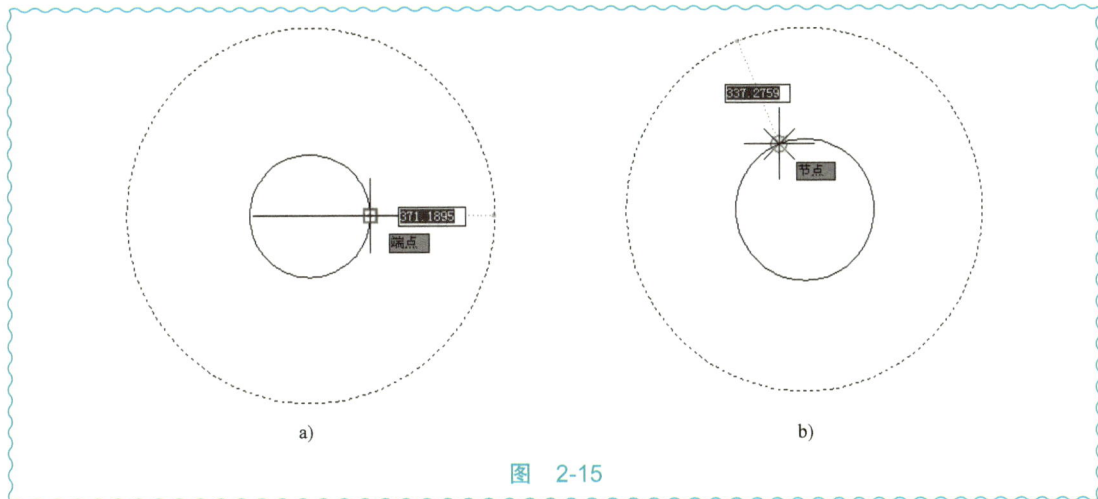

a)   b)

图 2-15

（3）"移动"命令

"移动"命令可以将原对象以指定的角度、方向和距离移动，该命令只能在一个文档内移动图形，结合使用"对象捕捉"命令可以精确移动对象。

执行"移动"命令（Move，简写"M"）有以下两种途径。

1）单击工具栏"修改"组上"移动"按钮 。

2）在命令窗口中输入"M"（Move）

命令：_move

选择对象：

指定基点或［位移（D）］＜位移＞：

指定第二个点或＜使用第一个点作为位移＞：

关于各选项的说明如下：

位移（D）：通过输入坐标值将图形进行精确位移。

操作提示：

实现精确位移的方法有两种：

1）使用"移动"命令，在提示"指定基点"时，单击 A 点，指定第二个点时，输入相对坐标值，可实现精确位移，如图 2-16a 所示。

命令：_move

选择对象：   （选择矩形）

指定基点或［位移（D）］＜位移＞：   （单击 A 点）

指定第二个点或＜使用第一个点作为位移＞：（输入"@100, 0"）

2）使用"移动"命令，在提示"指定基点"时，输入位移"D"，输入坐标值，也可实现精确位移，如图 2-16b 所示。

命令：_move

选择对象：   （选择矩形）

指定基点或［位移（D）］＜位移＞：   （输入"d"）

指定位移＜0.0000, 0.0000, 0.0000＞： （输入 @100, 0）

移动命令

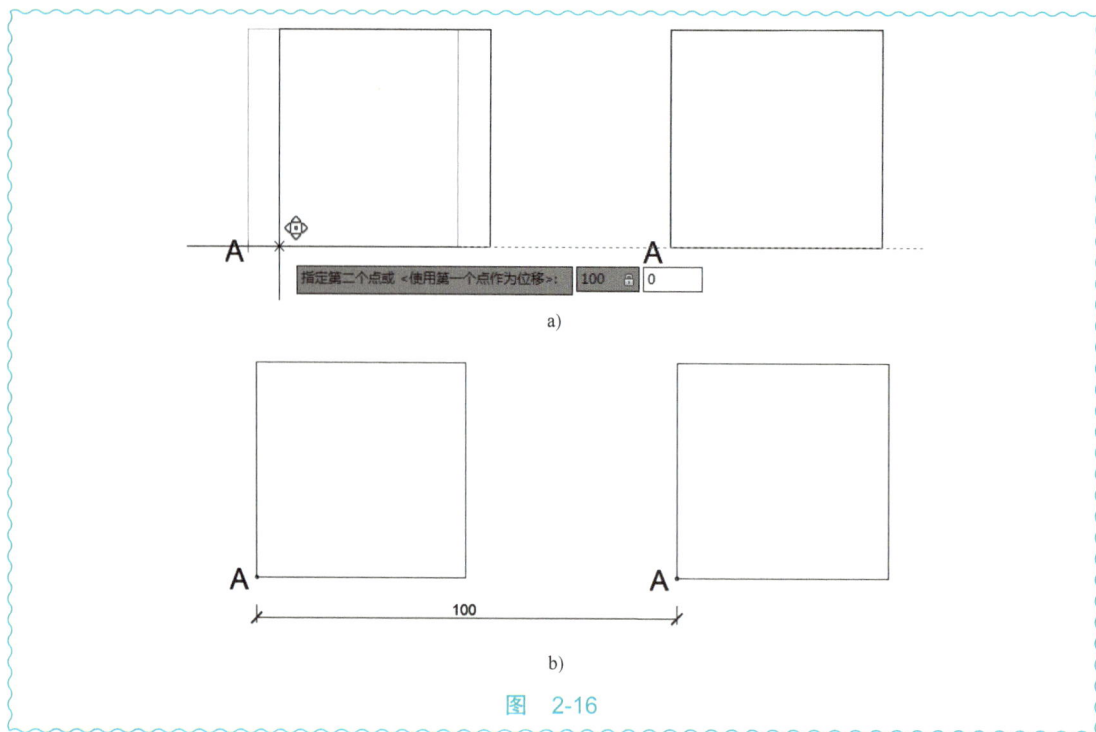

图 2-16

（4）"修剪"命令

"修剪"命令应用于对有边界的对象进行部分删除。可用于修剪的对象有直线、多段线、矩形、圆、圆弧、椭圆、椭圆弧、构造线和样条曲线等。

修剪和延伸命令

执行"修剪"命令（Trim，简写"TR"）操作有两种途径：

1）单击工具栏"修改"组上"修剪"按钮 ✂。

2）在命令窗口中输入"TR"（Trim）。

命令：_Trim

选择对象：

选择要修剪的对象，或按住 Shift 键选择要延伸的对象，或［栏选（F）/ 窗交（C）/ 投影（P）/ 边（E）/ 删除（R）/ 放弃（U）］：

关于各选项的说明如下：

栏选（F）：采用栏选的方式选择修剪对象。

窗交（C）：采用窗交的方式选择修剪对象。

投影（P）：3D 编辑中选择进行实体剪切的不同投影方法。

边（E）：指定修剪边与被修剪边是否允许隐含延伸至相交。

操作提示：

1）剪切边必须与被修剪的对象相交，否则将无法进行修剪命令操作。若遇到修剪边与修剪对象不相交的情况，应选择"边"的"延伸"操作。

2）有时为了提高工作效率，在选择剪切边时可以直接按 <Enter> 键选择所有对象互为剪切边。

3）在选择要修剪的对象时，可以同时选中多个对象对其进行修剪操作。

（5）"延伸"命令

使用"延伸"命令可以将选中的对象延伸至指定的对象边界处。

执行"延伸"命令（Extend，简写"EX"）操作有两种途径：

1）单击工具栏"修改"组上"延伸"按钮 ━／。

2）在命令窗口中输入"EX"（Extend）。

命令：_Extend

选择对象：

选择要延伸的对象，或按住 Shift 键选择要修剪的对象，或 ［栏选（F）/ 窗交（C）/ 投影（P）/ 边（E）/ 放弃（U）］：

关于各选项的说明如下：

栏选（F）：采用栏选的方式选择延伸对象。

窗交（C）：采用窗交的方式选择延伸对象。

投影（P）：3D 编辑中进行实体延伸的不同投影方法选择。

边（E）：指定修剪边与被修剪边是否允许隐含延伸至相交。

操作提示：

1）在选择延伸边界时，可以直接按 <Enter> 键选择所有对象均为延伸边界。

2）在选择要延伸的对象时，可以同时选中多个对象对其进行延伸操作。

（6）夹点编辑

每个图形都有若干个几何特征，一般称这些特征为"夹点"。直接编辑这些夹点可提高绘图效率。不同的图形对象其夹点数量和几何特征也不相同。默认情况下，选取对象后其夹点以蓝色小方框标记。夹点编辑作为一种图形编辑工具，通常要与其他图形编辑工具结合使用，以达到事半功倍的效果，夹点编辑的类型见表 2-27。

夹点编辑

表 2-27　夹点编辑

序号	夹点编辑类型	内容	结果
1	使用夹点编辑拉伸对象	选择要拉伸的对象，在对象上选择基夹点，亮显选定夹点，并激活默认夹点模式"拉伸"，按 <Ctrl> 键，选择"拉伸顶点"还是"添加顶点"，如右图所示	

（续）

序号	夹点编辑类型	内容	结果
2	使用夹点编辑移动对象	选择要移动的对象，在对象上通过单击选择基夹点，亮显选定夹点，并激活默认夹点模式"拉伸"。按<Enter>键查看夹点模式，直到夹点模式为"移动"。另外，也可以右击以显示模式和选项的快捷菜单，如右图所示	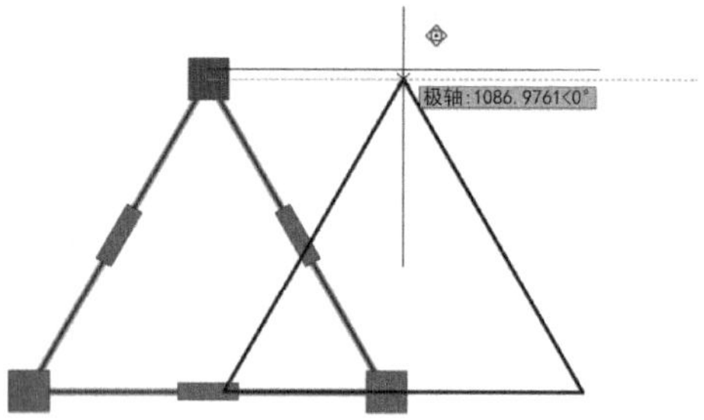
3	使用夹点编辑旋转对象	选择要旋转的对象，在对象上通过单击选择基夹点，亮显选定夹点，并激活默认夹点模式"拉伸"。按<Enter>键查看夹点模式，直到夹点模式为"旋转"。另外，可以右击以显示模式和选项的快捷菜单，如右图所示	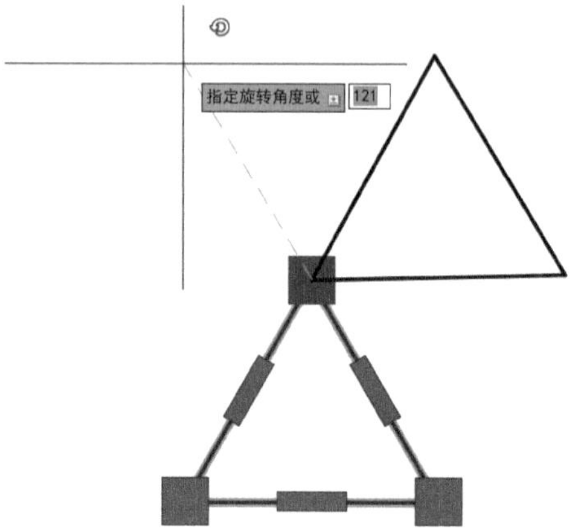
4	使用夹点编辑缩放对象	选择要缩放的对象，在对象上通过单击选择基夹点，亮显选定夹点，并激活默认夹点模式"拉伸"。按<Enter>键查看夹点模式，直到夹点模式为"缩放"。另外，可以右击以显示模式和选项的快捷菜单，如右图所示	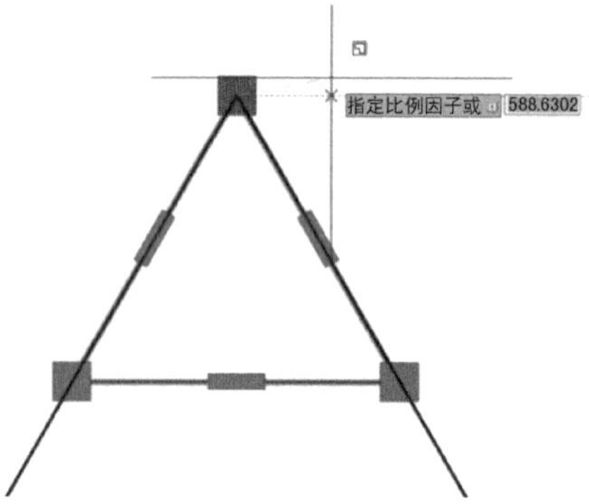
5	使用夹点编辑镜像对象	选择要镜像的对象，在对象上通过单击选择基夹点，亮显选定夹点，并激活默认夹点模式"拉伸"。按<Enter>键查看夹点模式，直到夹点模式为"镜像"。另外，可以右击以显示模式和选项的快捷菜单，如右图所示	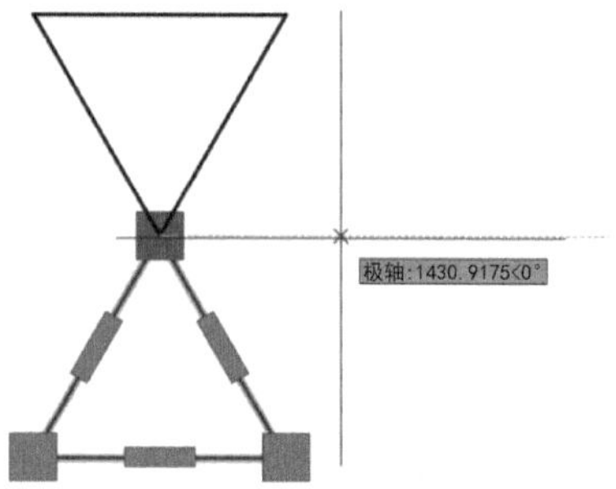

（续）

序号	夹点编辑类型	内容	结果
6	以任意一种夹点模式创建副本	选择要复制的对象，在对象上通过单击选择基夹点，亮显选定夹点，并激活默认夹点模式"拉伸"。按 \<Enter\> 键查看夹点模式，直到显示所需的夹点模式。另外，可以右击以显示模式和选项的快捷菜单。还可以输入或指定当前夹点模式所需的附加输入，例如输入"C"（复制），系统将创建副本直到夹点关闭。按 \<Enter\> 键、空格键或 \<Esc\> 键可关闭夹点，如右图所示	

2. 操作步骤

浴缸的具体尺寸如图 2-17 所示，绘制浴缸图案的具体操作步骤见表 2-28。

图 2-17

表 2-28 浴缸的绘制

序号	命令行提示	操作内容	结果
1	命令：_rectang 指定第一个角点或［倒角（C）/标高（E）/圆角（F）/厚度（T）/宽度（W）］：	在绘图区域任意单击某一位置作为第一点	
2	指定另一个角点或［面积（A）/尺寸（D）/旋转（R）］：	输入"@1620，695" ↵	
3	命令：_zoom 指定窗口的角点，输入比例因子（nX 或 nXP），或者［全部（A）/中心（C）/动态（D）/范围（E）/上一个（P）/比例（S）/窗口（W）/对象（O）］＜实时＞：	输入"a" ↵，如右图所示	

（续）

序号	命令行提示	操作内容	结果
4	命令：_offset 当前设置：删除源=否 图层=源 OFFSETGAPTYPE=0 指定偏移距离或［通过（T）/删除（E）/图层（L）］<1.0000>：	输入"40"↙	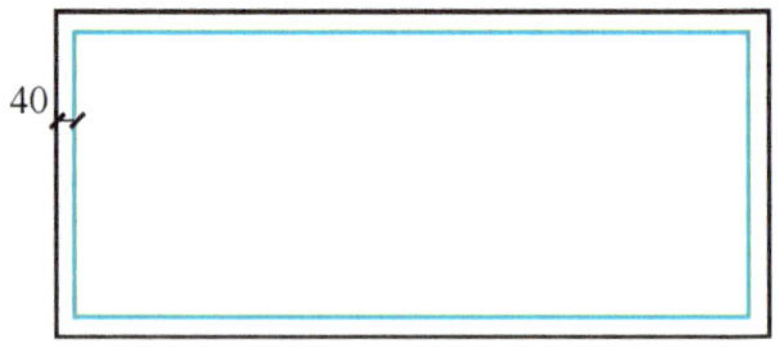
5	选择要偏移的对象，或［退出（E）/放弃（U）］<退出>：	单击矩形	
6	指定要偏移的那一侧上的点，或［退出（E）/多个（M）/放弃（U）］<退出>：	向内偏移，如右图所示	
7		利用夹点编辑，激活A点，向右移动50，如右图所示	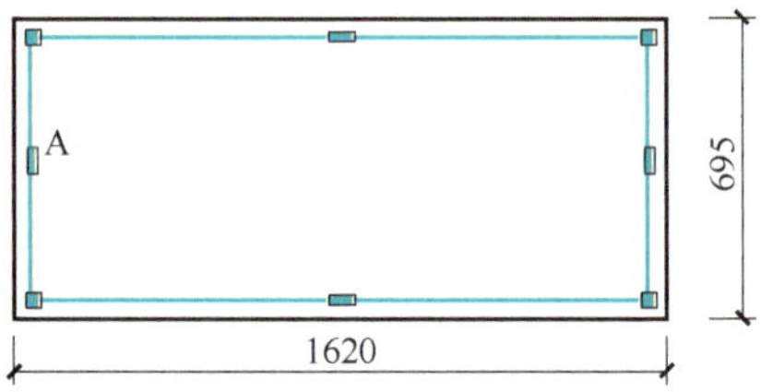
8	命令：_circle 指定圆的圆心或［三点（3P）/两点（2P）/切点、切点、半径（T）］：	输入"2p"↙，分别单击端点B和端点C绘制圆形，如右图所示	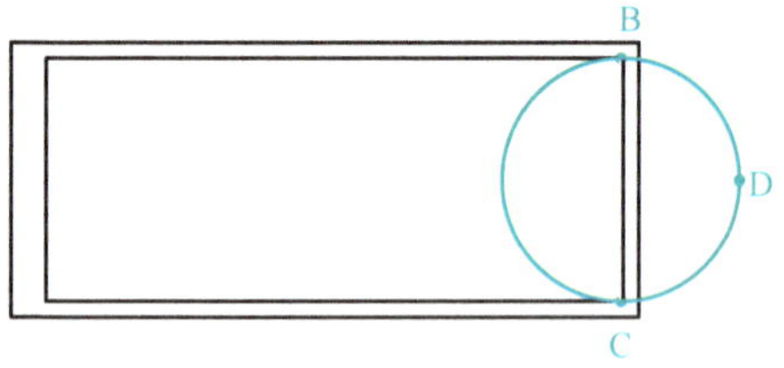
9	命令：_move 选择对象：找到1个 选择对象：	单击圆	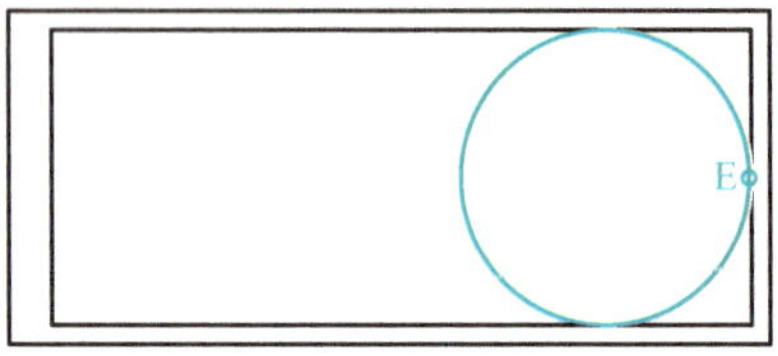
10	指定基点或［位移（D）］<位移>：	单击圆的象限点D	
11	指定第二个点或<使用第一个点作为位移>：	单击线段中点E，如右图所示	
12	命令：_trim 当前设置：投影=UCS，边=无 选择剪切边…… 选择对象或<全部选择>：	输入"all"↙	

（续）

序号	命令行提示	操作内容	结果
13	选择要修剪的对象，或按住 Shift 键选择要延伸的对象，或［栏选（F）/窗交（C）/投影（P）/边（E）/删除（R）/放弃（U）］：	修剪多余部分，如右图所示	
14	命令：_circle 指定圆的圆心或［三点（3P）/两点（2P）/切点、切点、半径（T）］：	单击线段的中点 F 作为圆心，如右图所示	
15	指定圆的半径或［直径（D）］<0.0000>：	输入"20" ↙	
16	命令：_move 选择对象：	单击圆	
17	指定基点或［位移（D）］<位移>：	单击圆心	
18	指定第二个点或<使用第一个点作为位移>：	将圆移动到合适位置，完成浴缸的绘制，如右图所示	

3. 技能训练

技能训练内容：绘制长度为 100、宽度为 50 的矩形；绘制长度为 100、宽度为 50、倒角为 10 的矩形；绘制长度为 100、宽度为 50、圆角半径为 20 的矩形；绘制长度为 100、宽度为 50、线宽为 5 的矩形；绘制面积为 5000、宽度为 50 的矩形；绘制长度为 100、宽度为 50、旋转角度为 30° 的矩形；使用夹点编辑拉伸、移动、旋转、缩放、镜像、复制对象。绘制浴缸。学习结果评价见表 2-29。

表 2-29　学习结果评价——绘制浴缸

序号	评价内容	评价标准				评价结果
		优秀（91~100）	良好（81~90）	一般（71~80）	较差（60~70）	
1	能正确完成矩形命令的绘制练习					
2	会使用"偏移"命令					
3	会使用"移动"命令					
4	会使用夹点编辑命令					
5	能完成浴缸的绘制					
6	养成独立学习新知识、新技能的能力					

4. 实训练习

绘制图 2-18。

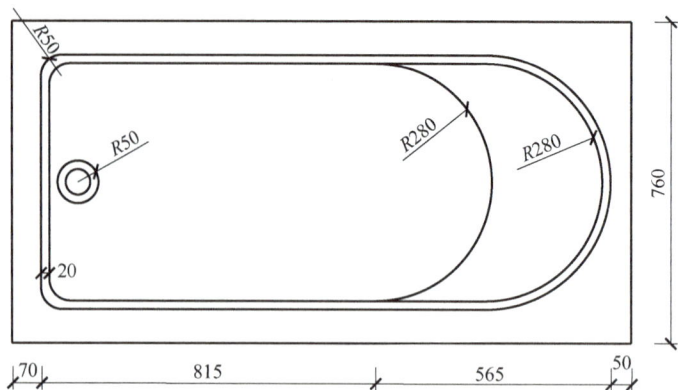

实训练习

图　2-18

（五）绘制马桶

1. 基础知识

（1）"分解"命令

"分解"命令只能用于分解由多个基本对象组成的图形，基本对象图形不能再被分解。例如直线、弧、圆、样条曲线是基本对象，不能再被分解，但是矩形、多边形、多线段可以被分解。

执行"分解"命令（explode，简写"X"）有以下两种途径：

1）单击工具栏"修改"组上"分解"按钮🔲。

2）在命令窗口中输入"X"（explode）。

命令：_explode

选择对象：选择矩形

按 <Enter> 键完成图形分解，如图 2-19 所示。

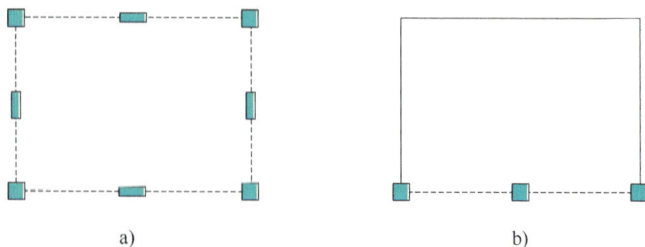

a)　　　　　　　　　　　　　　　　b)

图　2-19

（2）"椭圆"命令

使用"椭圆"命令可通过指定圆心和两个半轴长度来绘制椭圆。

执行"椭圆"命令（Ellipse，简写"EL"）有以下两种途径：

1）单击工具栏"绘图"组上"椭圆"按钮🔵。

2）在命令窗口中输入"EL"（Ellipse）。

命令：_ellipse

指定椭圆的轴端点或［圆弧（A）/中心点（C）］：

指定轴的另一个端点：

指定另一条半轴长度或［旋转（R）］：

关于各选项的说明如下。

圆弧（A）：创建一段椭圆弧。

中心点（C）：使用中心点、第一个轴的端点和第二个轴的长度来创建椭圆。

操作提示：

当系统变量 pellipse=0（默认）时，椭圆是由 NURBS 曲线构成的平滑曲线；当 pellipse=1 时，椭圆由多段线构成。

（3）"倒角"命令

"倒角"命令是通过延伸（或修剪），用斜线连接两个非平行的直线类对象或使两者相交，可以倒角的对象包括直线、多段线等。可通过设置倒角的"距离"值来进行"倒角"命令操作，如图 2-20 所示。

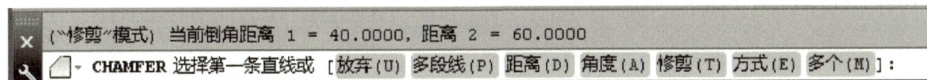

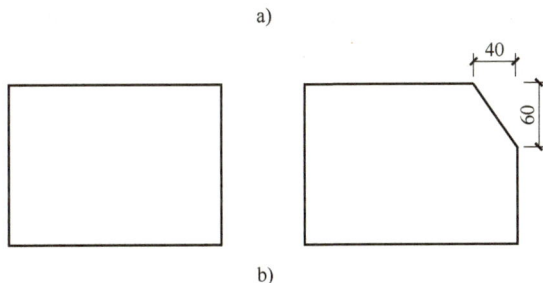

倒角和圆角命令

a)

b)

图　2-20

执行"倒角"命令（Chamfer，简写"CHA"）有以下两种途径：

1）单击工具栏"修改"组上"倒角"按钮◢；

2）在命令窗口中输入"CHA"（Chamfer）。

命令：_chamfer

（"修剪"模式）当前倒角距离 1 = 0，距离 2 = 0

选择第一条直线或［放弃（U）/多段线（P）/距离（D）/角度（A）/修剪（T）/方式（E）/多个（M）］：

选择第二条直线，或按住 Shift 键选择直线以应用角点或［距离（D）/角度（A）/方法（M）］：

关于各选项的说明如下：

放弃（U）：恢复在命令中执行的上一个操作。

多段线（P）：在二维多段线中两条直线段相交的每个顶点处插入倒角线。倒角线将成为多段线的新线段。

距离（D）：设置距第一个对象和第二个对象的交点的倒角距离。

角度（A）：设置距选定对象的交点的倒角距离，以及与第一个对象或线段所成的 XY 角度。

修剪（T）：控制是否修剪选定对象以与倒角线的端点相交。

方式（E）：控制如何根据选定对象或线段的交点计算出倒角线。

多个（M）：允许为多组对象创建斜角。

方法（M）：选择修剪的方法是距离还是角度。

操作提示：

1）对相交或在延长线上相交于一点的两直线进行倒角操作，如果两个倒角的距离都设置为"0"，则倒角操作将修剪或延伸这两个对象，直至它们相交，但不创建倒角线。

2）默认情况下，对象在倒角时被修剪，但可以用"修剪"选项指定保持"不修剪"的状态。

3）"倒角"命令只对那些长度足够适合"倒角距离"的直线进行倒角，当某些直线小于设定的倒角距离时，则不能进行倒角操作。

（4）"圆角"命令

"圆角"命令用于通过一个指定半径的圆弧光滑地连接两个对象。可以进行圆角的对象有圆弧、圆、椭圆和椭圆弧、直线、多段线等。通过设置圆角的"半径"来进行圆角操作，如图 2-21 所示。

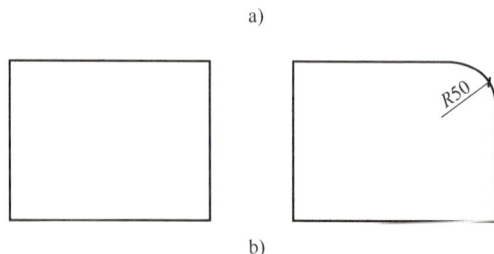

当前设置：模式 = 修剪，半径 = 50.0000

× FILLET 选择第一个对象或 [放弃(U) 多段线(P) 半径(R) 修剪(T) 多个(M)]:

a)

b)

图　2-21

执行"圆角"命令（Fillet，简写"F"）有以下两种途径：

1）单击工具栏"修改"组上"圆角"按钮■。

2）在命令窗口中输入"F"（Fillet）。

命令：_fillet

当前设置：模式 = 修剪，半径 = 0

选择第一个对象或［放弃（U）/ 多段线（P）/ 半径（R）/ 修剪（T）/ 多个（M）］：

选择第二个对象，或按住 Shift 键选择对象以应用角点或［半径（R）］：

关于各选项的说明如下：

放弃（U）：恢复在命令中执行的上一个操作。

多段线（P）：在二维多段线中两条直线段相交的每个顶点处插入圆角。圆角成为多段线的新线段。

半径（R）：设置后续圆角的半径。

修剪（T）：控制是否修剪选定对象从而与圆角端点相接。

多个（M）：允许为多组对象创建外圆角。

操作提示：

1）对相交或在延长线上相交于一点的直线进行圆角操作，如果圆角的半径设置为"0"，则圆角操作将修剪或延伸这两个对象，直至它们相交，但不创建圆弧。

2）对于相互平行的两直线进行圆角操作，如果圆角的半径设置为"0"，则圆角操作将两条平行线端部封闭为半圆形。

---

2. 操作步骤

马桶的具体尺寸如图 2-22 所示，马桶图案的具体操作步骤见表 2-30。

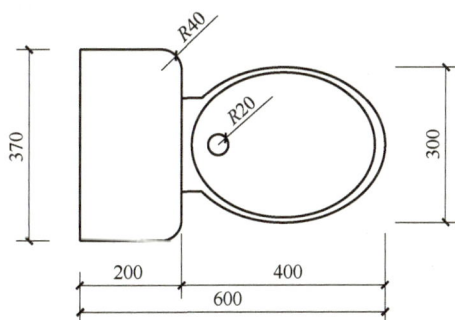

图　2-22

表 2-30　马桶的绘制

序号	命令行提示	操作内容	结果
1	命令：_rectang 指定第一个角点或［倒角（C）/ 标高（E）/ 圆角（F）/ 厚度（T）/ 宽度（W）］：	在屏幕上任意单击某一点作为第一个角点	
2	指定另一个角点或［面积（A）/ 尺寸（D）/ 旋转（R）］：	输入"@200,370"✓，如右图所示	

（续）

序号	命令行提示	操作内容	结果
3	命令：_explode 找到 1 个	选择矩形	
4	命令：_offset 当前设置：删除源＝否　图层＝源　OFFSETGAPTYPE=0 指定偏移距离或［通过（T）/删除（E）/图层（L）]＜通过＞：	输入"20" ↙	
5	选择要偏移的对象，或［退出（E）/放弃（U）]＜退出＞：	单击直线 AB	
6	指定要偏移的那一侧上的点，或［退出（E）/多个（M）/放弃（U）]＜退出＞：	向右偏移，绘制直线 A'B'	
7	命令：_offset 当前设置：删除源＝否　图层＝源　OFFSETGAPTYPE=0 指定偏移距离或［通过（T）/删除（E）/图层（L）]＜20.0000＞：	输入"380" ↙	
8	选择要偏移的对象，或［退出（E）/放弃（U）]＜退出＞：	单击直线 'A'B	
9	指定要偏移的那一侧上的点，或［退出（E）/多个（M）/放弃（U）]＜退出＞：	向右偏移，绘制直线 A"B"	
10	命令：_offset 当前设置：删除源＝否　图层＝源　OFFSETGAPTYPE=0 指定偏移距离或［通过（T）/删除（E）/图层（L）]＜380.0000＞：	输入"20" ↙	
11	选择要偏移的对象，或［退出（E）/放弃（U）]＜退出＞：	单击直线 "A"B	
12	指定要偏移的那一侧上的点，或［退出（E）/多个（M）/放弃（U）]＜退出＞：	向左偏移，绘制直线，如右图所示	
13	命令：_ellipse 指定椭圆的轴端点或［圆弧（A）/中心点（C）]：	单击 C 点	
14	指定轴的另一个端点：	单击 D 点	
15	指定另一条半轴长度或［旋转（R）]：	输入"150" ↙，如图所示	

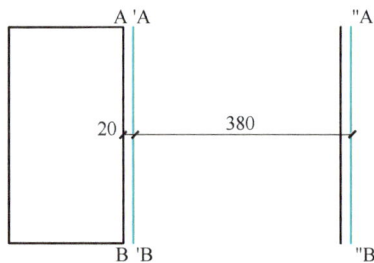

（续）

序号	命令行提示	操作内容	结果
16	命令：_ellipse 指定椭圆的轴端点或［圆弧（A）/中心点（C）］：	单击 E 点	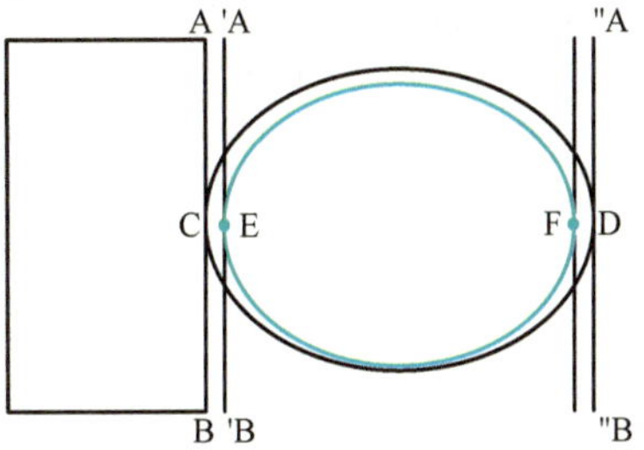
17	指定轴的另一个端点：	单击 F 点	
18	指定另一条半轴长度或［旋转（R）］：	输入"140"↙，如右图所示	
19	命令：_line 指定第一个点：	单击 C 点	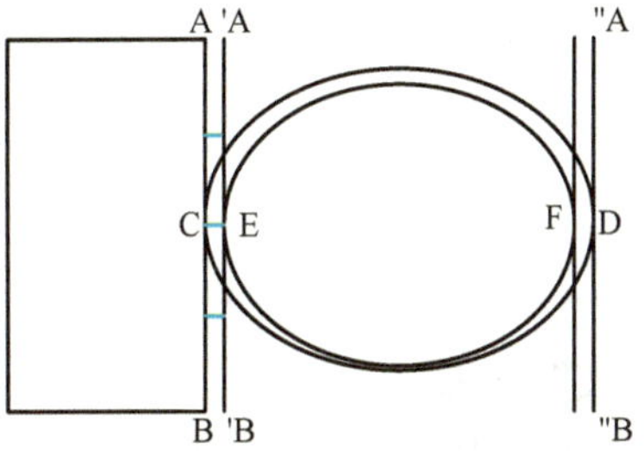
20	指定下一点或［放弃（U）］：	单击 E 点，绘制直线 CE	
21	命令：_offset 当前设置：删除源 = 否 图层 = 源 OFFSETGAPTYPE=0 指定偏移距离或［通过（T）/删除（E）/图层（L）］<20.0000>：	输入"90"↙	
22	选择要偏移的对象，或［退出（E）/放弃（U）]<退出>：	选择直线 CE	
23	指定要偏移的那一侧上的点，或［退出（E）/多个（M）/放弃（U）]<退出>：	将直线 CE 分别向上、向下偏移 90，如右图所示	
24		利用"延伸"命令将直线延伸至椭圆，如右图所示	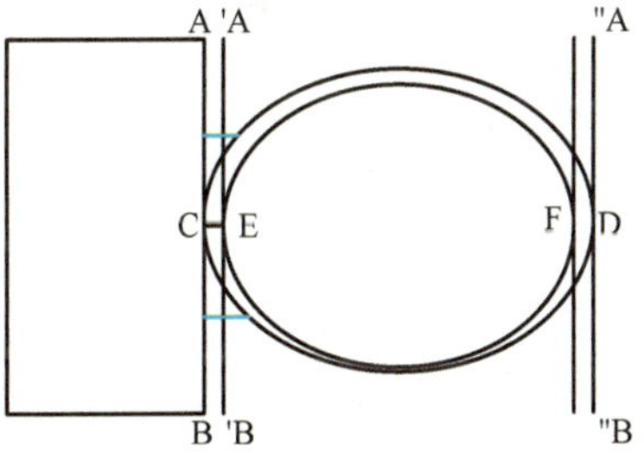
25		继续利用"删除""修剪"命令绘制图形，如右图所示	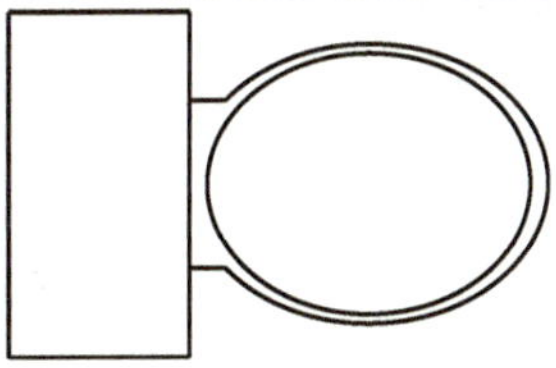
26	命令：_circle 指定圆的圆心或［三点（3P）/两点（2P）/切点、切点、半径（T）］：	在屏幕上任意单击某一点作为圆心	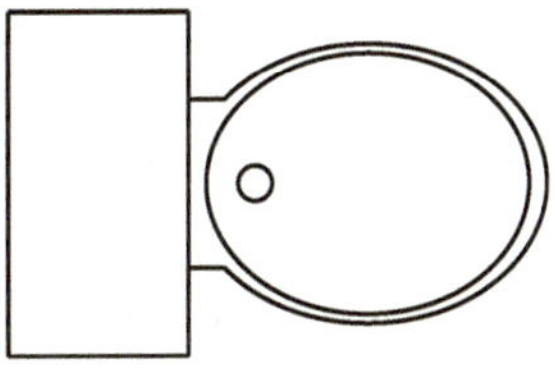
27	指定圆的半径或［直径（D）]<0.0000>：	输入"20"↙，将圆移动到合适位置，如右图所示	

（续）

序号	命令行提示	操作内容	结果
28	命令：_fillet 当前设置：模式 = 修剪，半径 = 0.0000 选择第一个对象或［放弃（U）/多段线（P）/半径（R）/修剪（T）/多个（M）］：	输入"r"↙	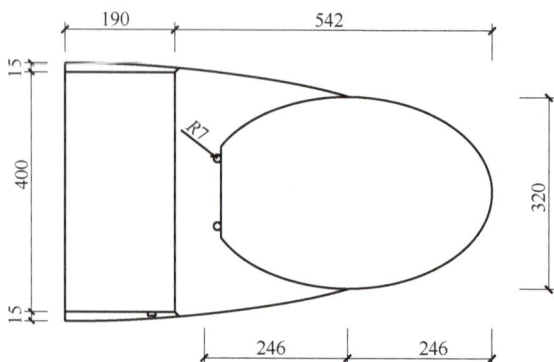
29	指定圆角半径<0.0000>：	输入"40"↙	
30	选择第一个对象或［放弃（U）/多段线（P）/半径（R）/修剪（T）/多个（M）］：	单击矩形	
31	选择第二个对象，或按住 Shift 键选择对象以应用角点或［半径（R）］：	再次单击矩形	
32		继续利用"圆角"命令完成马桶的绘制，如右图所示	

3. 技能训练

技能训练内容：绘制马桶。学习结果评价见表 2-31。

表 2-31　学习结果评价——绘制马桶

序号	评价内容	评价标准				评价结果
		优秀 （91~100）	良好 （81~90）	一般 （71~80）	较差 （60~70）	
1	会使用"椭圆"命令					
2	会使用"圆角""倒角"命令					
3	会使用"分解"命令					
4	能完成马桶的绘制					
5	养成独立学习新知识、新技能的能力					

4. 实训练习

绘制图 2-23。

实训练习

图　2-23

（六）绘制炉灶

1. 基础知识

（1）"阵列"命令

"阵列"命令应用于图形有规则的排列，有矩形阵列、极轴阵列和路径阵列三种类型。

执行"阵列"命令（Array，简写"AR"）有以下两种途径：

一是：单击工具栏"修改"组上"阵列"按钮囲。

二是：在命令窗口中输入"AR"（Array）。

命令：array

找到 1 个

输入阵列类型［矩形（R）/路径（PA）/极轴（PO）］＜极轴＞：

1）矩形阵列。矩形阵列应注意"阵列"对话框中行间距、列间距的设置，其数值为两个图形上相同点（一般为图形中点）的距离。例如，将"窗"图例进行矩形阵列，设置行数为 3，列数为 4，行偏移 2000，列偏移 1500，如图 2-24 所示。

a)

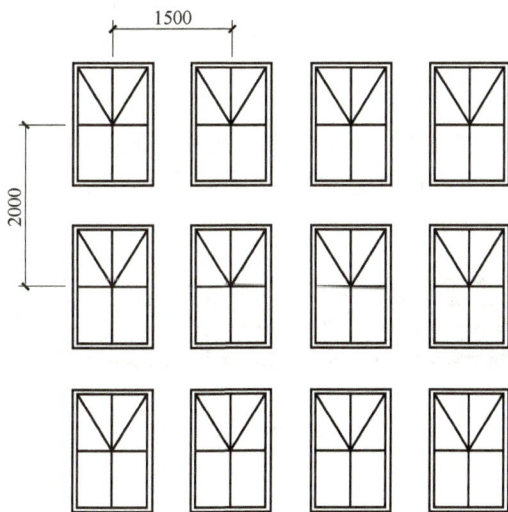

b)

图 2-24

命令：_arrayrect

选择对象：指定对角点：找到 6 个

选择对象： （选择绘制的"窗"图例）

类型＝矩形　关联＝是

选择夹点以编辑阵列或［关联（AS）/基点（B）/计数（COU）/间距（S）/列数（COL）/行数（R）/层数（L）/退出（X）］＜退出＞： （输入"col"↵）

输入列数数或［表达式（E）］＜4＞： （输入"4"↵）

指定列数之间的距离或［总计（T）/表达式（E）］<1500>：（输入"1500" ↙）

选择夹点以编辑阵列或［关联（AS）/基点（B）/计数（COU）/间距（S）/列数（COL）/行数（R）/层数（L）/退出（X）］<退出>：　　　　　　　　　（输入"r" ↙）

输入行数数或［表达式（E）］<3>：　　　　　　　　　（输入"3" ↙）

指定行数之间的距离或［总计（T）/表达式（E）］<2400>：（输入"2400" ↙）

操作提示：

通过设置"as"关联，可以控制阵列后的图形是否为一个整体。在"关联"状态下绘制的图形可使用"编辑阵列" ![icon]进行修改，如图 2-25 所示，在"非关联"状态下则无法进行修改，如图 2-26 所示。

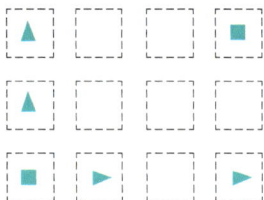

图 2-25

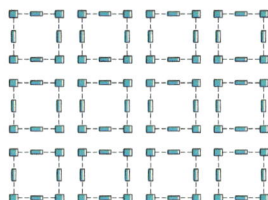

图 2-26

2）极轴阵列。极轴阵列应注意"阵列"对话框中"旋转项目"的设置，这关系到阵列后的图形是否准确，"旋转项目"设置为"是"，图形绘制如图 2-27 所示。"旋转项目"设置为"否"，图形绘制如图 2-28 所示。

a)

b)

图 2-27

命令：_arraypolar

选择对象：指定对角点：找到 3 个

选择对象：　　　　　　　　　　　　　　（选择绘制的"花瓣"图例）

类型 = 极轴　关联 = 是

指定阵列的中心点或［基点（B）/旋转轴（A）］：（单击中心点）

选择夹点以编辑阵列或 [关联（AS）/基点（B）/项目（I）/项目间角度（A）/填充角度（F）/行（ROW）/层（L）/旋转项目（ROT）/退出（X）] <退出>： （输入"i" ↙）

输入阵列中的项目数或 [表达式（E）] <4>： （输入"4" ↙）

3）路径阵列。沿整个路径或部分路径平均分配对象，如图 2-29 所示。

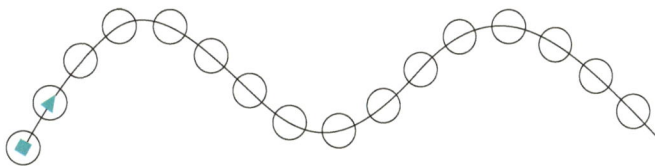

图 2-28   图 2-29

（2）"镜像"命令

绘制对称图形，推荐使用"镜像"命令。通过输入两点确定镜像线，可以选择在使用"镜像"命令创建对象时是删除原对象还是保留原对象。

执行"镜像"命令（Mirror，简写"Mi"）有以下两种途径：

1）单击工具栏"修改"组上"镜像"按钮 ；

2）在命令窗口中输入"Mi"（Mirror）。

命令：_mirror

选择对象：

指定镜像线的第一点：指定镜像线的第二点：

要删除源对象吗？[是（Y）/否（N）] <N>：

定义镜像线：镜像线一般要做到水平或垂直，避免镜像的图形出现不对称的问题。

镜像文字：系统变量 mirrtext 设置为 0，文字不翻转或倒置，文字可读，如图 2-30 所示。系统变量 mirrtext 设置为 1 时，则文字不可读，如图 2-31 所示。

图 2-30   图 2-31

2. 操作步骤

炉灶的具体尺寸如图 2-32 所示，炉灶的具体操作步骤见表 2-32。

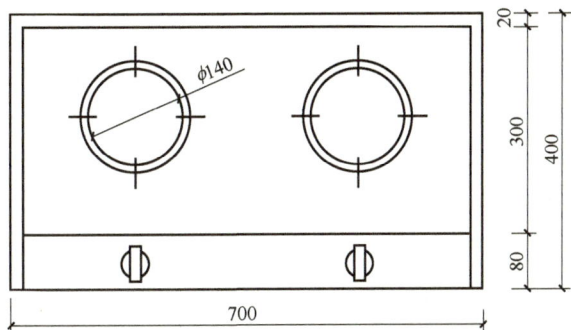

图 2-32

73

表 2-32　炉灶的绘制

序号	命令行提示	操作内容	结果
1	命令：_rectang 指定第一个角点或 [倒角（C）/标高（E）/圆角（F）/厚度（T）/宽度（W）]：	在屏幕上任意单击某一点作为第一个角点	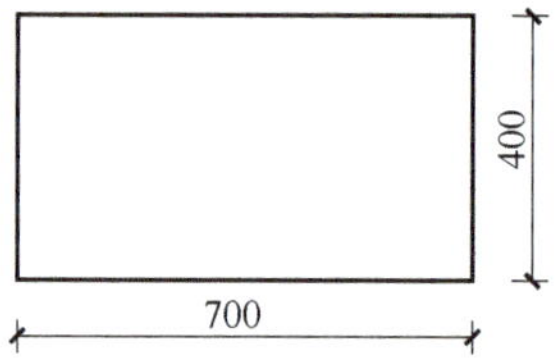 400 700
2	指定另一个角点或 [面积（A）/尺寸（D）/旋转（R）]：	输入"@700,400"↙，如右图所示	
3	命令：_offset 当前设置：删除源=否　图层=源　OFFSETGAPTYPE=0 指定偏移距离或 [通过（T）/删除（E）/图层（L）]<通过>：	输入"20"↙	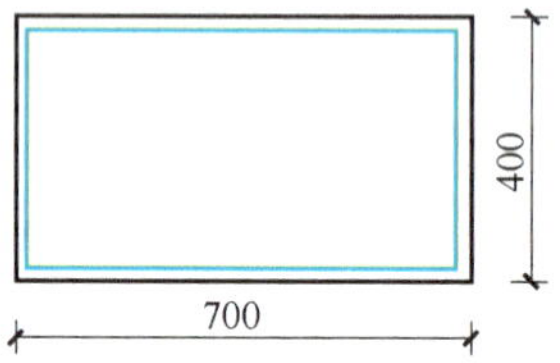
4	选择要偏移的对象，或 [退出（E）/放弃（U）]<退出>：	单击矩形	400 700
5	指定要偏移的那一侧上的点，或 [退出（E）/多个（M）/放弃（U）]<退出>：	向内偏移，如右图所示	
6	命令：_explode 选择对象：找到 1 个	将矩形进行分解	
7		利用夹点编辑命令将直线向上移动，设置距离为60，如右图所示	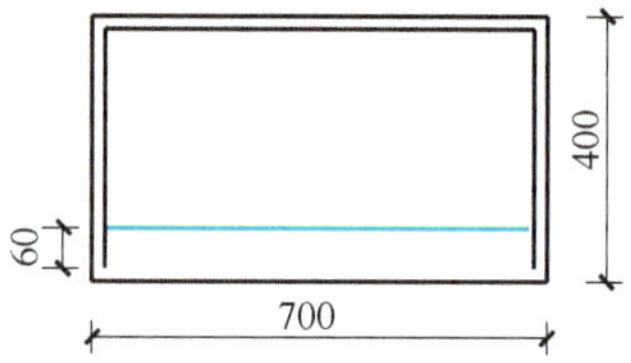 60　400 700
8	命令：_circle 指定圆的圆心或 [三点（3P）/两点（2P）/切点、切点、半径（T）]：	在屏幕上任意单击某一点作为圆心	 φ160
9	指定圆的半径或 [直径（D）]：	输入"80"↙，如右图所示	
10	命令：_offset 当前设置：删除源=否　图层=源　OFFSETGAPTYPE=0 指定偏移距离或 [通过（T）/删除（E）/图层（L）]<20.0000>：	输入"10"↙	 φ140
11	选择要偏移的对象，或 [退出（E）/放弃（U）]<退出>：	单击圆	
12	指定要偏移的那一侧上的点，或 [退出（E）/多个（M）/放弃（U）]<退出>：	向内偏移，如右图所示	

74

（续）

序号	命令行提示	操作内容	结果
13	命令：_line 指定第一个点：	在屏幕上任意单击某一点作为第一个点	
14	指定下一点或［放弃（U）］：	输入"@40<90" ✓	
15		将直线移动到合适位置，如右图所示	
16	命令：_arraypolar 选择对象：找到 1 个 选择对象： 类型 = 极轴　关联 = 是	单击直线	
17	指定阵列的中心点或［基点（B）/旋转轴（A）］：	选择圆心	
18	选择夹点以编辑阵列或［关联（AS）/基点（B）/项目（I）/项目间角度（A）/填充角度（F）/行（ROW）/层（L）/旋转项目（ROT）/退出（X）］<退出>：	设置项目为 4，填充角度为 360°，如右图所示	
19	命令：_move 选择对象：	选择绘制的炉盘	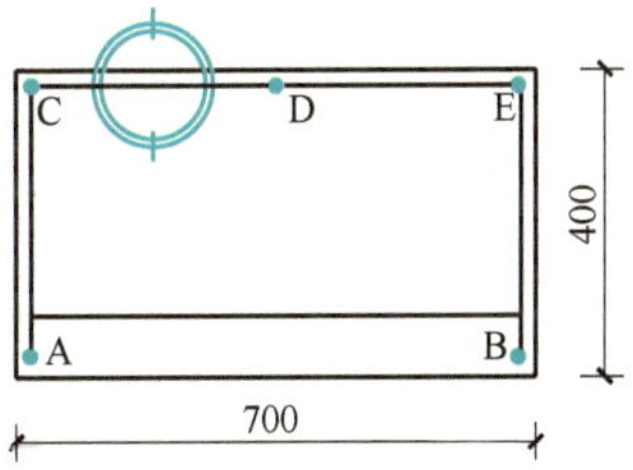
20	指定基点或［位移（D）］<位移>：	单击圆心为基点	
21	指定第二个点或<使用第一个点作为位移>：	按住 <shift> 键不放，右击，选择"两点之间的中点"，单击端点 C，再次单击中点 D，将炉盘移动全合适位置，如右图所示	
22	命令：_move 选择对象：	继续选择绘制的炉盘	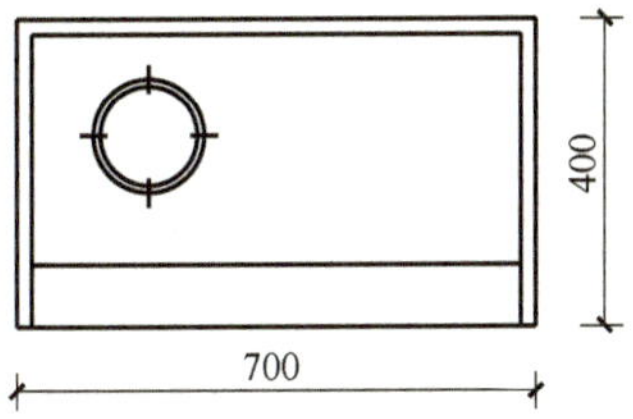
23	指定基点或［位移（D）］<位移>：	单击圆心为基点	
24	指定第二个点或<使用第一个点作为位移>：	输入"@0，-130" ✓	
25	命令：_extend 当前设置：投影 =UCS，边 = 无 选择边界的边…… 选择对象： 选择要延伸的对象，或按住 Shift 键选择要修剪的对象，或［栏选（F）/窗交（C）/投影（P）/边（E）/放弃（U）］：	将直线 CA、EB 延伸至合适位置，如右图所示	

（续）

序号	命令行提示	操作内容	结果
26	命令：_circle 指定圆的圆心或［三点（3P）/两点（2P）/切点、切点、半径（T）］：	在屏幕上任意单击某一点作为圆心	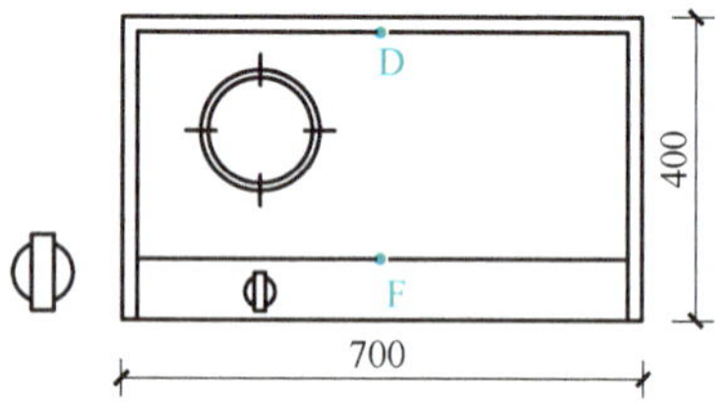
27	指定圆的半径或［直径（D）］：	输入"20" ↙	
28	命令：_rectang 指定第一个角点或［倒角（C）/标高（E）/圆角（F）/厚度（T）/宽度（W）］：	在屏幕上任意单击某一点作为第一个角点	
29	指定另一个角点或［面积（A）/尺寸（D）/旋转（R）］：	输入"@15，50" ↙	
30	命令：_move 选择对象：	选择矩形	
31	指定基点或［位移（D）］<位移>：	单击矩形的几何中心	
32	指定第二个点或<使用第一个点作为位移>：	单击圆心	
33		利用"修剪"命令完成按钮图形的绘制，并移动至合适位置，如右图所示	
34	命令：_mirror 选择对象：	选择绘制的炉盘和按钮图案	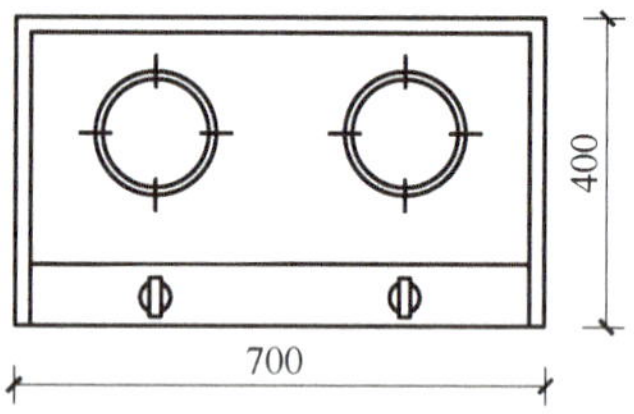
35	指定镜像线的第一点：	单击直线的中点 D	
36	指定镜像线的第二点：	单击直线的中点 F	
37	要删除源对象吗?［是（Y）/否（N）］<否>：	输入"N" ↙，完成炉灶的绘制，如右图所示	

3. 技能训练

技能训练内容：绘制炉灶。学习结果评价见表 2-33。

表 2-33　学习结果评价——绘制炉灶

序号	评价内容	评价标准				评价结果
		优秀 （91~100）	良好 （81~90）	一般 （71~80）	较差 （60~70）	
1	会使用"阵列"命令					
2	会使用"镜像"命令					
3	能完成炉灶的绘制					
4	养成独立学习新知识、新技能的能力					

4. 实训练习

绘制图 2-33。

（七）绘制平面门

1. 基础知识——"圆弧"命令

AutoCAD 提供了多种绘制圆弧的方式，可以指定圆心、端点、起点、半径、角度、弦长和方向等。建议熟练掌握圆弧的 11 种绘制方法，如图 2-34 所示。

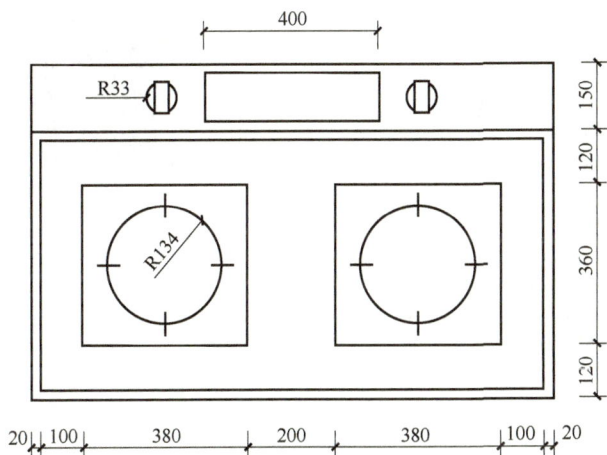

图 2-33

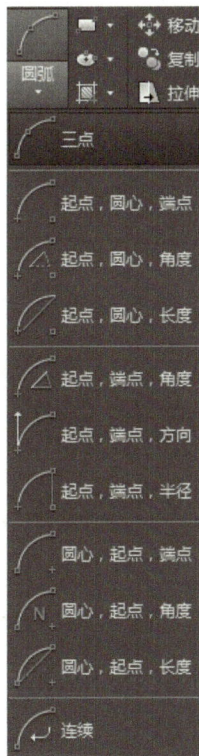

图 2-34

执行"圆弧"命令（Arc，简写"A"）有以下两种途径：

1）单击工具栏"绘图"组上"圆弧"按钮█。

2）在命令窗口中输入"A"（Arc）。

命令：_Arc

指定圆弧的起点或［圆心（C）］：

指定圆弧的第二个点或［圆心（C）/端点（E）］：

指定圆弧的端点：

关于各选项的说明如下：

圆心（C）：指定圆弧的圆心开始绘制。

端点（E）：指定圆弧的端点开始绘制。

操作提示：

1）使用"起点、圆心、角度"绘制圆弧后，启动 Line 命令，在"指定第一点"提示下，直接按 <Enter> 键，可以画出一端与圆弧相切的直线，只需指定线长。反之，完成直线绘制之后，运行 Arc 命令，在"指定起点"提示下，按 <Enter> 键，可以绘制一端与直线相切的圆弧，只需指定圆弧的端点。

2）使用"起点、圆心、角度"命令绘制圆弧时，在命令行"指定包含角"提示下输入角度值，输入值的正负将影响到圆弧的切向。

3）使用"起点、圆心、长度"命令绘制圆弧时，用户所给定的弦长不得超过起点到圆心距离的两倍。另外，在命令行"指定弦长"的提示下，所输入的值如为负值，则以该值的绝对值作为对应的整圆空缺部分圆弧的弦长。

2. 操作步骤

平面门的具体尺寸见图 2-35，绘制的具体步骤见表 2-34。

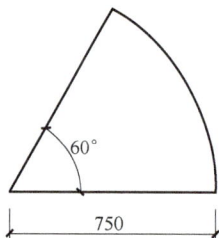

图　2-35

平面门的绘制

表 2-34　平面门的绘制

序号	命令行提示	操作内容	结果
1	命令：_line 指定第一个点：	在屏幕上任意单击某一位置作为第一点	
2	指定下一点或［放弃（U）］：	输入 "@750<0" ↙	750
3	指定下一点或［放弃（U）］：	按 <Enter> 键结束命令，如右图所示	
4	命令：_line 指定第一个点：	以 A 点为起点绘制直线	
5	指定下一点或［放弃（U）］： 750	输入 "@750<60" ↙	
6	指定下一点或［放弃（U）］：	按 <Enter> 键结束命令，如右图所示	A　750

（续）

序号	命令行提示	操作内容	结果
7	命令：_arc		
8	指定圆弧的起点或［圆心（C）］：	单击 B 点为起点	
9	指定圆弧的第二个点或［圆心（C）/端点（E）］：_c 指定圆弧的圆心：	单击 A 点为圆心	
10	指定圆弧的端点（按住 Ctrl 键以切换方向）或［角度（A）/弦长（L）］：	单击 C 点为端点，完成平面门的绘制，如右图所示	

3. 技能训练

技能训练内容：绘制平面门。学习结果评价见表 2-35。

表 2-35　学习结果评价——绘制平面门

序号	评价内容	评价标准				评价结果
		优秀 （91~100）	良好 （81~90）	一般 （71~80）	较差 （60~70）	
1	会使用"圆弧"命令					
2	能完成平面门的绘制					
3	养成独立学习新知识、新技能的能力					

4. 实训练习

绘制图 2-36。

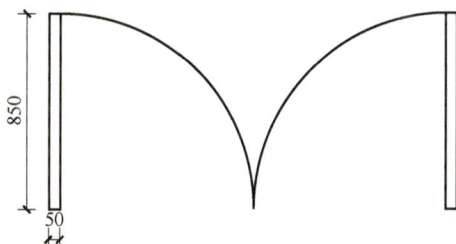

实训练习

图　2-36

（八）绘制立面门

1. 基础知识——"拉伸"命令

使用"拉伸"命令可以局部改变图形的形状，如图 2-37 所示。

执行"拉伸"命令（stretch，简写"s"）有以下两种途径：

1）单击工具栏"修改"组上"拉伸"按钮 ▣ 。

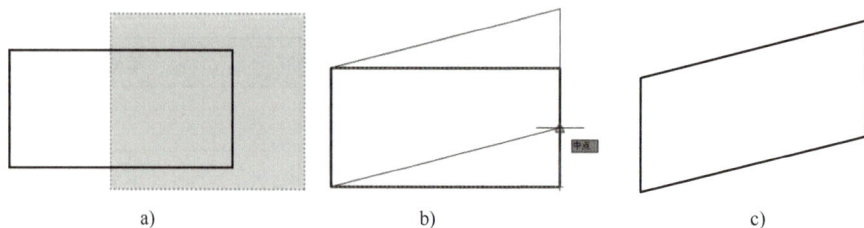

图 2-37

2）在命令窗口中输入"s"（stretch）。

命令：_stretch

以交叉窗口或交叉多边形选择要拉伸的对象…

选择对象：

指定基点或［位移（D）］<位移>：

指定第二个点或<使用第一个点作为位移>：

拉伸命令

操作提示：

1）使用"拉伸"命令时，选择对象的方式应为"窗交"，而不能用"窗选"。

2）"拉伸"命令将仅移动位于交叉选择内的顶点和端点，不会移动那些位于交叉选择外的顶点和端点。

3）准确选择图形中执行拉伸的部分，窗口全部覆盖图形就会变成"移动"命令。

4）利用"位移 D"，输入坐标值，可实现图形的精确拉伸。

2. 操作步骤

立面门的具体尺寸如图 2-38 所示，立面门的具体操作步骤见表 2-36。

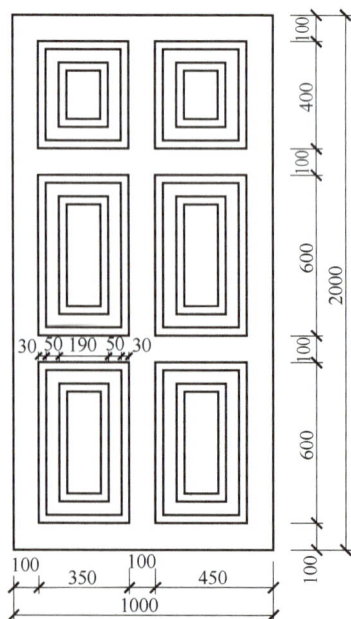

立面门的绘制

图 2-38

表 2-36　立面门的绘制

序号	命令行提示	操作内容	结果
1	命令：_rectang 指定第一个角点或［倒角（C）/标高（E）/圆角（F）/厚度（T）/宽度（W）］：	在绘图区域内任意单击作为矩形的第一个角点	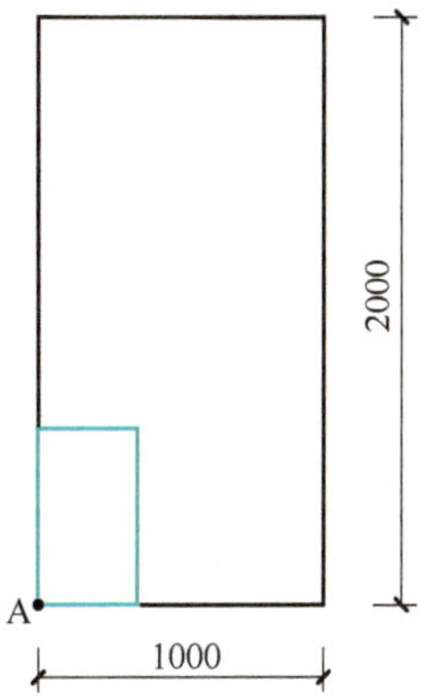
2	指定另一个角点或［面积（A）/尺寸（D）/旋转（R）］：	输入"@1000，2000"↙	
3	命令：_rectang 指定第一个角点或［倒角（C）/标高（E）/圆角（F）/厚度（T）/宽度（W）］：	单击 A 点作为第一角点	
4	指定另一个角点或［面积（A）/尺寸（D）/旋转（R）］：	输入"@350，600"↙，如右图所示	
5	命令：_move 选择对象：	选择矩形	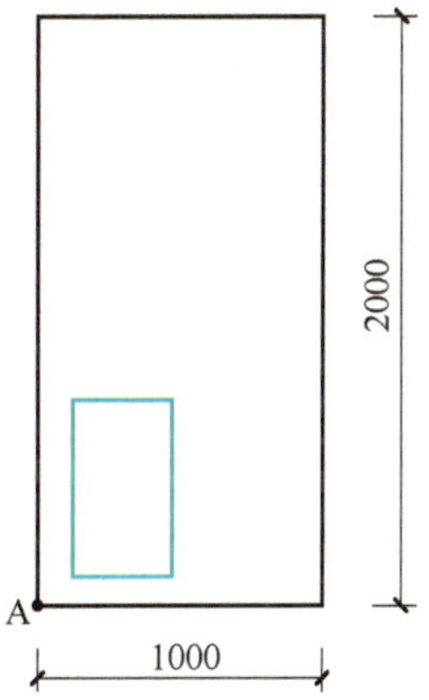
6	指定基点或［位移（D）]<位移>：	输入"d"↙	
7	指定第二个点或 < 使用第一个点作为位移 >：	输入"@100，100"↙，如右图所示	
8	命令：_offset 当前设置：删除源 = 否　图层 = 源　OFFSETGAPTYPE=0		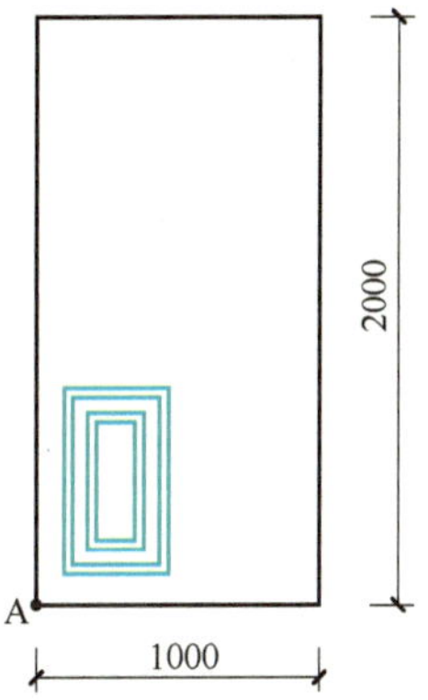
9	指定偏移距离或［通过（T）/删除（E）/图层（L）］< 通过 >：	输入"30"↙	
10	选择要偏移的对象，或［退出（E）/放弃（U）]< 退出 >：	选择矩形	
11	指定要偏移的那一侧上的点，或［退出（E）/多个（M）/放弃（U）]< 退出 >：	向内偏移	
12		继续执行"偏移"命令，向内偏移 50、30 完成花样图案绘制，如右图所示	

（续）

序号	命令行提示	操作内容	结果
13	命令：_arrayrect 选择对象：	选择花样图案	
14	输入阵列类型［矩形（R）/路径（PA）/极轴（PO）］<极轴>： 类型=矩形　关联=是	输入"R" ↙	
15	选择夹点以编辑阵列或［关联（AS）/基点（B）/计数（COU）/间距（S）/列数（COL）/行数（R）/层数（L）/退出（X）］<退出>：	设置列数为2，列间距为450；设置行数为3，行间距为700	
16	命令：_explode 选择对象：	选择花样图案，完成分解操作，如右图所示	
17	命令：_stretch 选择对象：	选择最上一排花样图案	
18	指定基点或［位移（D）]<位移>：	输入"d" ↙	
19	指定第二个点或<使用第一个点作为位移>：	输入"0，-200" ↙，完成立面门的绘制，如右图所示	

3. 技能训练

技能训练内容：绘制立面门。学习结果评价见表 2-37。

表 2-37　学习结果评价——绘制立面门

序号	评价内容	评价标准				评价结果
		优秀 （91~100）	良好 （81~90）	一般 （71~80）	较差 （60~70）	
1	会使用"拉伸"命令					
2	能完成立面门的绘制					
3	养成独立学习新知识、新技能的能力					

4. 实训练习

绘制图 2-39。

实训练习

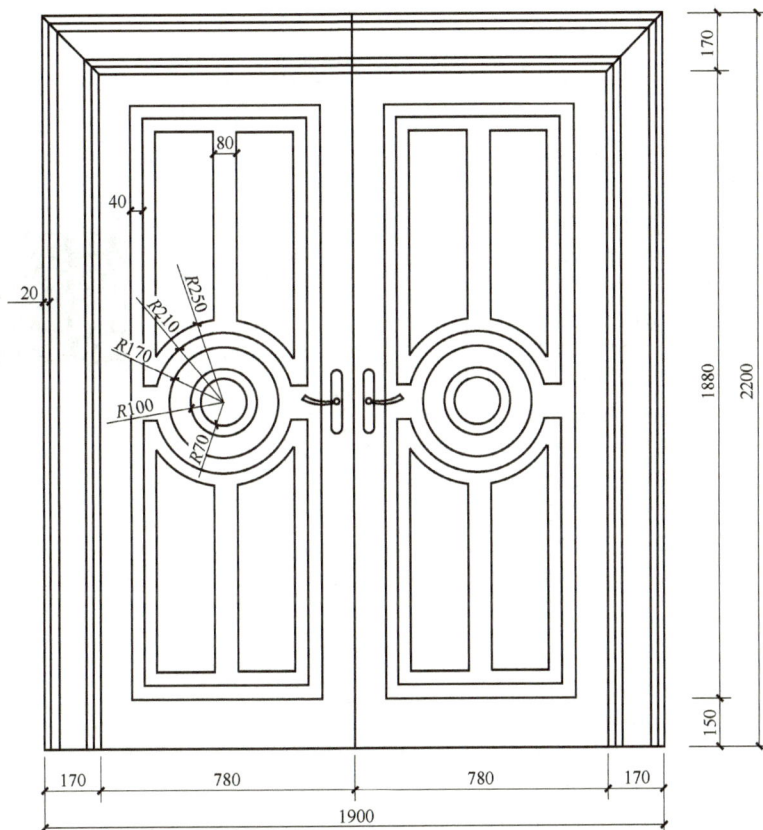

图　2-39

三、能设置专业绘图环境

1. 基础知识

查看 GB/T 50001—2017《房屋建筑制图统一标准》中关于字体、尺寸标注的相关规定。

（1）尺寸标注

尺寸标注是建筑工程图的重要组成部分，一个完整的尺寸标注由尺寸界限、尺寸线、尺

83

寸起止符号和尺寸数字四个部分组成。在 AutoCAD 中这四个部分被视为是一个整体对象。

（2）创建标注样式

标注样式可用来控制尺寸标注的外观，如尺寸界限与轮廓的距离、尺寸起止符号的样式、尺寸数字字高和文字位置等。用户可以创建尺寸标注样式并指定标注的格式，使所标注的尺寸符合国家和建筑行业的制图规范。

执行"标注样式"命令（Dimstyle，简写"D"）有以下两种途径：

1）单击工具栏"注释"组上的"标注样式"命令按钮。

2）在命令窗口中输入"D"（Dimstyle）。

打开标注样式管理器，系统默认样式为 Annotative（注释缩放）和 Standard 两种，用户可以在默认样式的基础上，创建新的标注样式。

2. 操作步骤

专业绘图环境的设置见表 2-38。

绘图环境的设置

表 2-38　专业绘图环境的设置

序号	操作步骤	内容	结果
1	创建样板文件	打开一张新图，单击标准工具栏上的"新建"按钮，打开"选择样板"对话框，在名称列表中双击公制的"acadiso.dwt"，如右图所示。创建新图，并将文件另存为"建筑施工图 .dwt"，作为样板文件，设置完成图形单位、图形界限、文字样式和标注样式，并复制到 AutoCAD 安装文件"template"目录下使用	
2	设置图形单位	打开"建筑施工图 .dwt"样板文件，通过在命令行中输入"UNITS"（简写"UN"），或执行菜单命令"格式"→"单位"，打开"图形单位"对话框，设定长度为小数，精度为 0，用于缩放插入内容的单位为毫米，角度默认逆时针为正，如右图所示	

（续）

序号	操作步骤	内容	结果
3	设置图形界限	打开"建筑施工图 .dwt"样板文件，在命令行中输入"limits"或执行菜单命令"格式"→"图形界限"，用于设置用户的工作区域和图纸边界。根据建筑施工图的出图比例，一般把图纸放大相应的倍数作为绘图区域的大小 以 A3 图纸为例，A3 图纸幅面为 420mm×297mm，根据出图比例为 1∶100，那么绘图区域应为 42000mm×29700mm，如右图所示	 重新设置模型空间界限： LIMITS 指定左下角点或 [开(ON) 关(OFF)] <0.0000,0.0000>:
4	设置文字样式	打开"建筑施工图 .dwt"样板文件，根据建筑施工图的绘制要求，新建"仿宋""数字"文字样式。"仿宋"文字样式设置高度为 0.0000，宽度因子为 0.7000。"数字"文字样式，其小字体设置为 simplex.shx，大字体设置为 gbcbig.shx，高度为 0.0000，宽度因子为 0.7000	
5	创建"尺寸标注 –250"	"线"选项卡 该选项卡用于设置尺寸线、尺寸界限的相关内容，其中，"基线间距"主要影响尺寸标注中尺寸线之间的距离。"超出尺寸线""起点偏移量"和"固定长度的尺寸界线"应根据实际情况设置。根据建筑施工图的绘图要求，设置"基线间距"为 5，"固定长度的尺寸界线"一般应与"基线间距"的数值相同也为 5，"超出尺寸线"为 2，"起点偏移量"为 4，如右图所示	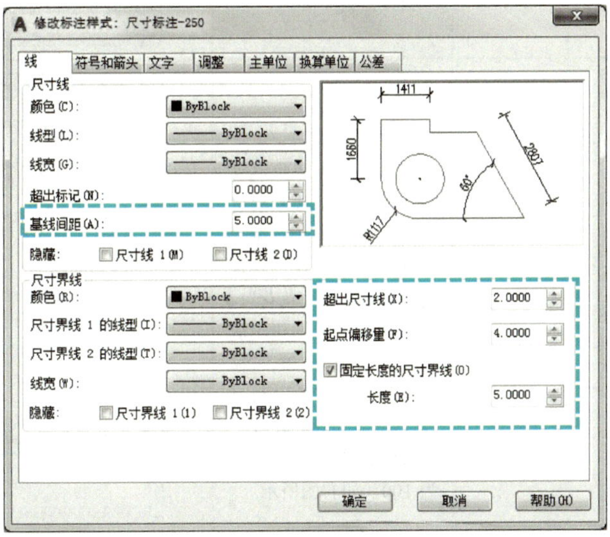

（续）

序号	操作步骤	内容	结果
6		"符号和箭头"选项卡 该选项卡用于设置箭头、圆心标记、折断标注、弧长符号、半径折弯标注和线性折弯标注等的相关内容。根据建筑施工图的绘图要求，在"箭头"选项区中，"第一个"应选择"建筑标记"，"第二个"同样选择"建筑标记"，"箭头大小"为2，如右图所示	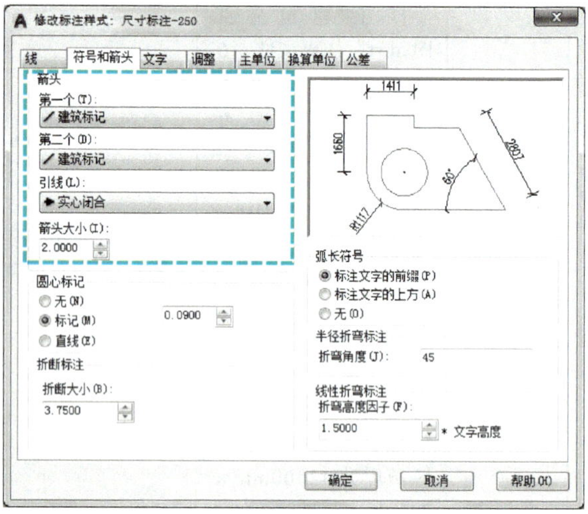
7		"文字"选项卡 该选项卡包括"文字外观""文字位置"和"文字对齐"三个选项组。根据建筑施工图的绘图要求，"文字样式"选择"数字"，"文字高度"设置为2.5，"文字位置"设置为垂直"上"、水平"居中"，"从尺寸线偏移"为0.6，"文字对齐"，为"与尺寸线对齐"，如右图所示	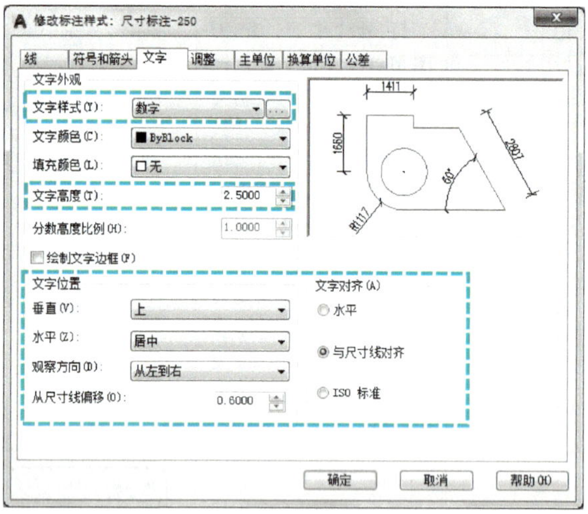
8		"调整"选项卡 该选项卡用于控制文字、箭头、引线和尺寸线的放置，包括"调整选项""文字位置""标注特征比例"和"优化"4个选项组。根据建筑施工图的绘图要求，"文字位置"设置为"尺寸线上方，不带引线"，"使用全局比例"设置为100，如右图所示	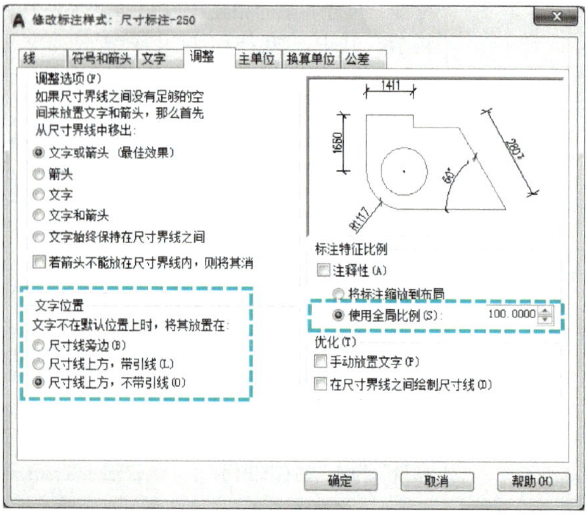

（续）

序号	操作步骤	内容	结果
9		"主单位"选项卡 　　该选项卡用于设置线性标注和角度标注的格式和精度，包括"线性标注""测量单位比例""角度标注"和"消零"选项组。根据建筑施工图的绘图要求，"单位格式"设置为"小数"，"精度"为0，"小数分隔符"设置为"句点"，如右图所示	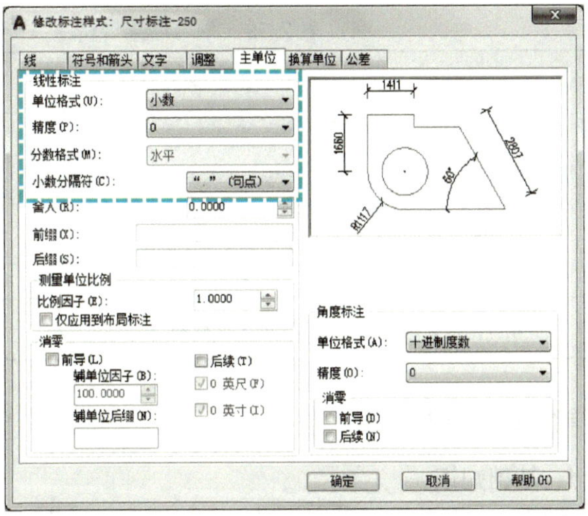
10		"换算单位"选项卡 　　该选项卡用于设置换算单位的显示、格式和精度。包括"换算单位""消零"和"位置"三个选项组。根据建筑平面图的绘图要求，不进行设置，如右图所示	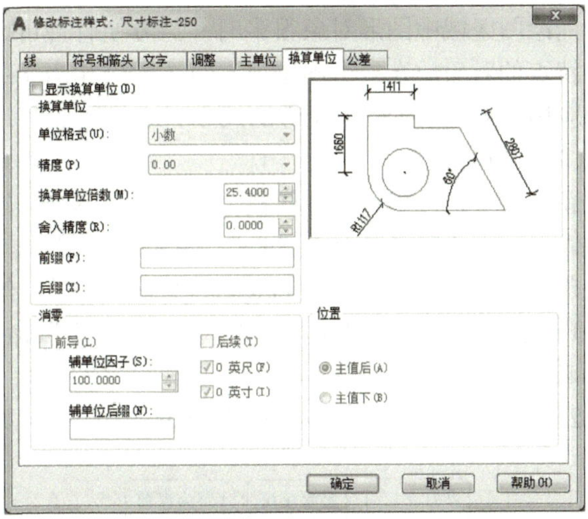
11		"公差"选项卡 　　该选项卡用来控制公差格式和精度。包括"公差格式""公差对齐""消零"和"换算单位公差"选项组。根据建筑平面图的绘图要求，不进行设置，如右图所示	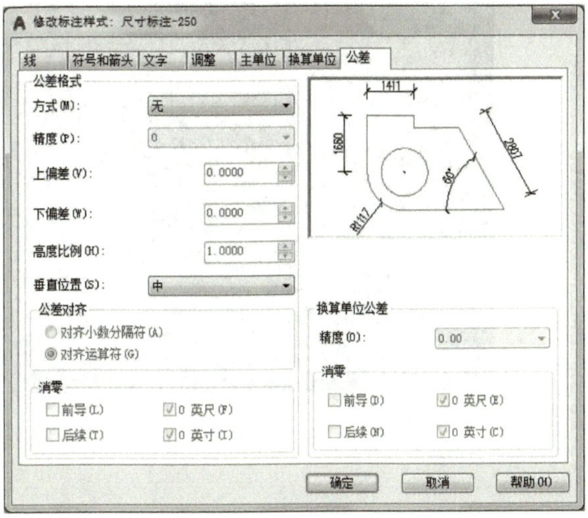

3. 技能训练

技能训练内容：完成专业绘图环境的设置。学习结果评价见表 2-39。

表 2-39　学习结果评价——专业绘图环境设置

序号	评价内容	评价标准				评价结果
		优秀 （91~100）	良好 （81~90）	一般 （71~80）	较差 （60~70）	
1	能根据绘图要求完成专业绘图环境的设置					
2	培养严谨、细致、精益求精的工作精神					

四、能设置与管理图层

1. 基础知识

图层是一个非常重要的概念，它是系统提供的一个管理图形对象的工具，当绘图区域中图形对象很多时，为方便管理可以将一系列具有相同或相似特点的对象放在一个图层里，每个图层相当于一张透明的绘图纸。图层的应用可大大减少图形文件的大小。

图层的设置与管理

（1）创建图层

新建文件，弹出"选择样板"对话框，单击"建筑施工图样板 .dwt"，将文件保存为"建筑平面图 .dwg"，并创建图层。

执行"图层特性"命令（Layer，简写"La"）有以下两种途径：

1）单击"图层"工具栏上的"图层特性"命令按钮，弹出"图层特性管理器"，如图 2-40 所示。

2）在命令窗口中输入"La"（Layer）。

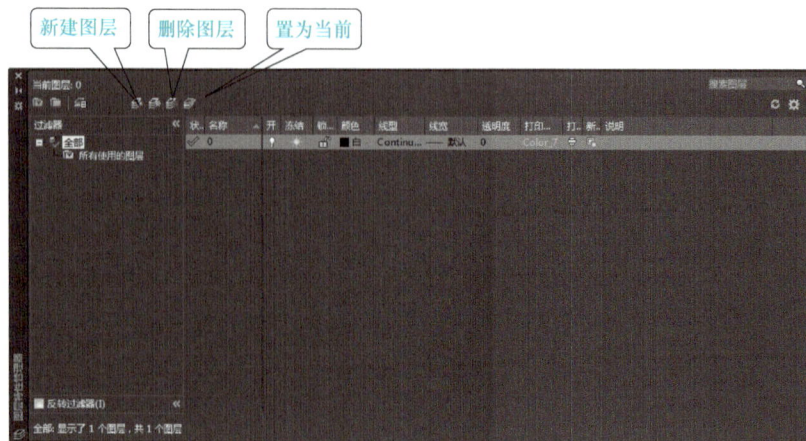

新建图层　删除图层　置为当前

图　2-40

操作提示：

1）图层的默认设置是"0"图层，"0"图层不能删除且不能改名。

2）当前图层就是当前绘制图形的图层。当前图层只有一个，关闭时会出现警告提示。

3）当前图层不能冻结，也不能删除，也不能将冻结层改为当前层，否则会出现警告提示。

（2）管理图层

管理图层可以通过打开"图层特性管理器"来设置，也可以通过工具栏上"图层"组的命令按钮来设置，如图 2-41 所示。为了提高绘图速度，建议采用第二种方法。管理图层包括图层的开与关、隔离与取消隔离、冻结与解冻、锁定与解锁、可打印与不可打印、新特性过滤器、新组过滤器、置为当前和匹配图层，见表 2-40。

图　2-41

打开"图层特性管理器"，单击"新建特性过滤器"，如图 2-42 所示。继续打开"图层特性管理器"，单击"新建组过滤器"，如图 2-43 所示。

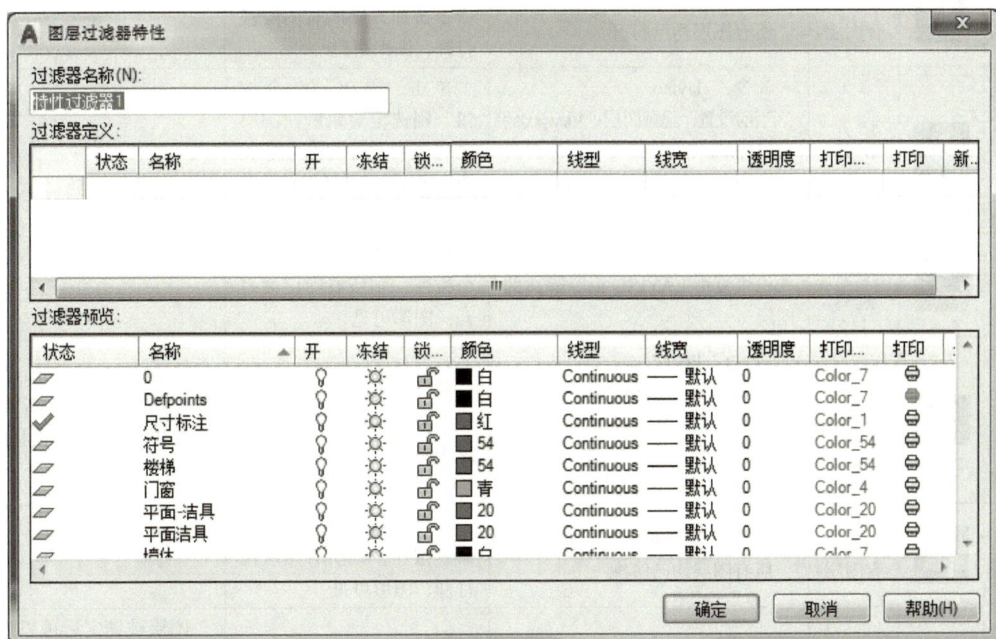

图　2-42

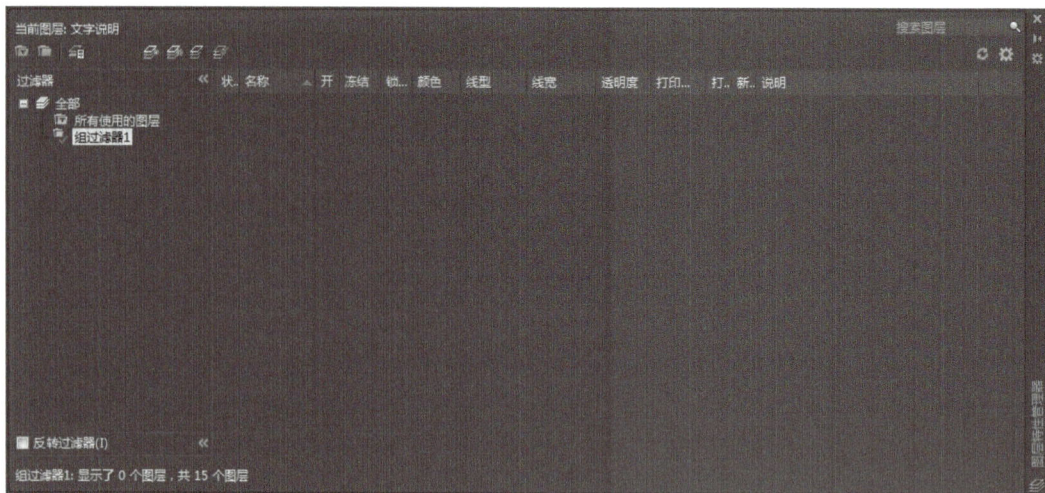

图　2-43

表 2-40　图层管理

序号	图标	名称	命令行提示	操作	说明
1		关	命令：_layoff 当前设置：视口 =Off，块嵌套级别 = 块 选择要关闭的图层上的对象或［设置（S）/放弃（U）］：	单击"关"命令按钮，选择要关闭的图层上的对象，该图层关闭，图形不可见	临时不需要显示的图层可关闭，在关闭的图层上可以绘图和编辑，且占用系统资源
2		打开所有图层	命令：_layon 所有图层均已打开	单击"打开所有图层"命令按钮，则所有图层被打开，图形可见	
3		隔离	命令：_layiso 当前设置：隐藏图层，Viewports= 视口冻结 选择要隔离的图层上的对象或［设置（S）］：	单击"隔离"命令按钮，则选定对象所在图层之外的所有图层均将关闭、在当前布局视口中冻结或锁定	
4		取消隔离	命令：_Layuniso 已恢复由 LAYISO 命令隔离的图层	单击"取消隔离"命令按钮，则所有图层被打开，图形可见	
5		冻结	命令：_layfrz 当前设置：视口 = 视口冻结，块嵌套级别 = 块 选择要冻结的图层上的对象或［设置（S）/放弃（U）］：	单击"冻结"命令按钮，则冻结图层上的对象不可见	长期不需要显示的图层，图层冻结后不能绘图，也不能编辑，且不占用系统资源
6		解冻所有图层	命令：_laythw 所有图层均已解冻	单击"解冻所有图层"命令按钮，则所有图层被打开，图形可见	
7		锁定	命令：_laylck 选择要锁定的图层上的对象：	单击"锁定"命令按钮，则图层被锁定，图形可见	图层被锁定后可以切换为当前层，且在该图层上可以画图，但不能编辑该图层中的对象

（续）

序号	图标	名称	命令行提示	操作	说明
8		解锁	命令：_layulk 选择要解锁的图层上的对象：	单击"解锁"命令按钮，则图层被解锁，图形可见	
9		匹配图层	命令：_laymch 选择要更改的对象： 选择对象：找到 1 个 选择对象：选择目标图层上的对象或［名称（N）］：		如果在错误的图层上创建了对象，可以通过选择目标图层上的对象来更改该对象的图层
10		新特性过滤器		打开"图层特性管理器"，单击左上方"新特性过滤器"命令按钮，弹出"图层特性过滤器"对话框	使用"新特性过滤器"可以根据图层的一个或多个特性创建图层过滤器。可供选择的过滤条件均为图层的属性，如状态、名称、打开或关闭、冻结或解冻、锁定或解锁、颜色、线型、线宽和打印样式等
11		新组过滤器		打开"图层特性管理器"，单击左上方"新组过滤器"命令按钮，弹出"组过滤器 1"	用"新组过滤器"可以创建图层过滤器，其中包含选择并添加到该过滤器的图层

（3）设置线型

执行"线型管理器"命令（Linetype，简写"Lt"），弹出"线型管理器"对话框，单击"加载"按钮，弹出"加载或重载线型"对话框，选择合适的线型，如图 2-44 所示。

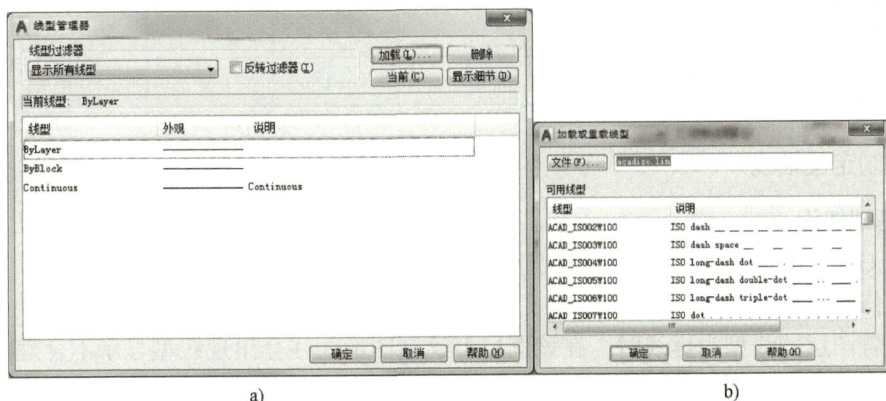

a)　　　　　　　　　　　　　　b)

图　2-44

2. 操作过程

根据建筑施工图的特点，执行"格式"→"图层"，弹出"图层特性管理器"，创建"轴线""尺寸、轴号""墙体""文字""标高""散水""平面洁具""门窗""楼梯""台阶"图层。设定轴线的线型为"CENTER"，设定全局比例因子为 20。每个图层都应设定相应的颜色，要求颜色清晰、主次分明，颜色设置不宜过多。图层设置见表 2-41。

表 2-41　建筑平面图的图层设置

图层名称	颜色	线型	线宽 /mm
轴线	红色	center	默认
墙体	9	连续	0.5
尺寸、轴号	3	连续	0.25
文字	7	连续	0.25
标高	3	连续	0.25
散水	7	连续	0.2
平面洁具	20	连续	0.15
门窗	4	连续	0.2
楼梯	2	连续	0.2
台阶	2	连续	0.25

3. 技能训练

技能训练内容：完成建筑平面图的图层设置。学习结果评价见表 2-42。

表 2-42　学习结果评价——建筑平面图的图层设置

序号	评价内容	评价标准				评价结果
		优秀 （91~100）	良好 （81~90）	一般 （71~80）	较差 （60~70）	
1	会设置与管理图层					
2	能根据绘图要求完成建筑平面图的图层设置。					
3	培养学生严谨、细致的工作作风					

五、能绘制定位轴线

1. 基础知识

查看 GB/T 50001—2017《房屋建筑制图统一标准》中有关定位轴线的规定。

（1）修改线型比例

当设置图层的线型为虚线时，在该图层上绘制图形往往会出现线型显示不合理问题，这时就需要调整线型比例。

操作方法如下：

1）打开"线型管理器"对话框，单击"显示细节"按钮，可修改"全局比例因子"或"当前对象缩放比例"，如图 2-45 所示。

2）在命令窗口中输入"Lts"（Ltscale）命令，直接输入新的线型比例因子。

3）选择需要修改线型的部分，按 <ctrl+1（数字）> 键弹出"特性"对话框，修改线型比例，如图 2-46 所示。

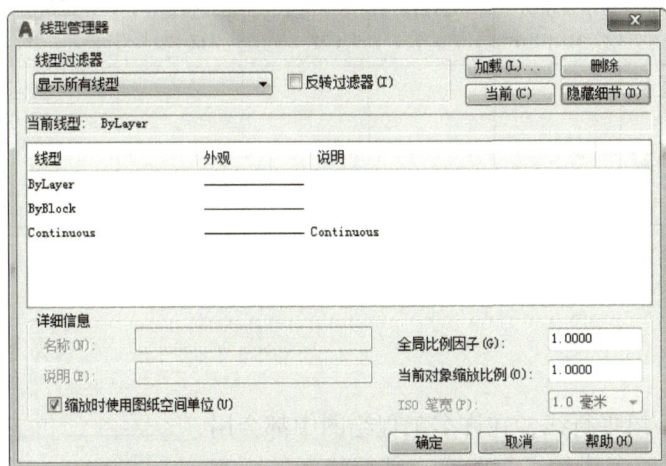

图　2-45

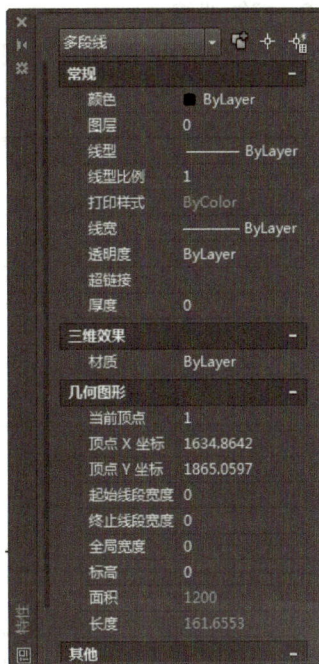

图　2-46

2. 操作步骤

一层平面图定位轴线的绘制步骤见表 2-43。

表 2-43　绘制一层平面图定位轴线

序号	操作步骤	结果
1	切换"轴线"为当前图层。运行"直线"命令，以最左边和最上边的轴线为起始，绘制轴线网。根据绘图要求，水平方向轴线长度设置为10500，垂直方向轴线长度设置为10200	
2	运行"偏移"命令，将竖向轴线向右偏移，分别为1800、2100、720、1680、300、2100、1800	
3	继续运行"偏移"命令，将水平轴线向下偏移，分别为600、1200、1200、2400、1500、3300，绘制轴线网，如右图所示	

3. 技能训练

技能训练内容：完成一层平面图定位轴线的绘制。学习结果评价见表 2-44。

表 2-44　学习结果评价——绘制一层平面图定位轴线

序号	评价内容	评价标准				评价结果
		优秀 （91~100）	良好 （81~90）	一般 （71~80）	较差 （60~70）	
1	能根据绘图要求完成一层平面图定位轴线的绘制					
2	激发学生应用现代信息技术的兴趣和开拓创新的职业精神					

六、能绘制墙体

1. 基础知识

（1）"多线"命令

多线是由多条平行直线组成的一组平行线，在许多工程绘图中都会用到。在 AutoCAD 中，用户可以对组成多线的平行线数、平行线间的距离以及多线起点和端点的闭合方式进行设置。

"多线"命令（Mline，简写"Ml"）使用前，必须检查各选项是否正确，其命令操作如下。

多线命令

命令：_mline
当前设置：对正 = 上，比例 = 1.00，样式 = STANDARD
指定起点或［对正（J）/ 比例（S）/ 样式（ST）］:

1）对正方式。多线的对正方式是指多线的起点相对于捕捉点的位置，有三种方式：上（T）、无（Z）和下（B），见表 2-45。

表 2-45　多线对正方式

序号	类型	结果
1	上（T）：在十字光标下方绘制多线	指定下一点：11.3242 〈26°
2	无（Z）：将十字光标作为原点绘制多线	指定下一点：12.1438 〈36°

94

（续）

序号	类型	结果
3	下（B）：在十字光标上方绘制多线	指定下一点：15.6138 〈 32°

2）比例。多线"比例（S）"是基于在多线样式定义中建立的宽度。当比例因子设置为"2"时，其宽度是样式定义宽度的两倍。应注意，该比例（S）的设置不影响线型比例。

3）多线样式。"多线样式"命令（Mlstyle，简写"Mlst"）包含了多线中平行线的数目、多线起点和端点的闭合方式等内容。执行"多线样式"命令，弹出"多线样式"对话框，如图 2-47a 所示。默认为 Standard 多线样式，继续单击"新建"按钮，打开"创建新的多线样式"对话框，修改新样式名为"窗"，单击"继续"，弹出"新建多线样式：窗"对话框，可以对封口、填充、图元的内容进行设置，如图 2-47b 所示。

操作提示：

1）不能编辑 Standard 多线样式或图形中正在使用的任何多线样式的元素和多线特性。

2）要编辑现有多线样式，必须在使用该样式绘制任何多线之前进行。

3）不能删除 Standard 多线样式、当前的多线样式或正在使用的多线样式。

a)

图　2-47

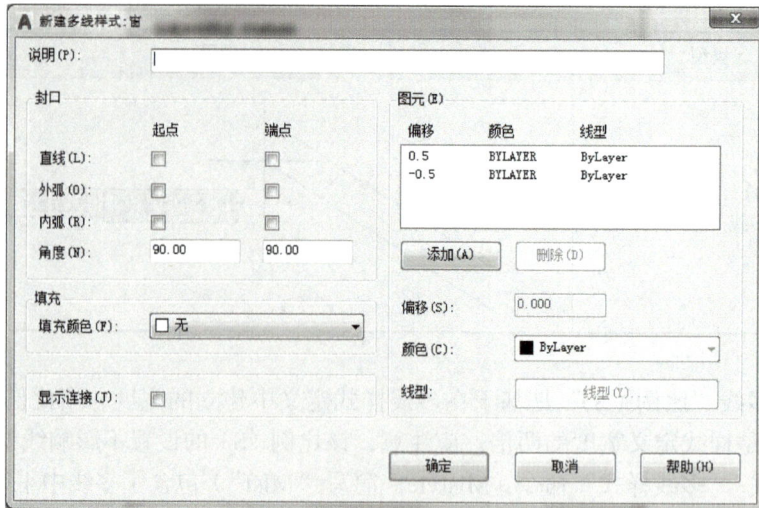

b)

图 2-47（续）

（2）编辑多线

"多线编辑"（Mledit，简写"Mled"）工具可以对绘制的多线图形进行编辑，如图 2-48 所示。

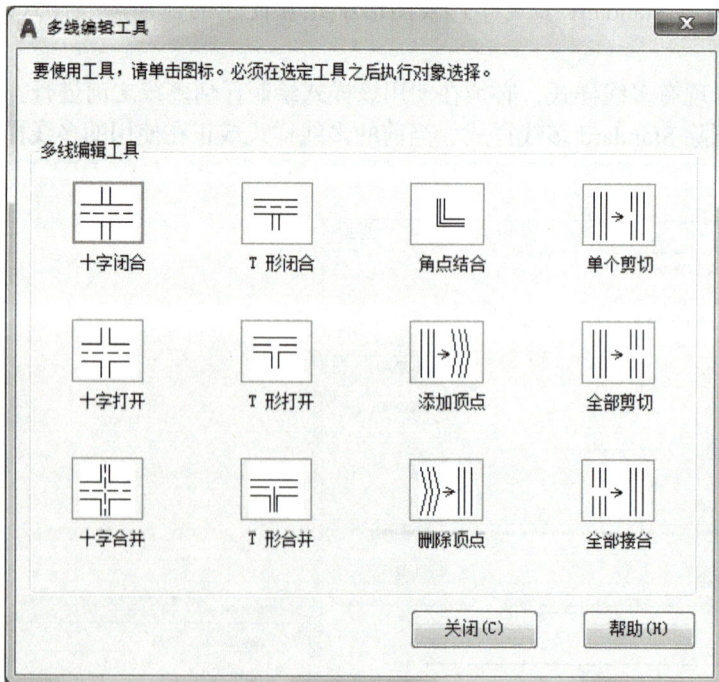

图 2-48

2. 操作过程

一层平面图墙体的绘制步骤见表 2-46。

表 2-46 墙体的绘制

序号	操作步骤	结果
1	锁定"轴线"图层，切换"墙体"为当前图层	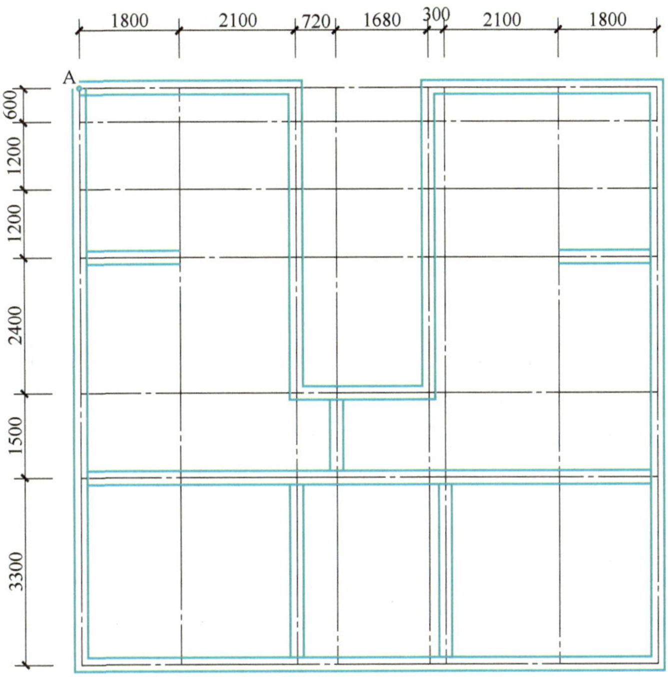
2	执行"多线"命令，选择对正方式为"无"，设置比例为 240	
3	设置对象捕捉模式为"交点"，以 A 点作为起点，在"指定下一点"提示下，分别输入" @3900，0"" @0，-5400"" @2400，0" " @0，5400" " @4200，0"" @0，-10200"" @-10500，0"" @0，10200"。继续完成其他 240 墙体的绘制，如右图所示	
4	执行"多线"命令，选择对正方式为"无"，设置比例为 120，沿轴线完成 120 墙体的绘制，如右图所示	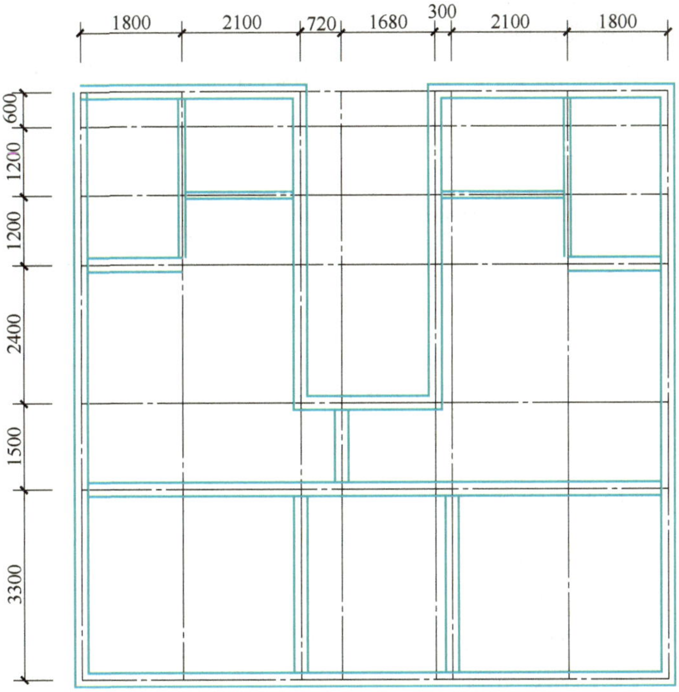

（续）

序号	操作步骤	结果
5	墙体绘制完成之后，下一步需要对墙体进行修改，可采用两种方法：一是利用"分解""倒角""修剪"命令来完成墙体的绘制。二是利用"多线编辑"工具。修改后结果如右图所示	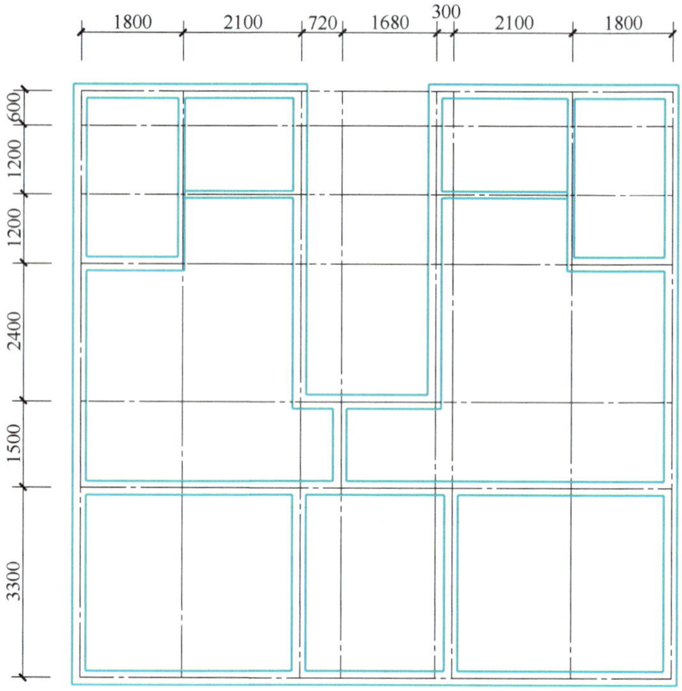

3. 技能训练

技能训练内容：完成一层平面图墙体的绘制。学习结果评价见表2-47。

表 2-47 学习结果评价——绘制一层平面图墙体

序号	评价内容	评价标准				评价结果
		优秀（91~100）	良好（81~90）	一般（71~80）	较差（60~70）	
1	能根据绘图要求完成一层平面图墙体的绘制					
2	激发学生应用现代信息技术的兴趣和开拓创新的职业精神					

七、能绘制门窗平面图

1. 基础知识

（1）"复制"命令

使用"复制"命令在一个文件内复制图形，应注意基准点的选择。多文档之间图形复制，需用剪切板复制。

执行"复制"命令（Copy，简写"CO"）有以下两种途径：

1）单击工具栏"修改"组上"复制"按钮 🖳。

2）在命令窗口中输入"CO"（Copy）。

命令：_copy

选择对象：

当前设置：复制模式＝多个

指定基点或［位移（D）/模式（O）］＜位移＞：

指定第二个点或［阵列（A）］＜使用第一个点作为位移＞：

指定第二个点或［阵列（A）/退出（E）/放弃（U）］＜退出＞：

关于各选项的说明：

位移（D）：可以通过输入坐标值设置复制对象相对移动的距离和方向。

模式（O）：选择复制模式"单个"或"多个"。

阵列（A）：改变为线性阵列模式，并可以设置阵列的数量。

> **操作提示：**
> 1）使用"复制"命令时，应结合"对象捕捉"命令一起使用，实现精确复制。
> 2）复制模式有"单个"和"多个"，可输入"M"实现多个图形复制，得到"阵列"效果。

（2）"旋转"命令

当某些倾斜位置的图形绘图有困难时，应先绘制其水平或垂直位置的图形，然后进行旋转。在正投影图的绘制过程中使用"旋转"命令可方便实现图形"宽相等"。

执行"旋转"命令（Rotate，简写"RO"）有以下两种途径：

1）单击工具栏"修改"组上"旋转"按钮 ◌。

2）在命令窗口中输入"RO"（Rotate）。

命令： rotate

UCS 当前的正角方向：ANGDIR＝逆时针 ANGBASE=0

选择对象：

指定基点：

指定旋转角度，或［复制（C）/参照（R）］<0>：

> **操作提示：**
> 1）指定绝对角度旋转：角度输入时，逆时针为正，顺时针为负。
> 2）旋转并复制：图形旋转后，保留原位置图形。

2. 图纸尺寸分析

通过查看建筑施工图门窗表，得知 C2 窗的宽度为 1560mm，C3 窗的宽度为 900mm，M1 门的宽度为 900mm，M2 门的宽度为 900mm，M3 门的宽度为 750mm，M4 推拉门的宽度为 1800mm，M5 门的宽度为 750mm。

3. 操作步骤

一层平面图门窗的绘制步骤见表 2-48~ 表 2-56。

表 2-48　C3 窗的绘制

序号	操作步骤	结果
1	打开"墙体"图层，执行"直线"命令，绘制长度为 240 的辅助线 AB。执行"偏移"命令，将直线向右偏移 330、900，如右图所示	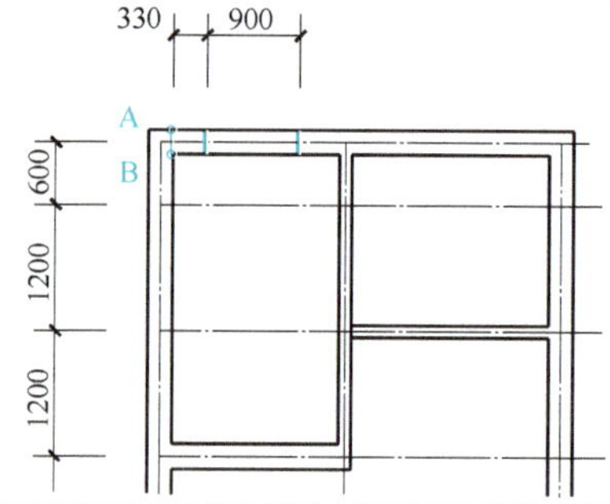
2	删除辅助直线，执行"修剪"命令，修剪多余直线，完成 C3 窗洞口的绘制，如右图所示	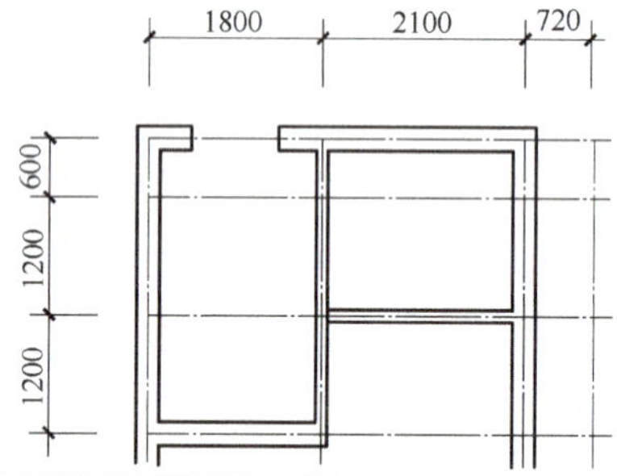
3	将"门窗"图层置为当前，绘制直线 CD。执行"偏移"命令，将直线 CD 向下偏移 80、80、80，绘制 C3 窗，如右图所示	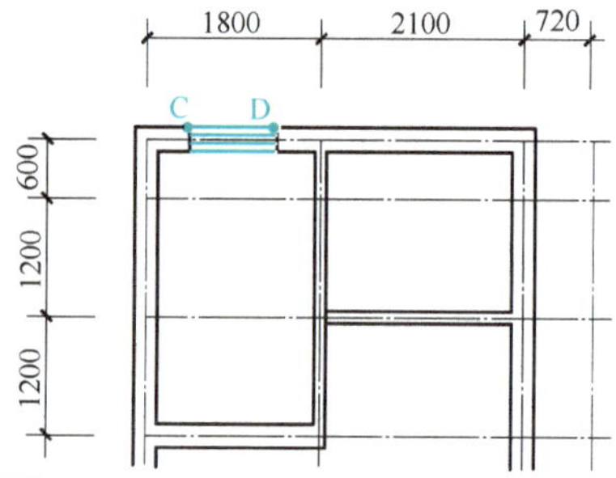
4	执行"直线"命令，绘制长度为 240 的辅助线 EF。执行"偏移"命令，将直线 EF 向右偏移 750、900，如右图所示	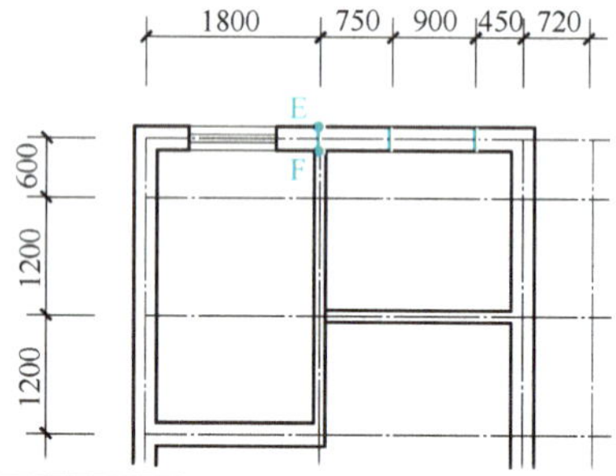
5	执行"修剪"命令，完成右侧 C3 窗洞口的绘制。利用"复制"命令，将左侧 C3 窗复制到右侧 C3 窗洞口，删除辅助直线，如右图所示	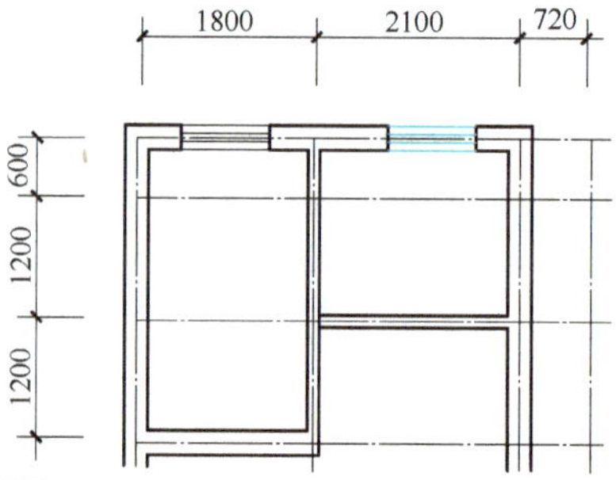

表 2-49 M3 门的绘制

序号	操作步骤	结果
1	执行"直线"命令，绘制长度为 120 的辅助线 AB。执行"偏移"命令，将直线向上偏移 120、750，如右图所示	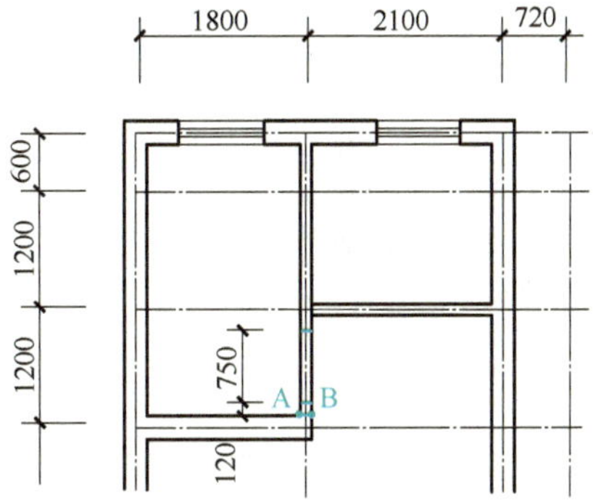
2	执行"修剪"命令，完成 M3 门洞口的绘制，删除辅助直线，如右图所示	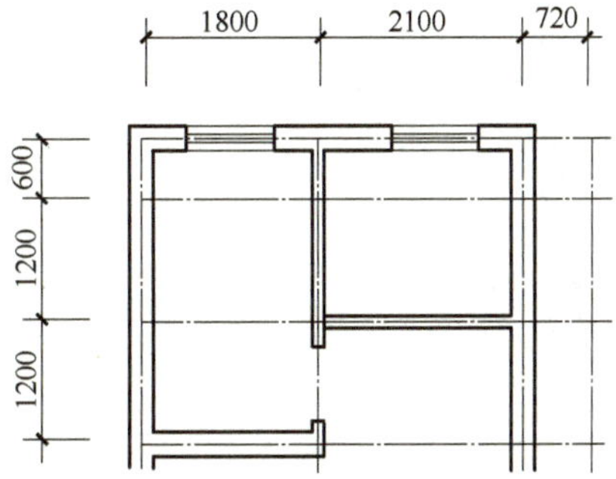
3	将绘制的 M3 门修改为"门窗"图层，复制到"建筑平面图"中，旋转并移动到合适位置，如右图所示	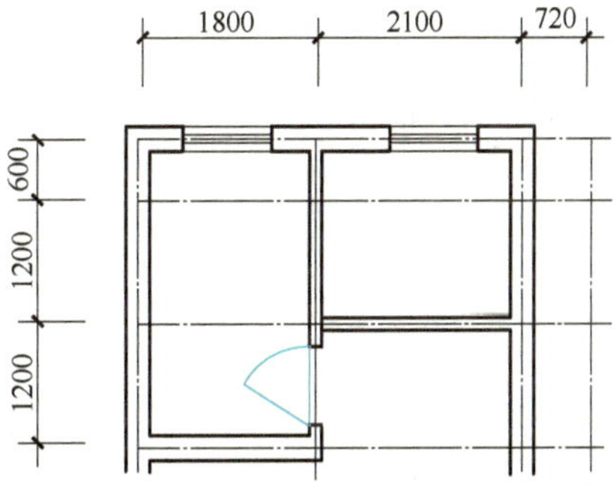

表 2-50 M5 和 M5a 门的绘制

序号	操作步骤	结果
1	执行"直线"命令，绘制长度为 120 的辅助线 AB。执行"偏移"命令，将直线向左偏移 240，如右图所示	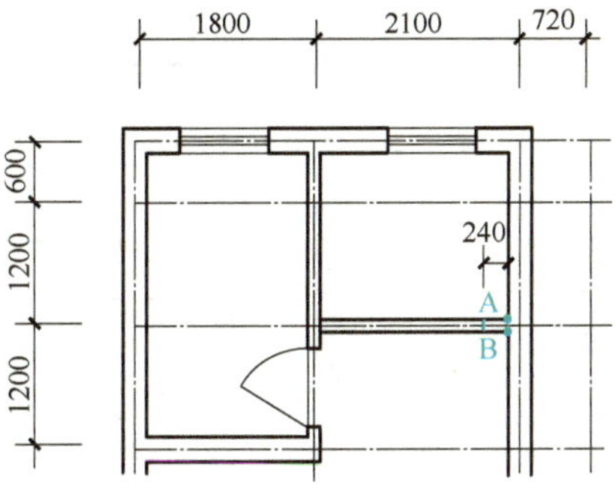

（续）

序号	操作步骤	结果
2	执行"修剪""删除"命令，完成 M5 门洞口的绘制，如右图所示	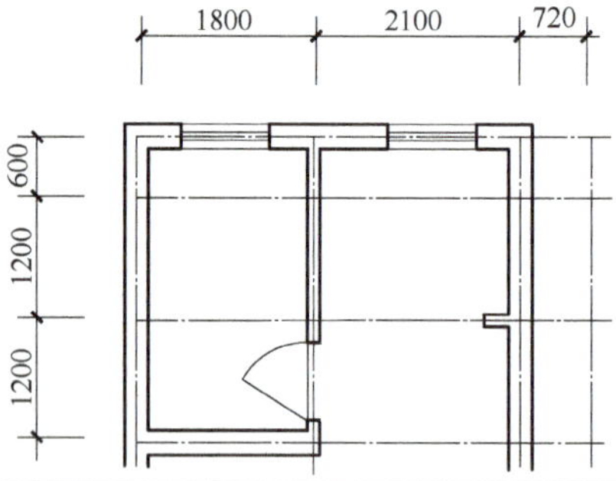
3	执行"直线"命令，利用中点 C 绘制长度为 930 的直线。执行"偏移"命令，将直线向上、向下偏移 40。继续绘制直线，删除多余直线，如右图所示	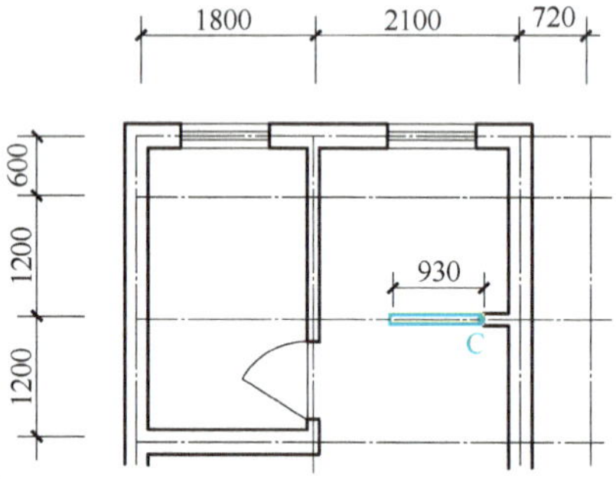
4	将 M3 门复制到合适位置，如右图所示	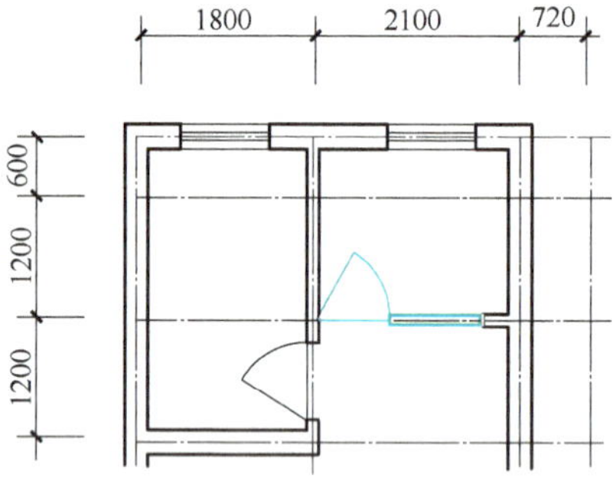
5	将右侧墙体部分删除，将左侧 C3 窗、M3 门、M5 门和部分墙体进行镜像操作，如右图所示	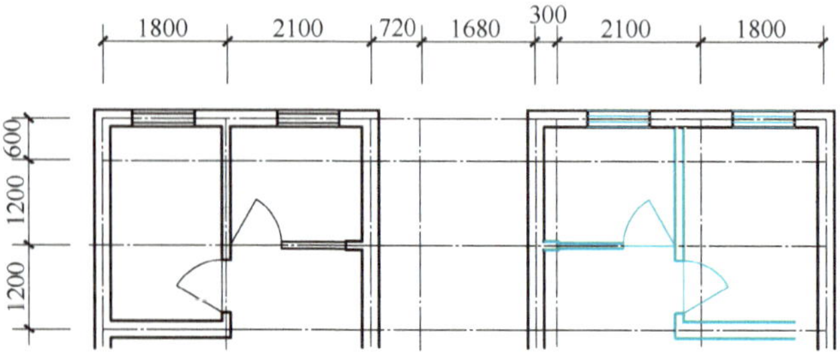
6	执行"移动"命令，将 M3 门、M5a 门与部分墙体移动到合适位置，如右图所示	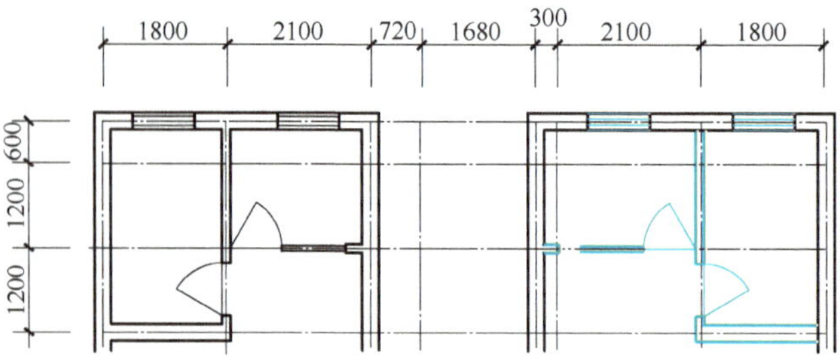

（续）

序号	操作步骤	结果
7	执行"拉伸"命令，将M5a门进行拉伸操作，如右图所示	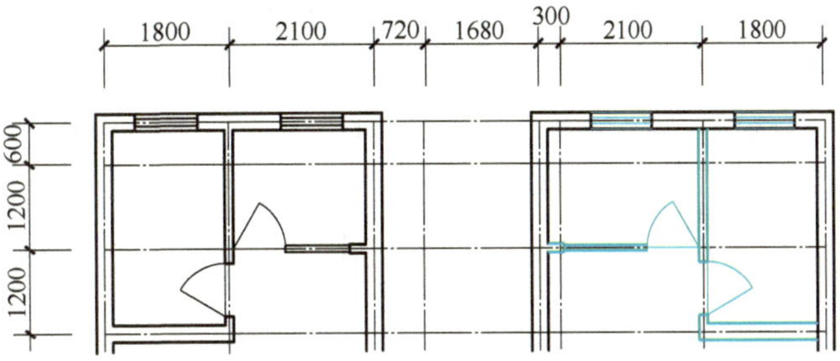
8	关闭"门窗"图层，如右图所示	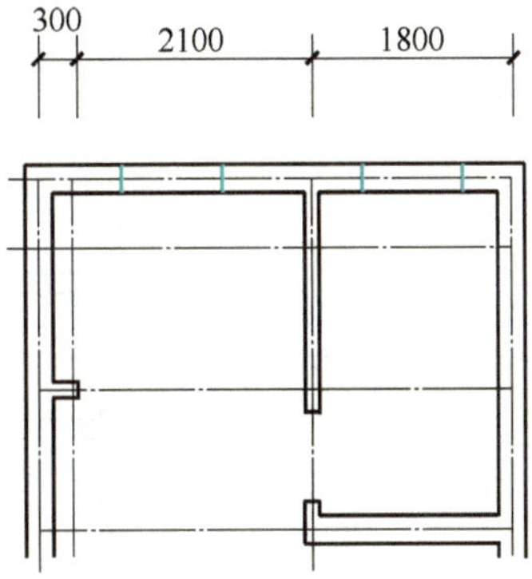
9	利用"修剪"命令，修剪C3窗洞口，如右图所示	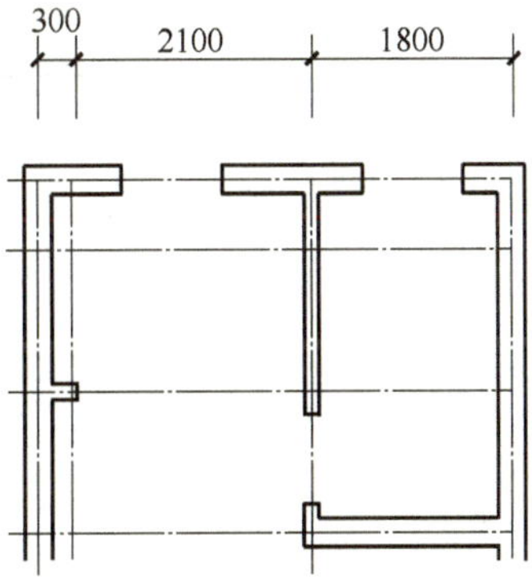
10	继续打开"门窗"图层，完成图形的绘制，如右图所示	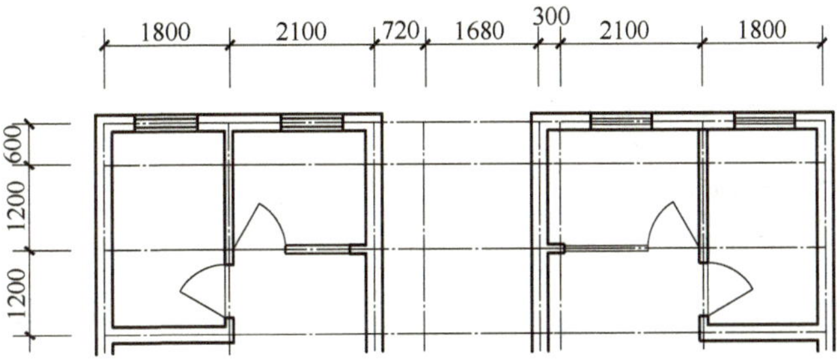

表 2-51　C2 窗的绘制

序号	操作步骤	结果
1	执行"直线"命令,绘制长度为240的辅助直线AB。执行"偏移"命令,将直线向下偏移1320、1560,如右图所示	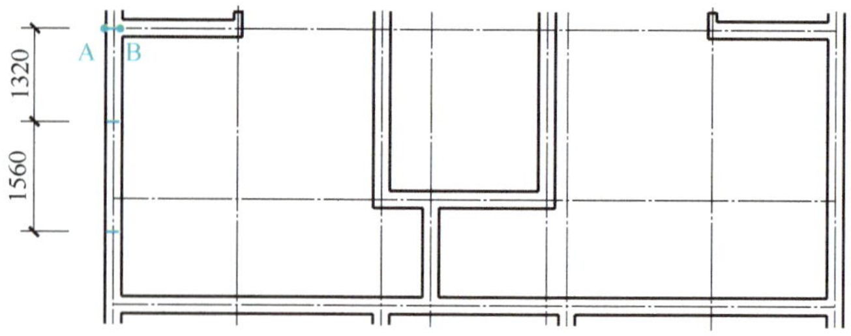
2	执行"修剪""删除"命令,完成C2窗洞口的绘制,如右图所示	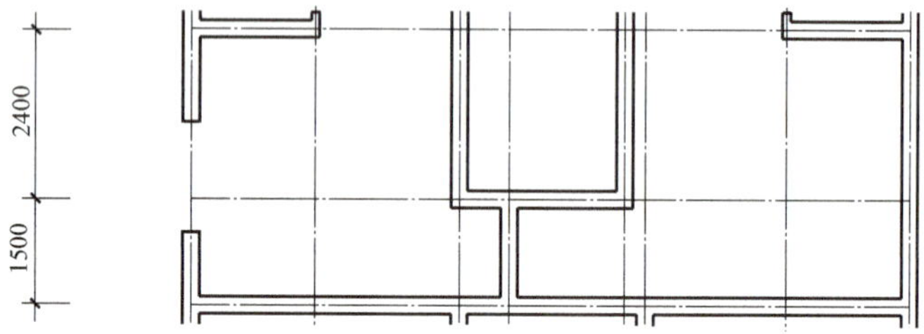
3	执行"复制"命令,将C3窗进行复制并旋转,移动到合适位置。执行"拉伸"命令,将C3窗拉伸操作,如右图所示	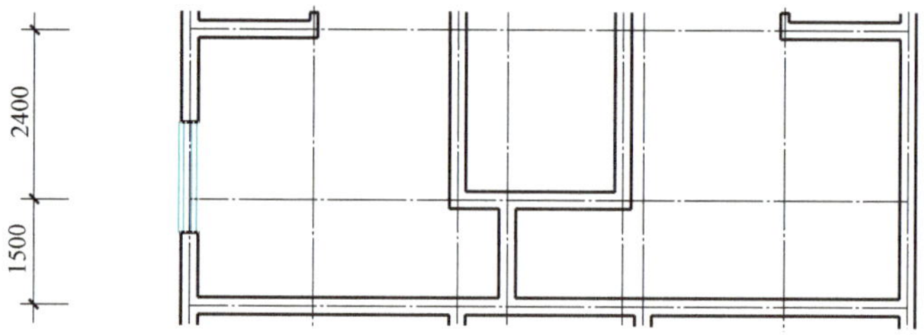
4	执行"直线"命令,沿中点绘制长度为500的直线CD。执行"偏移"命令,将直线向下偏移750、500。继续利用"直线"命令绘制辅助线,如右图所示	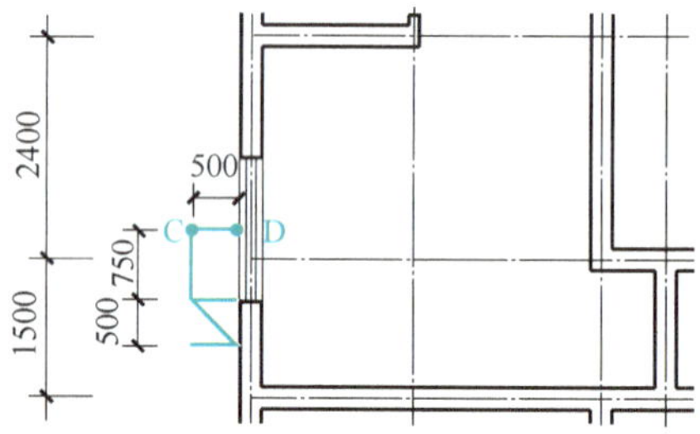
5	将图形进行镜像操作,删除多余部分,完成辅助线的绘制,如右图所示	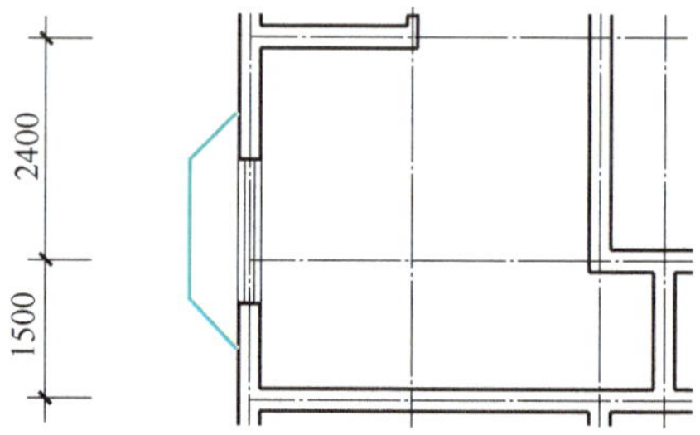

（续）

序号	操作步骤	结果
6	执行"多线"命令，设置对正方式为"上"，比例为120，沿辅助线绘制多线，如右图所示	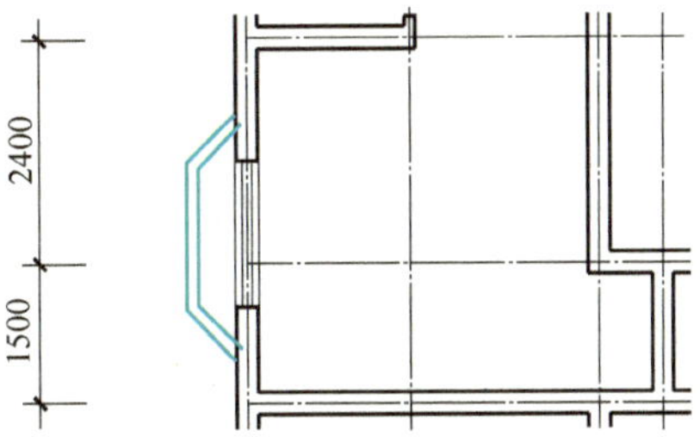
7	分解绘制的多线，并修剪多余部分，完成 C2 窗的绘制，如右图所示	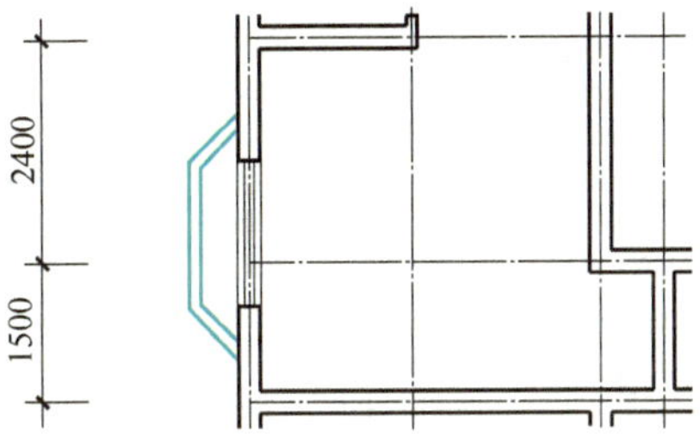
8	执行"镜像"命令，将 C2 窗进行镜像操作。关闭"门窗"图层，修剪多余墙体部分。再次打开"门窗"图层，完成 C2 窗的绘制，如右图所示	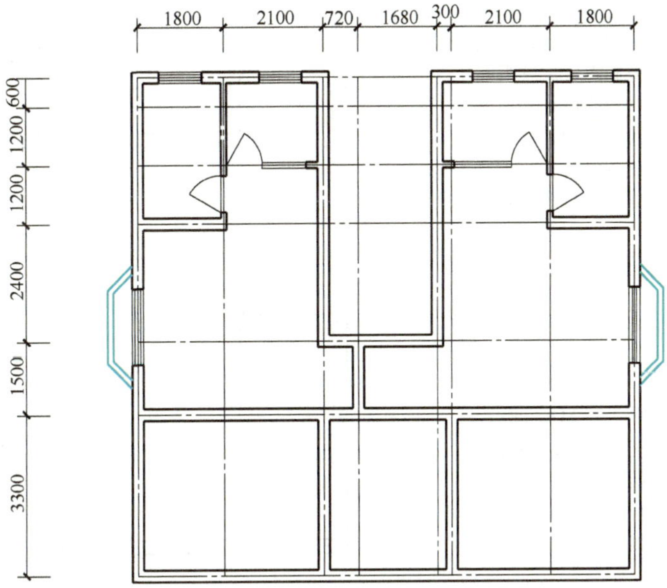

表 2-52　M1 和 M1a 门的绘制

序号	操作步骤	结果
1	执行"直线"命令，绘制长度为240 的辅助线 AB。执行"偏移"命令，将直线向上偏移120、900，如右图所示	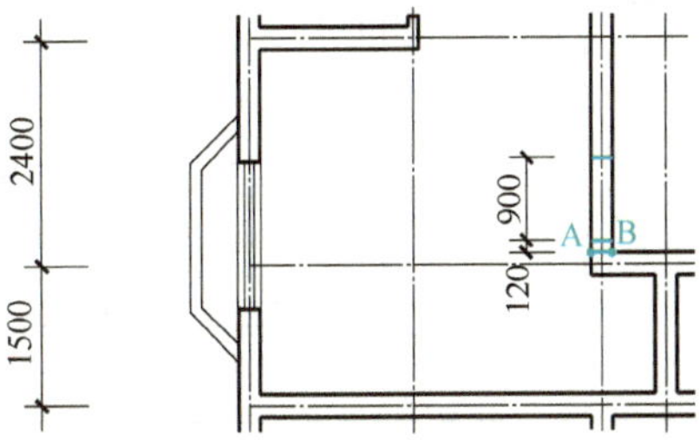

（续）

序号	操作步骤	结果
2	利用"修剪""删除"命令，绘制门洞口，如右图所示	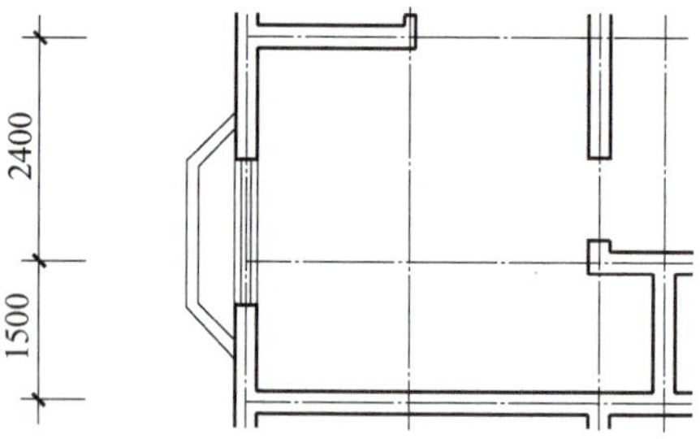
3	执行"直线"命令，以C点为第一点，输入"@900<150"。执行"圆弧"命令（"起点、圆心、端点"），以C点为圆心，D点为起点、E点为端点绘制圆弧。继续绘制直线CD，完成M1门的绘制，如右图所示	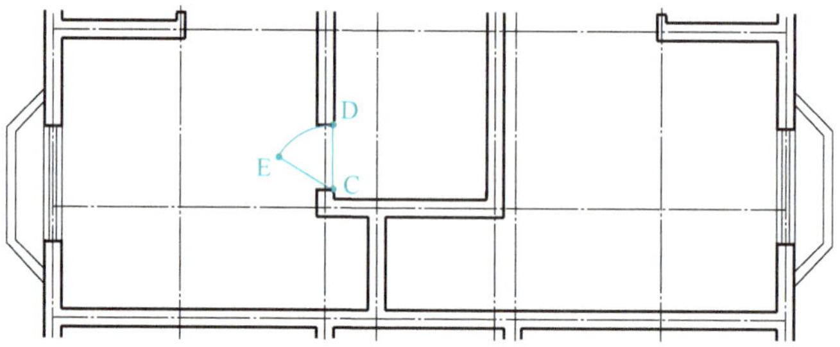
4	执行"镜像"命令，将M1门进行镜像操作，如右图所示	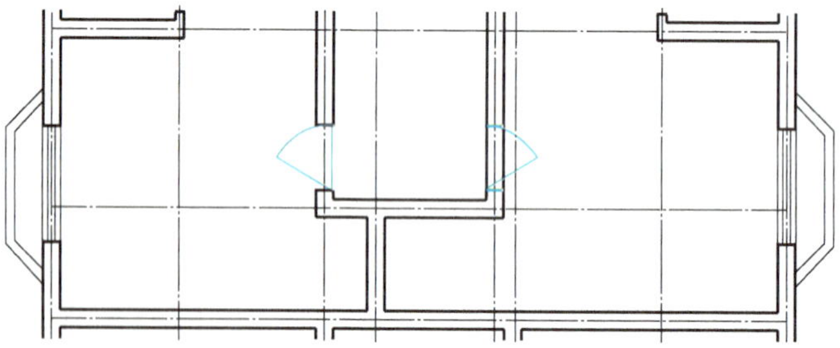
5	关闭"门窗"图层，执行"修剪"命令，修剪多余墙体。再次打开"门窗"图层，完成M1a门的绘制，如右图所示	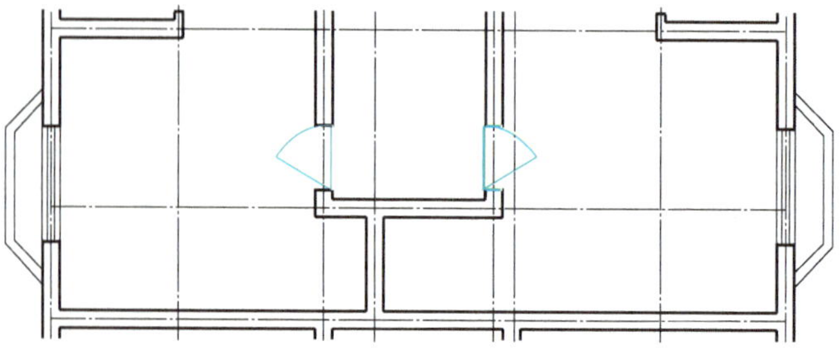

表 2-53　M2 门的绘制

序号	操作步骤	结果
1	打开"墙体"图层，绘制长度为240的辅助线 AB。执行偏移命令，将直线向左偏移120、900，如右图所示	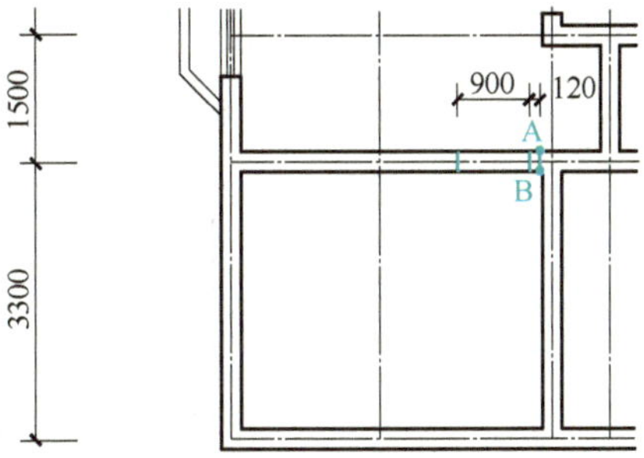
2	执行"修剪""删除"命令，完成M2门洞口的绘制，如右图所示	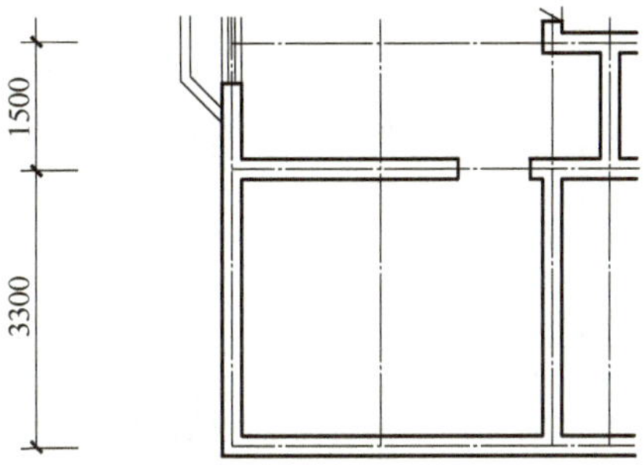
3	将 M1 门复制并旋转，移动到合适位置，删除多余部分，完成 M2 门的绘制，如右图所示	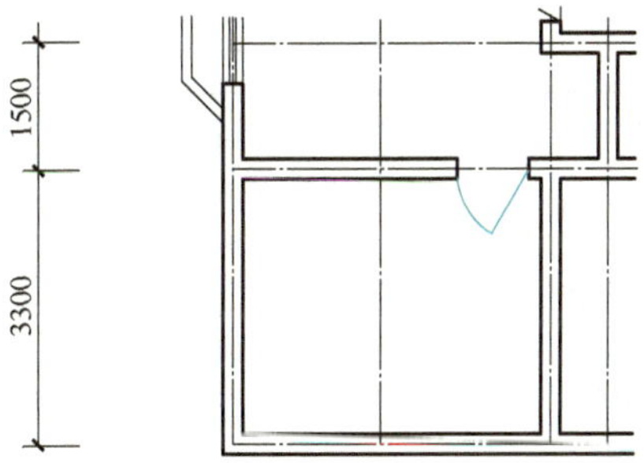
4	执行"复制"命令，将 M2 门及墙体以 C 点为基点复制到 D 点，如右图所示	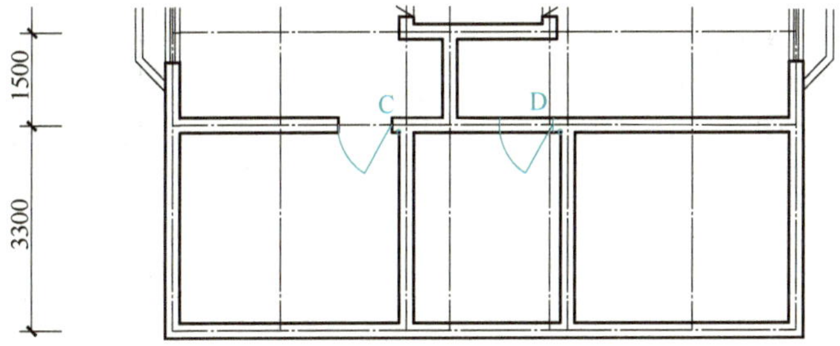
5	关闭"门窗"图层，执行"修剪"命令，修剪 M2 门洞口。打开"门窗"图层，完成 M2 门的绘制，如右图所示	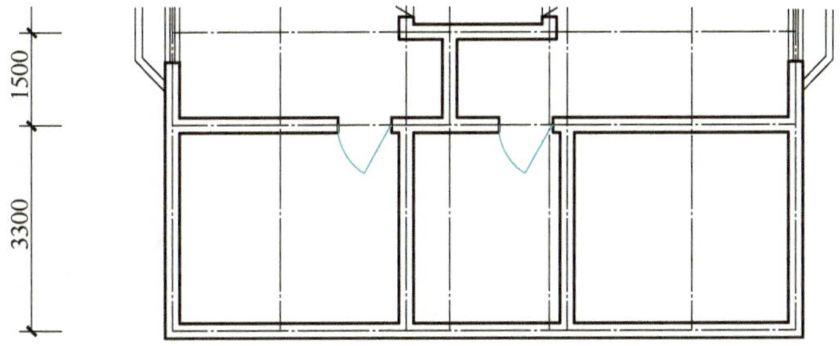

（续）

序号	操作步骤	结果
6	执行"镜像"命令，选择 M2 门，以 E 点为镜像线第一点，沿垂线进行镜像操作，如右图所示	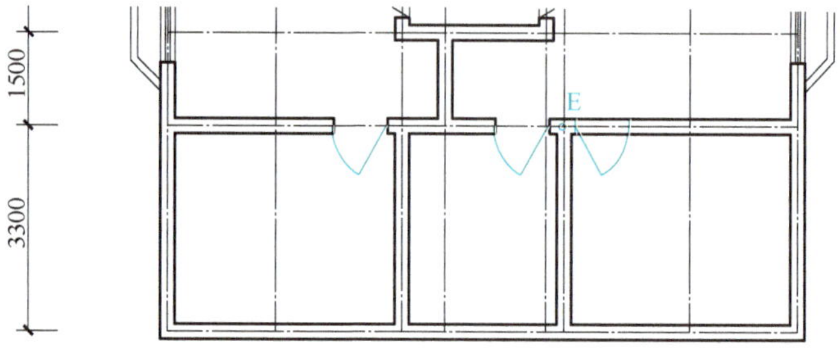
7	关闭"门窗"图层，执行"修剪"命令，修剪 M2 门洞口。再次打开"门窗"图层，完成 M2 门的绘制，如右图所示	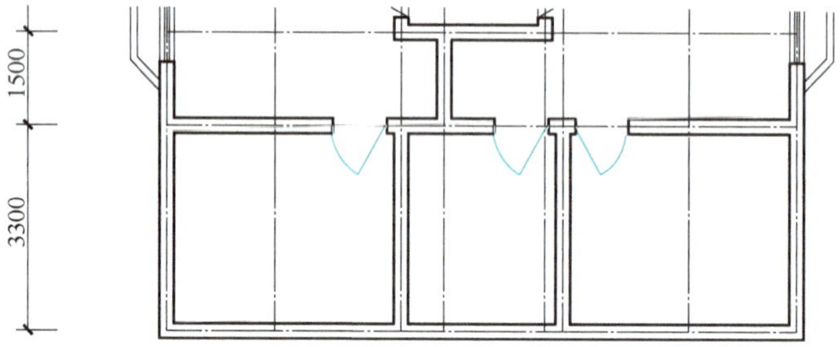

表 2-54 M4 推拉门的绘制

序号	操作步骤	结果
1	打开"墙体"图层，执行"直线"命令，绘制长度为 240 的辅助线 AB。执行"偏移"命令，将直线向左偏移 1200、1800，如右图所示	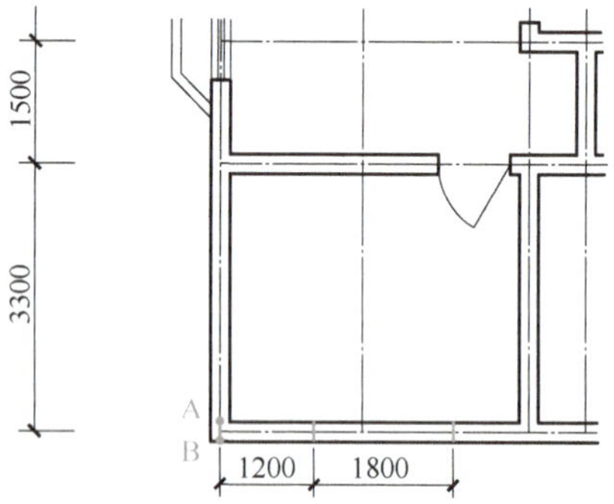
2	执行"修剪""删除"命令，完成 M4 推拉门洞口的绘制，如右图所示	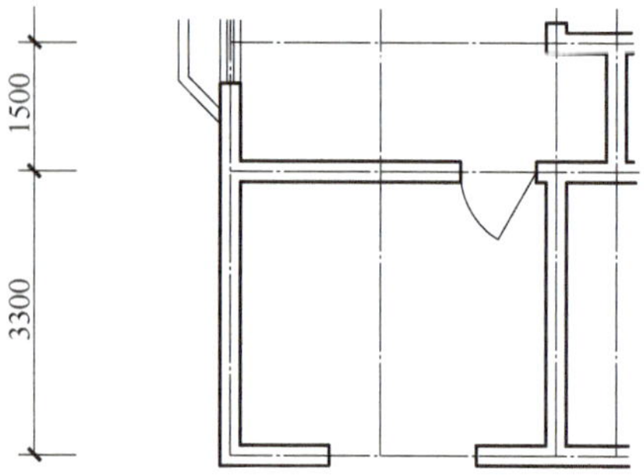

（续）

序号	操作步骤	结果
3	打开"门窗"图层，执行"直线"命令，绘制直线 CD。执行"偏移"命令，将直线 CD 向上偏移 80、80。再次利用"直线"命令，沿中点绘制直线 EF，将直线向右偏移 100，如右图所示	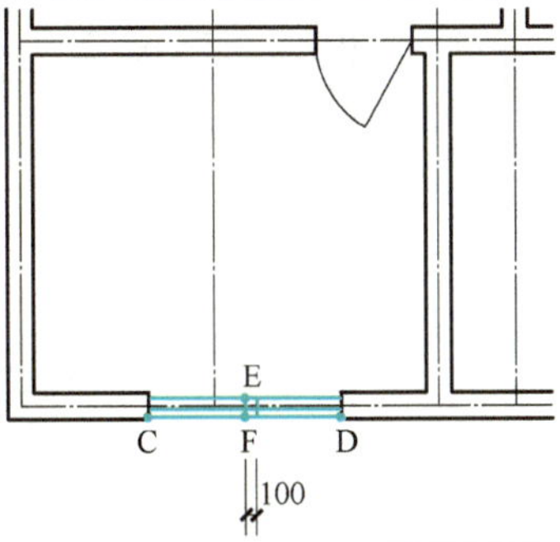
4	执行"修剪""删除"命令，修剪多余部分，完成 M4 推拉门的绘制，如右图所示	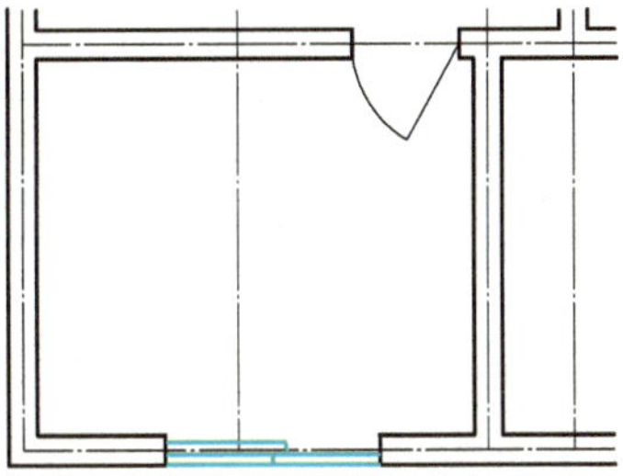
5	执行"镜像"命令，将 M4 推拉门及部分墙体进行镜像操作，如右图所示	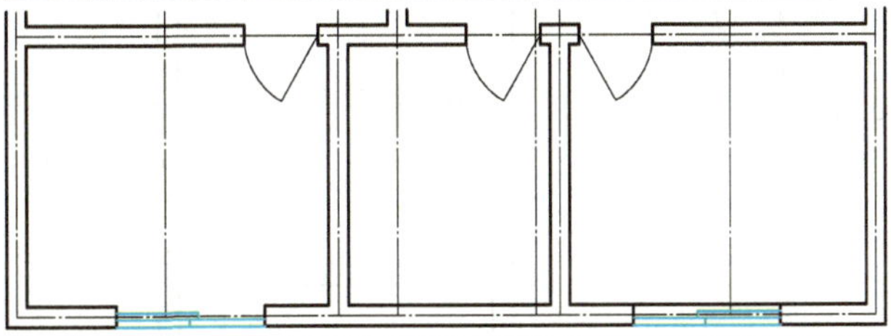
6	关闭"门窗"图层，执行"修剪"命令，完成 M4 推拉门洞口的绘制，再次打开"门窗"图层，完成 M4 推拉门的绘制，如右图所示	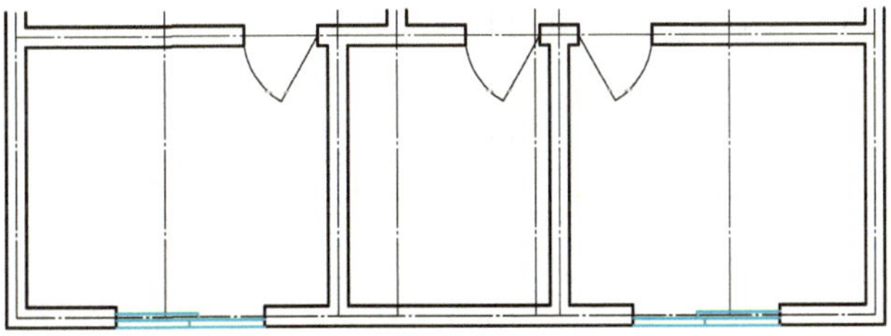

表 2-55　阳台平面图的绘制

序号	操作步骤	结果
1	打开"门窗"图层，利用"多线"命令，设置对正方式为"下"，比例为 120，以 A 点为起点，输入 "@0，-1300" "@4140，0" "@0，1300"，执行"分解"命令，绘制阳台平面图，如右图所示	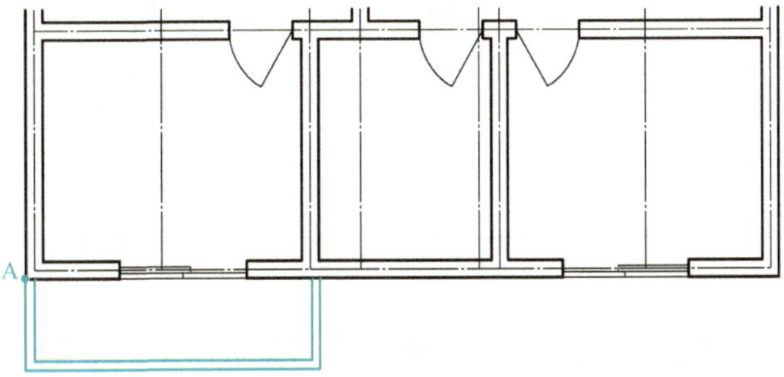

109

（续）

序号	操作步骤	结果
2	执行"镜像"命令，将阳台平面图进行镜像操作，如右图所示	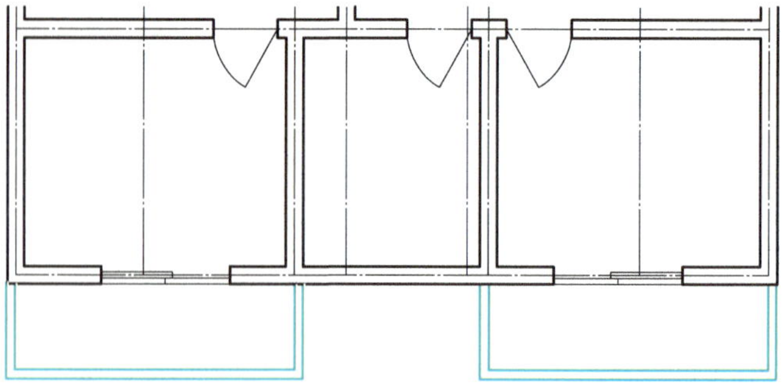

表 2-56　C1 窗的绘制

序号	操作步骤	结果
1	打开"墙体"图层，执行"直线"命令，绘制长度为 240 的辅助线 AB。执行"偏移"命令，将直线向右偏移 600、1500，如右图所示	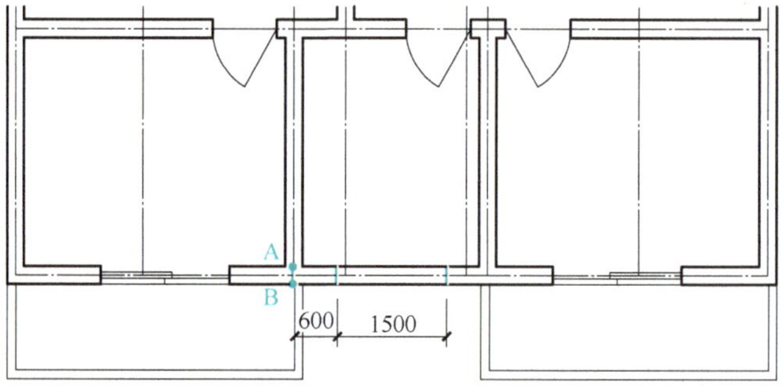
2	执行"修剪""删除"命令，完成 C1 窗洞口的绘制，如右图所示	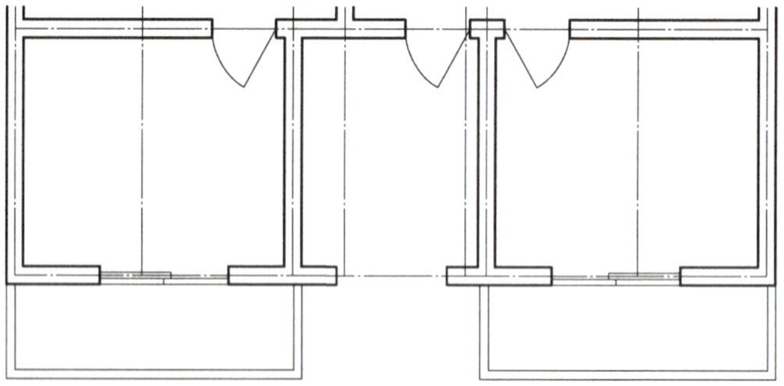
3	复制 C3 窗到 C1 窗洞口，执行"拉伸"命令，完成 C1 窗的绘制，如右图所示	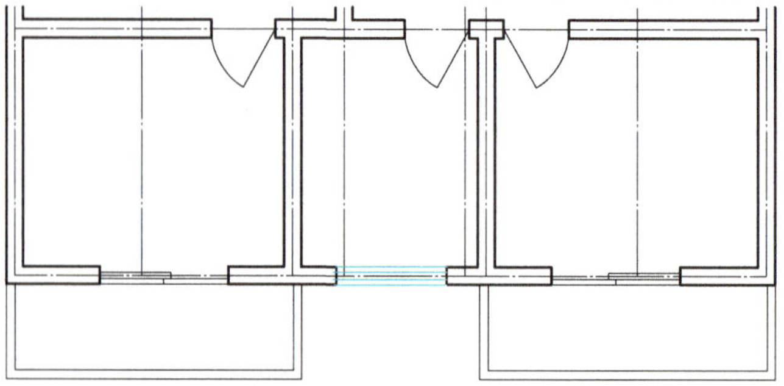

4. 技能训练

技能训练内容：完成一层平面图中门窗平面图的绘制。学习结果评价见表 2-57。

表 2-57　学习结果评价——绘制一层平面图中的门窗

序号	评价内容	评价标准				评价结果
		优秀 （91~100）	良好 （81~90）	一般 （71~80）	较差 （60~70）	
1	能根据绘图要求完成一层平面图门窗的绘制					
2	激发学生应用现代信息技术的兴趣和开拓创新的职业精神					
3	培养学生严谨、细致的工作作风和良好的职业道德					

八、能绘制室内、外楼梯平面图

1. 图纸尺寸分析

通过查看图纸，得知楼梯的基本尺寸。室外台阶踏步宽度为300mm，共4级踏步，楼梯宽为900mm。室内为平行双跑楼梯，踏步宽为300mm，根据结构图纸分析，每层梯段长度不同，扶手宽度未知，绘图时设置为50mm。

2. 操作步骤

一层平面图室内、外楼梯平面图的绘制步骤见表2-58、表2-59。

表 2-58　室外楼梯的绘制

序号	操作步骤	结果
1	打开"门窗"图层，执行"直线"命令，绘制长度为120的直线AB。执行"偏移"命令，将直线向左偏移900、900，如右图所示	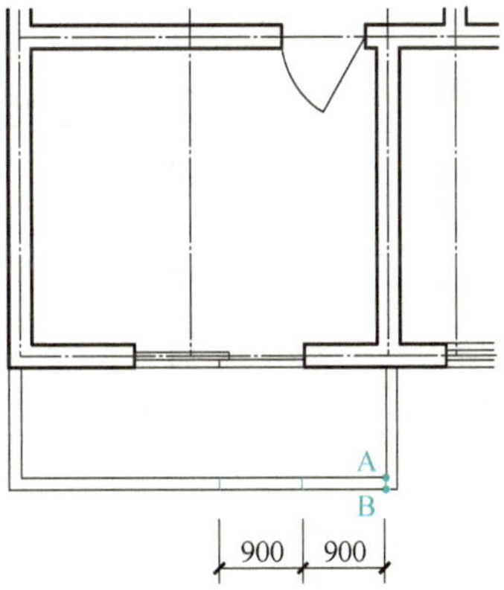
2	执行"修剪""删除"命令，完成图形的绘制，如右图所示	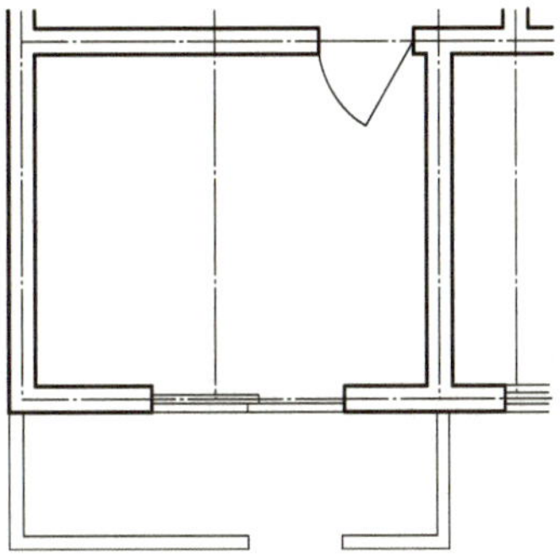

（续）

序号	操作步骤	结果
3	打开"台阶"图层，执行"直线"命令，以C点为起点，输入"@0，-900""@900，0""@0，900""@-900，0"，绘制台阶，如右图所示	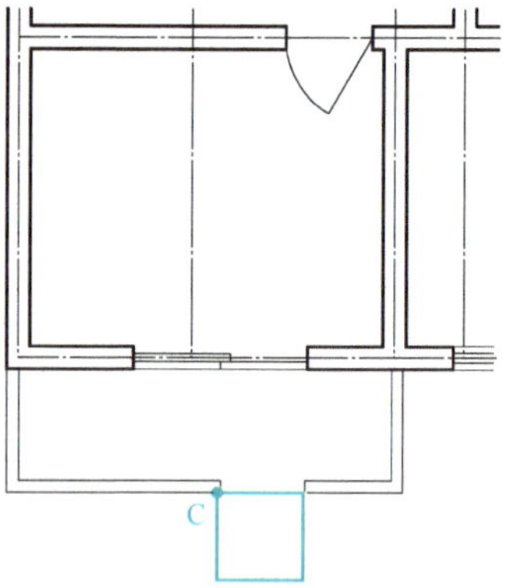
4	执行"偏移"命令，将直线DE向上偏移300、300、300，完成台阶的绘制，如右图所示	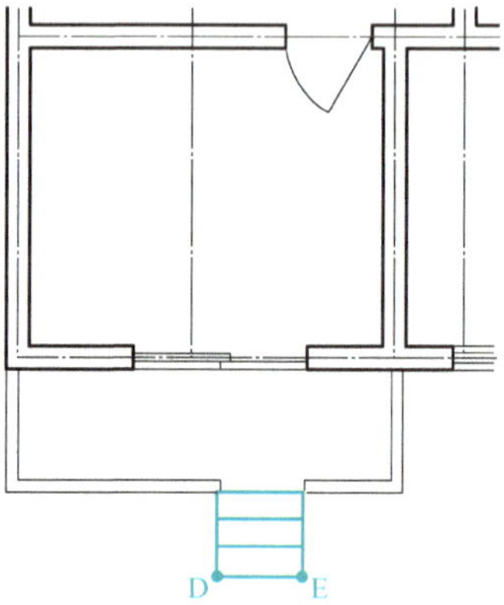
5	删除右侧阳台平面图，执行"镜像"命令，将左侧阳台平面图及台阶进行镜像操作，完成阳台及台阶的绘制，如右图所示	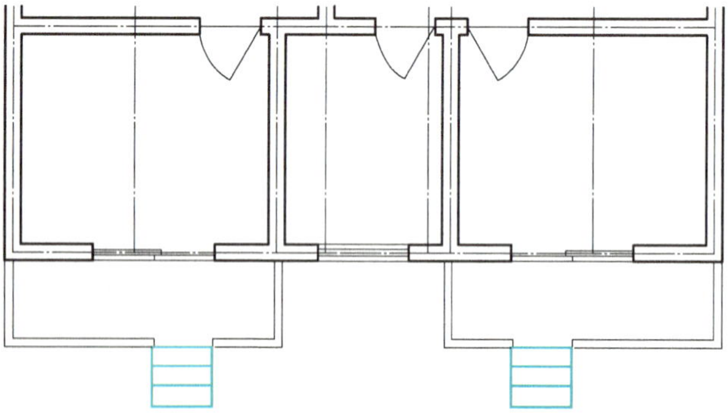

表 2-59　绘制室内楼梯

序号	操作步骤	结果
1	打开"楼梯"图层，绘制直线AB，如右图所示	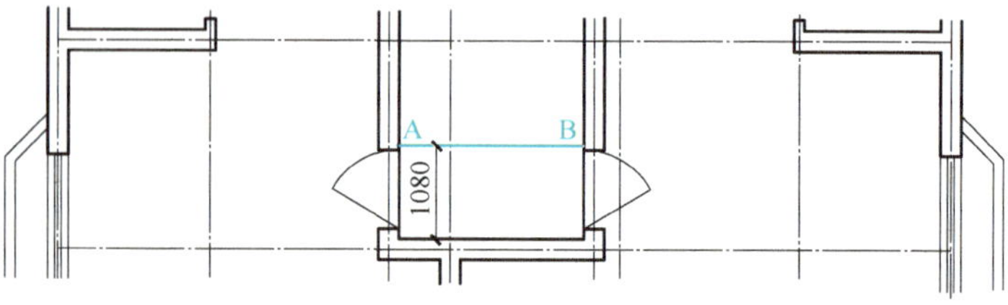

（续）

序号	操作步骤	结果
2	执行"偏移"命令，将直线 AB 向上偏移 270、270、270、270、270、270，如右图所示	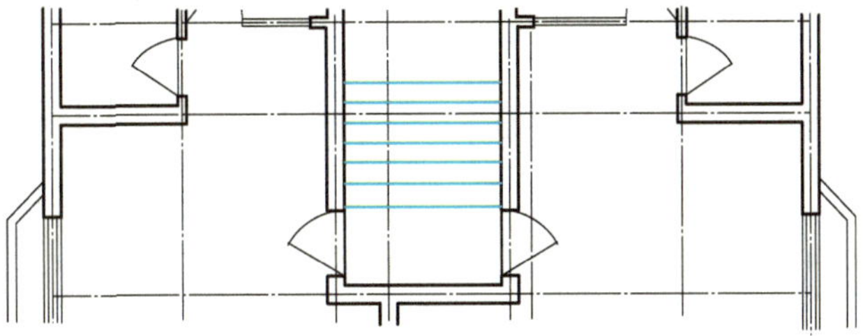
3	执行"直线"命令，绘制连接中点的直线 CD。执行"偏移"命令，将直线向两侧分别偏移 25，如右图所示。	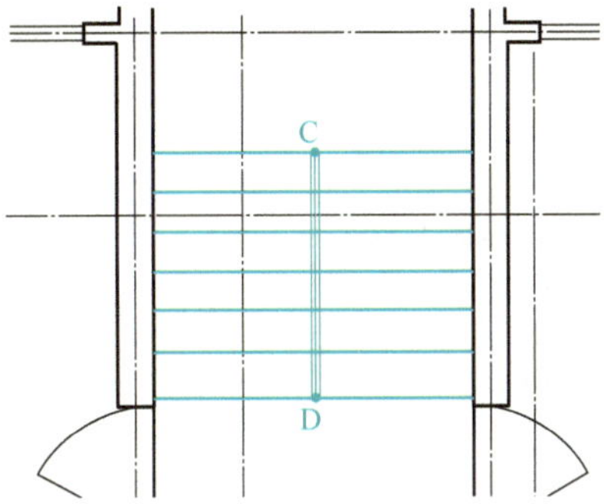
4	删除直线 CD，如右图所示	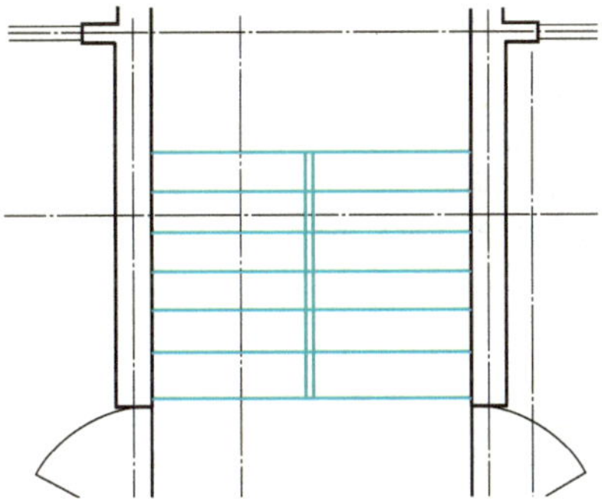
5	利用"修剪"命令，修剪多余直线。利用"圆角"命令，将扶手的端部闭合为半圆，如右图所示	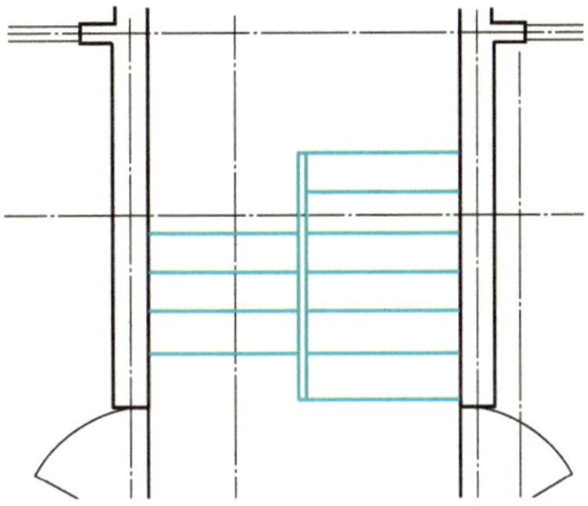

（续）

序号	操作步骤	结果
6	执行"直线"命令，以中点 E 为第一点，输入"@1276<30"，绘制直线 EF，如右图所示	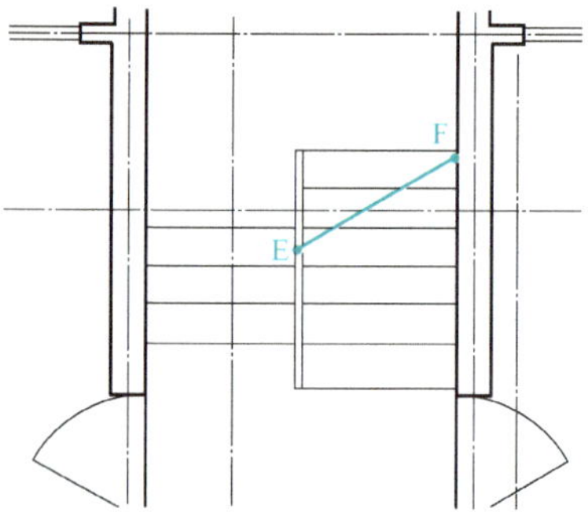
7	执行"折断线"命令（Breakline），单击"size"修改为 3，"Extension"修改为 0，分别单击点 E、点 F 和直线 EF 的中点，绘制折断线，如右图所示	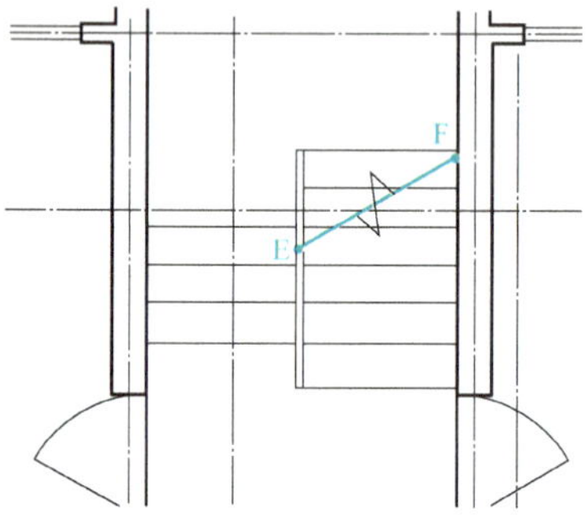
8	将绘制的楼梯上下指示箭头复制到图形中，执行"修剪""删除"命令，完成室内楼梯的绘制，如右图所示	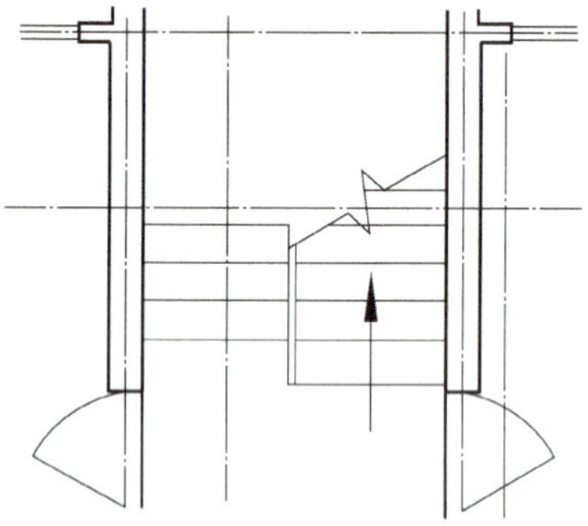

3. 技能训练

技能训练内容：完成一层平面图中室内、外楼梯平面图的绘制。学习结果评价见表 2-60。

表 2-60　学习结果评价——绘制室内、外楼梯平面图

序号	评价内容	评价标准				评价结果
		优秀（91~100）	良好（81~90）	一般（71~80）	较差（60~70）	
1	能根据绘图要求完成一层平面图中室内、外楼梯平面图的绘制					
2	培养学生严谨、细致的工作作风和良好的职业道德					

九、能绘制散水、排烟道、雨水管和留置洞口

1. 图纸尺寸分析

通过查看图纸，了解到散水宽度为 600mm，排烟道、雨水管直径图纸未标注，绘图时排烟道直径设置为 120mm，雨水管直径设置为 120mm，留置洞口宽度 840mm，深度 120mm，采用虚线表示。

2. 操作步骤

一层平面图散水、排烟道、雨水管和留置洞口的绘制步骤见表 2-61~ 表 2-64。

表 2-61 散水的绘制

操作步骤	结果
将"散水"图层置为当前，执行"直线"命令，以 A 点为第一点，输入"@0，-600""@-600，0""@0，11400""@11700，0""@0，-11400""@-600，0"，继续绘制直线，并删除多余直线，如右图所示	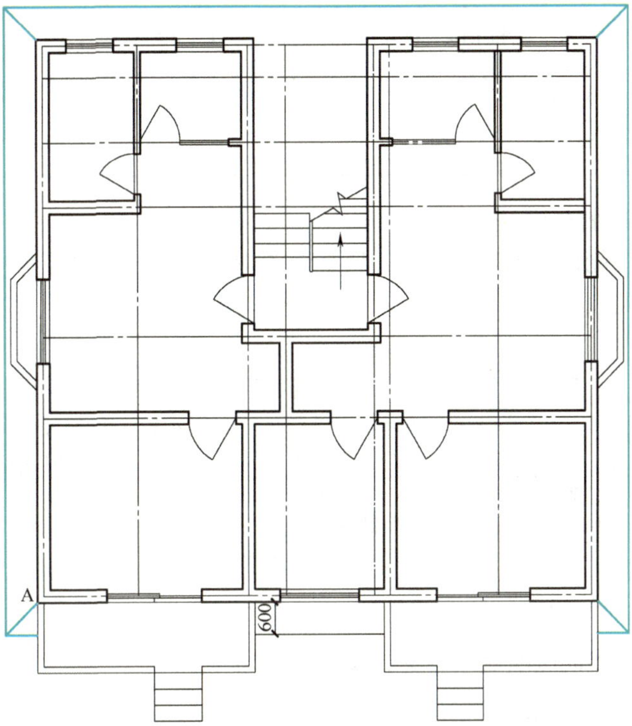

表 2-62 排烟道的绘制

操作步骤	结果
将"楼梯"图层置为当前，执行"直线"命令，沿辅助线绘制直线 AB。切换"墙体"为当前图层，利用"直线"命令，以 B 点为第一点，输入"@-260，0""@0，-240""@260，0"，绘制墙体。利用"修剪"命令，修剪多余墙体。切换"楼梯"为当前图层，执行"矩形"命令，以 C 点为第一角点，输入"@-260，-260"。打开"几何中心"对象捕捉模式，以矩形的几何中心为圆心，绘制直径为 150 的圆，完成排烟道的绘制，如右图所示	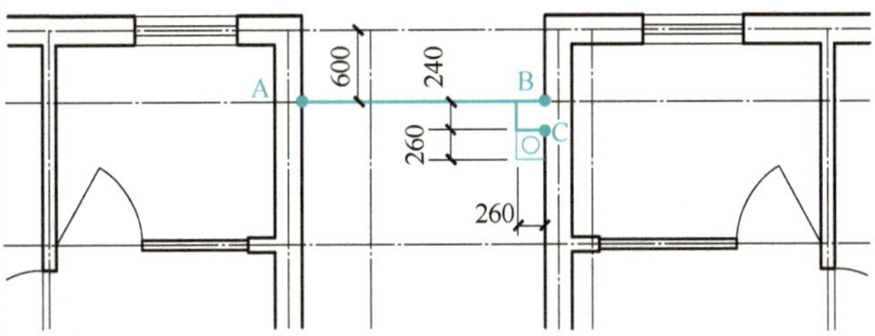

115

表 2-63　雨水管的绘制

操作步骤	结果
切换"门窗"为当前图层，执行"圆"命令，绘制直径为 100 的圆作为雨水管，将雨水管放置离墙体 100、90 的位置上。继续绘制与，圆相切的直线。执行"镜像"命令，将雨水管镜像操作，完成雨水管的绘制，如右图所示	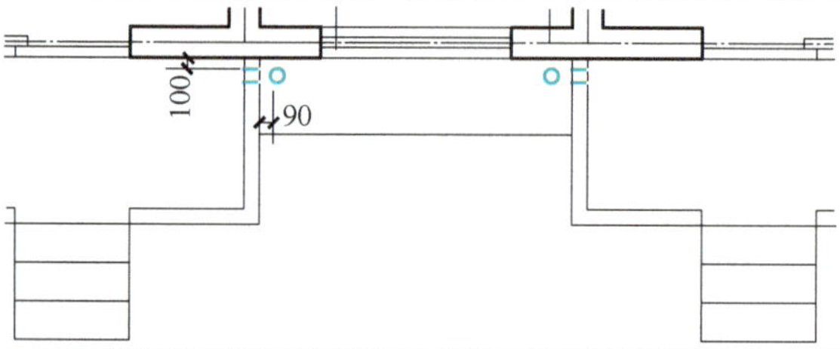

表 2-64　留置洞口的绘制

操作步骤	结果
切换"门窗"为当前图层，利用"多段线"命令，以 A 点为第一点，输入"@0，−120""@840，0""@0，120"，绘制留置洞口。选择留置洞口，按 <CTRL+1> 键，弹出"特性"对话框，修改线型为虚线，如右图所示	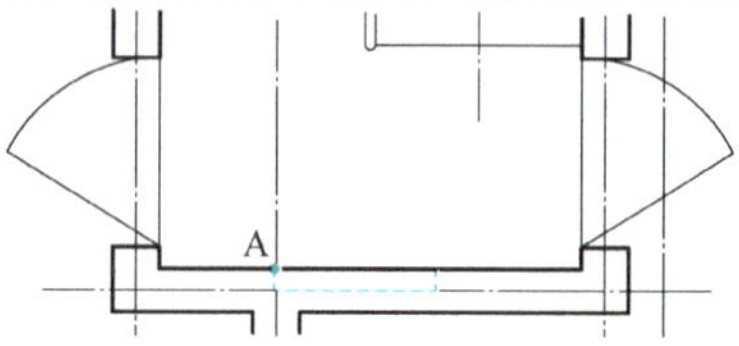

3. 技能训练

技能训练内容：完成一层平面图中散水、排烟道、雨水管和留置洞口的绘制。学习结果评价见表 2-65。

表 2-65　学习结果评价——绘制散水、排烟道、雨水管和留置洞口

序号	评价内容	评价标准				评价结果
		优秀（91~100）	良好（81~90）	一般（71~80）	较差（60~70）	
1	能根据绘图要求完成一层平面图中散水、排烟道、雨水管和留置洞口的绘制					
2	培养学生严谨、细致的工作作风和良好的职业道德					

十、能绘制厕所洁具与厨房设备平面图

1. 操作步骤

一层平面图中厕所洁具与厨房设备平面图的绘制步骤见表 2-66。

表 2-66　厕所洁具与厨房设备平面图的绘制

序号	操作步骤	结果
1	执行"偏移"命令，将墙体线向内偏移 600，如右图所示	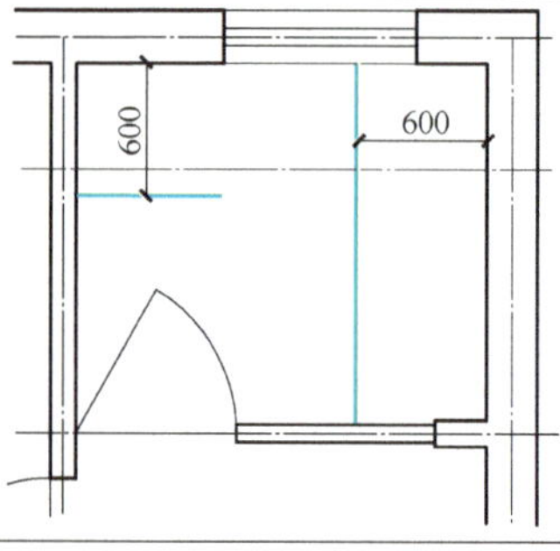

（续）

序号	操作步骤	结果
2	利用"倒角"命令，按住 <Shift> 键不放，实现两直线闭合，将图形修改为"平面洁具"图层。继续绘制直线 AB，如右图所示	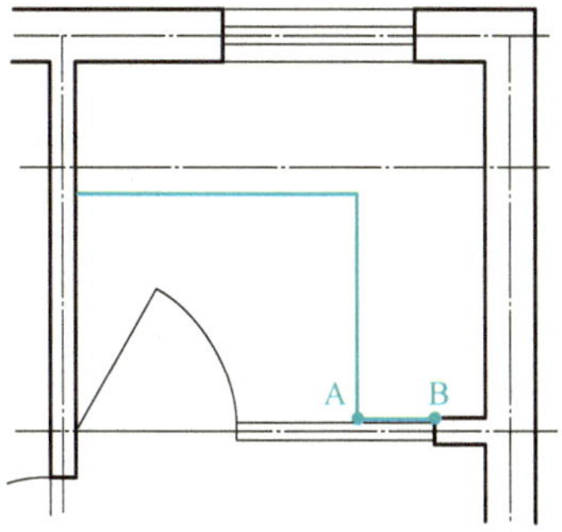
3	将绘制的厨房台面进行镜像复制，执行"延伸"命令，完成厨房台面的绘制，如右图所示	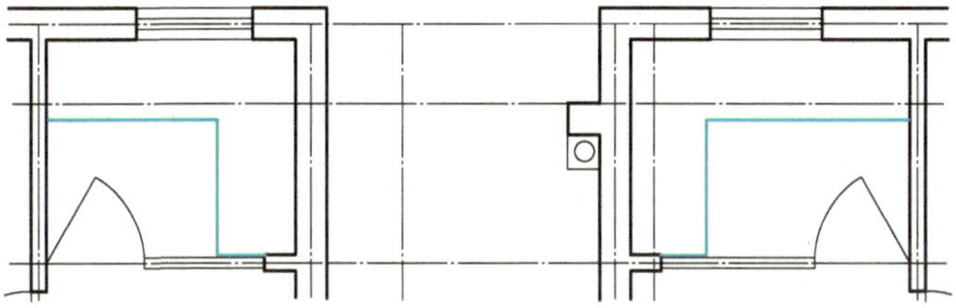
4	将绘制的"平面洁具"图例复制到"建筑平面图"中，并将其镜像、移动到合适位置，如右图所示	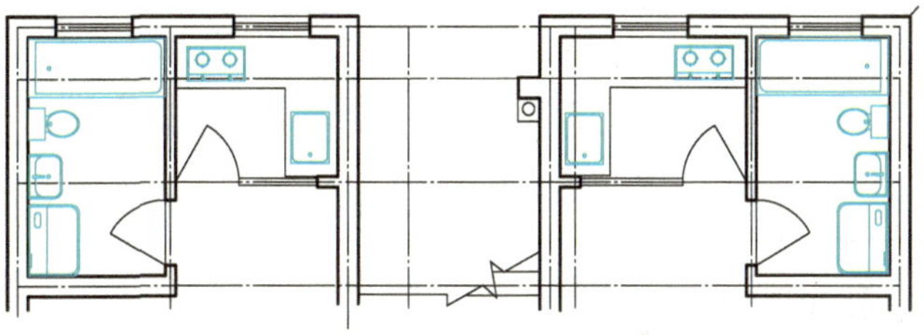

2. 技能训练

技能训练内容：完成一层平面图中厕所洁具与厨房设备平面图的绘制，学习结果评价见表 2-67。

表 2-67　学习结果评价——绘制厕所洁具与厨房设备平面图

序号	评价内容	评价标准				评价结果
		优秀 （91~100）	良好 （81~90）	一般 （71~80）	较差 （60~70）	
1	能根据绘图要求完成一层平面图中厕所洁具与厨房设备平面图的绘制					
2	激发学生应用现代信息技术的兴趣和开拓创新的职业精神					

十一、能注写文字说明

1. 操作步骤

一层平面图中文字说明的绘制步骤见表 2-68。

表 2-68　文字说明的绘制

操作步骤	结果
关闭"轴线"图层,将"文字"图层置为当前,选择"仿宋"文字样式,利用"单行文字"命令,指定高度设置为250,输入"卫生间"。利用"复制"命令,将"卫生间"文字复制到合适位置。双击"卫生间"文字,将其激活,修改为其他文字内容。 　　选择"数字"文字样式,利用"单行文字"命令,指定高度设置为250,输入"C3"。利用"复制"命令,将"C3"文字复制到合适位置。双击"C3"文字,将其激活,修改为其他文字内容。 　　继续利用多段线命令绘制文字引出线,完成建筑平面图文字注写,如右图所示	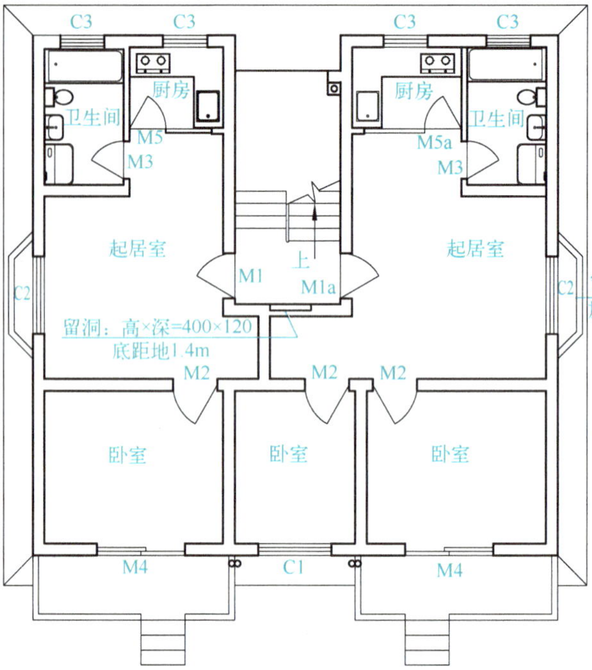

2. 技能训练

技能训练内容:完成一层平面图中文字说明的注写。学习结果评价见表 2-69。

表 2-69　学习结果评价——注写一层平面图中文字说明

序号	评价内容	评价标准				评价结果
		优秀 (91~100)	良好 (81~90)	一般 (71~80)	较差 (60~70)	
1	能根据绘图要求完成一层平面图中文字说明的注写					
2	培养学生严谨、细致的工作作风和良好的职业道德					

十二、能完成尺寸标注

1. 基础知识

查看 GB/T 50001—2017《房屋建筑制图统一标准》,了解尺寸标注的相关规定。

(1)尺寸标注的类型与应用

打开尺寸标注工具栏,可见各类尺寸标注如图 2-49 所示。标注的类型及功能见表 2-70。各类尺寸标注举例见表 2-71。

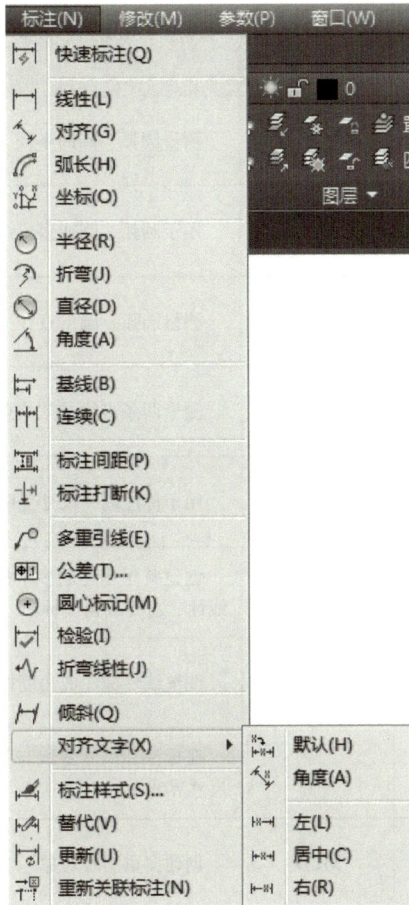

图　2-49

表 2-70　标注的类型及功能

序号	图标	名称	快捷命令	功能说明
1		快速标注	DIM	用于选定对象快速创建系列基线或连续标注
2		线性标注	DLI	创建水平或垂直标注
3		对齐标注	DAL	创建与指定位置或对象平行的标注
4		弧长标注	DAR	用于测量圆弧或多段线弧线段上的距离
5		坐标标注	DOR	坐标标注测量原点（称为基准）到标注特征（例如部件上的一个孔）的垂直距离，坐标标注由 X 或 Y 值和引线组成

（续）

序号	图标	名称	快捷命令	功能说明
6		半径标注	DRA	测量圆弧、圆的半径
7		折弯标注	DJO	用于圆弧、圆或多段线的弧线段的折弯半径标注
8		直径标注	DDI	测量圆弧、圆的直径
9		角度标注	DAN	测量两条直线或三个点之间的角度
10		基线标注	DBA	用于标注同一尺寸界限定义点的多个平行尺寸
11		连续标注	DCO	创建首尾相连的多个标注。创建连续标注之前，必须创建线性、对齐或角度标注
12		标注间距	—	调整线性标注或角度标注之间的间距
13		标注打断	—	在标注和尺寸线与其他对象的相交处打断或恢复标注和尺寸界线
14		多重引线	MLD	创建多重引线对象
15		公差	TOL	创建带有或不带引线的形位公差，形位公差表示特征的形状、轮廓、方向、位置和跳动的允许偏差
16		圆心标记	DCE	创建圆、圆弧的圆心标记或中心线
17		折弯线性	DJO	在线性标注或对齐标注中添加或删除折弯线
18		倾斜	DED	编辑标注文字和尺寸界线
19		标注样式	D	打开"标注样式管理器"对话框，进行设置
20		替代	DOV	编辑标注文字的位置、方向，也可替换为新文字
21		重新关联标注	—	将选定的标注关联或重新关联至对象或对象上的点

表 2-71 尺寸标注举例

序号	类型	举例
1	线性标注与连续标注	
2	对齐标注	
3	基线标注	
4	折弯线性	
5	弧长标注	
6	半径标注与直径标注	
7	角度标注	

（2）编辑尺寸标注

1）编辑标注文字的位置。单击菜单栏中"标注"→"对齐文字"或者单击工具栏上的"编辑标注文字"按钮，见表 2-72。

表 2-72　编辑标注文字的位置

序号	选项	内容	结果
1	左（L）	左对齐，指定文字位置在左侧，如右图所示	192
2	中（C）	居中，指定文字位置在中间，如右图所示	192
3	右（R）	右对齐，指定文字位置在右侧，如右图所示	192
4	角度（A）	指定文字位置倾斜 30°，如右图所示	192

2）编辑标注文字内容。该功能可修改选定标注对象的文字内容，如图 2-50 所示。在菜单栏中选择"修改"→"对象"→"文字"→"编辑"或在命令行中输入"DDEDIT"命令。

192

图　2-50

（3）标注样式更新

用新样式更新选择的尺寸标注，可在菜单栏中选择"标注"→"更新"命令。

操作提示：

1）利用"连续标注"可以快速完成建筑施工图的尺寸标注。

2）使用"标注"命令过程中，注意尺寸界线原点位置的选择，使之位于同一水平线上。

3）为了尺寸标注更加美观，可以在图形外围绘制辅助线，让尺寸标注与图形距离一致。

2. 操作步骤

一层平面图中尺寸标注的绘制步骤见表 2-73。

表 2-73　建筑平面图的尺寸标注

操作步骤	结果
打开绘制的"建筑平面图"，选择"尺寸标注 –250"标注样式。切换"尺寸、轴号"为当前图层，根据建筑平面图的尺寸标注要求，利用"线性标注"（DAL）绘制平面图的上的 120 尺寸，打开"连续标注"（DCO），完成第一道尺寸（细部尺寸）。打开"基线间距"标注（DBA）绘制平面图的轴线间尺寸 3900，总尺寸 10740，打开"连续标注"（DCO）继续标注完成第二道尺寸（轴线间的距离）。继续利用相同的办法完成建筑平面图的尺寸标注，如右图所示	

3. 技能训练

技能训练内容：完成一层平面图中的尺寸标注。学习结果评价见表 2-74。

表 2-74　学习结果评价——标注一层平面图中的尺寸

序号	评价内容	评价标准				评价结果
		优秀（91~100）	良好（81~90）	一般（71~80）	较差（60~70）	
1	能根据绘图要求完成一层平面图中的尺寸标注					
2	培养学生严谨、细致的工作作风和良好的职业道德					

十三、能创建带有属性的标高符号和定位轴线编号

1. 基础知识

在 GB/T 50001—2017《房屋建筑制图统一标准》中查看标高符号的相关规定。

（1）创建图块

在绘图中经常碰到一些相同或相近的图形，比如标题栏和各种符号等，如果把这些图形创建成块，在使用时可直接插入到图形中，就会大大提高绘图效率。

图块分为内部块和外部块两种。内部块只能在定义该图块的图形文件中使用，不能在其他图形文件中使用，而外部块则可以保存到计算机中，当需要时可以插入到其他文件中使用。

1）创建内部块。在命令行中输入"BLOCK"（简写"B"），打开"块定义"对话框，如图 2-51 所示。"名称"即块的名称，"拾取点"即选择块插入到图形中的基点。

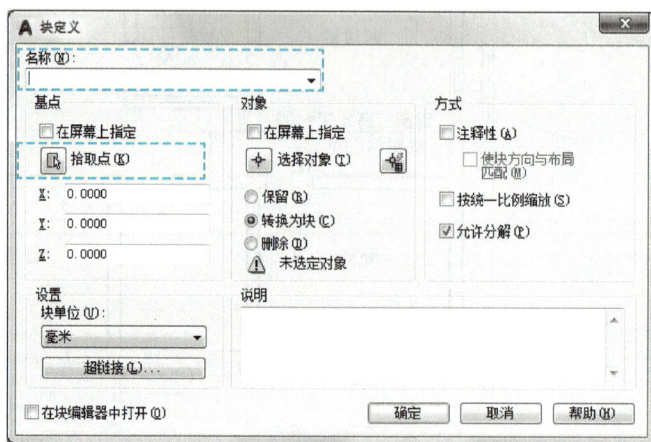

图　2-51

2）创建外部块。创建外部块可在命令中输入"WBLOCK"（简写"W"），打开"写块"对话框，设置文件名和路径，如图 2-52 所示。

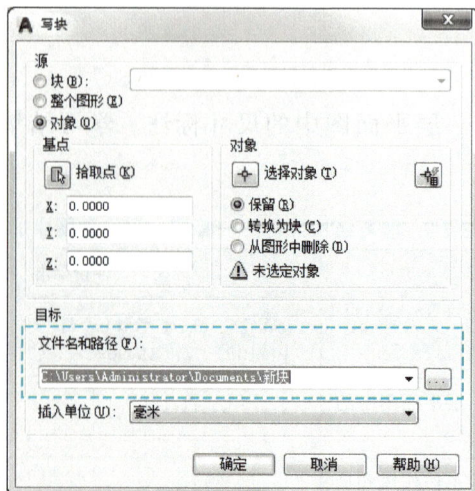

图　2-52

（2）插入图块

1）插入单个块。在命令行中输入 "INSERT"（简写 "I"），打开 "插入单个块" 对话框，如图 2-53 所示。

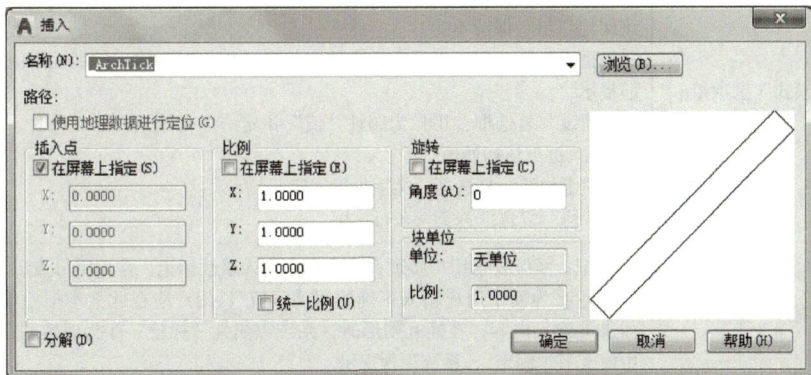

图 2-53

2）插入多个块。AutoCAD 允许用户以矩形阵列的方式一次插入多个块。在命令行中输入 "MINSERT"（简写 "MIN"），通过设置行数、列数、行间距、列间距来插入多个块，插入的多个块对象被认为是一个对象，且不能分解，如图 2-54 所示。

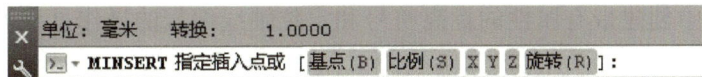

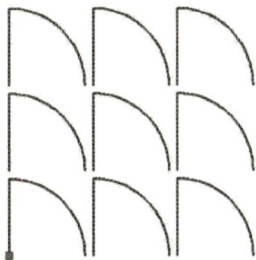

图 2-54

（3）创建带有属性的图块

块属性是附属于块上的非图形信息，是块的组成部分。块具有许多属性，包括块的可见性、块说明、块的插入点、块所在的图层与颜色等。这些属性都可以由用户定义，也可以对其进行修改，如轴线编号、标高符号上标高数值。在命令行中输入 "ATTDEF"（简写 "Att"），打开 "属性定义" 对话框，如图 2-55 所示。

属性定义各选项说明见表 2-75。

图 2-55

125

表 2-75　属性定义各选项的说明

序号	选项名	说明
1	"模式"选项组	"不可见"复选框：表示块插入后，属性"值"在图中不显示 "固定"复选框：表示属性"值"在定义属性时已经是一个常量，当块插入后，该属性"值"保持不变 "验证"复选框：表示在插入块时，要求用户对所输入的属性"值"再次给出校验提示 "预设"复选框：用户为属性"值"指定一个初始值，插入块时，用户可直接按<Enter>键默认初始值 "锁定位置"复选框：文字位置固定 "多行"复选框：支持多行文字
2	"属性"选项组	标记：系统要求用户必须在文本框中输入属性标记，常用字母表示 提示：为便于用户输入正确的属性"值"，用户应在此文本框中输入属性提示。如果不输入内容，在插入图形时，系统以属性"标记"作为属性"提示"。如果选中模式下"固定"，系统隐含提示
3	"插入点"选项组	该属性在图形中的位置选择，推荐勾选"在屏幕上指定"复选框
4	"文字设置"选项组	可设置文字对正方式和文字样式

2. 操作步骤

　　一层平面图中创建带有属性的标高符号和定位轴线编号的操作过程见表 2-76、表 2-77。

带有属性的标高符号

表 2-76　创建带有属性的标高符号

序号	操作步骤	结果
1	打开已绘制的标高符号，切换"标高"为当前图层。运行"属性定义"命令，设置"标记（T）"为"标高"，"提示（M）"为"请输入数值"，"默认（L）"为"0.000"，"对正（J）"为"左对齐"，"文字样式（S）"为"数字"，"文字高度（E）"为"250"，如右图所示	

（续）

序号	操作步骤	结果
2	执行"内部块"命令，弹出"块定义"对话框，设置名称为"标高"，拾取点选择三角形下端点，将标高保存为内部块，如右图所示	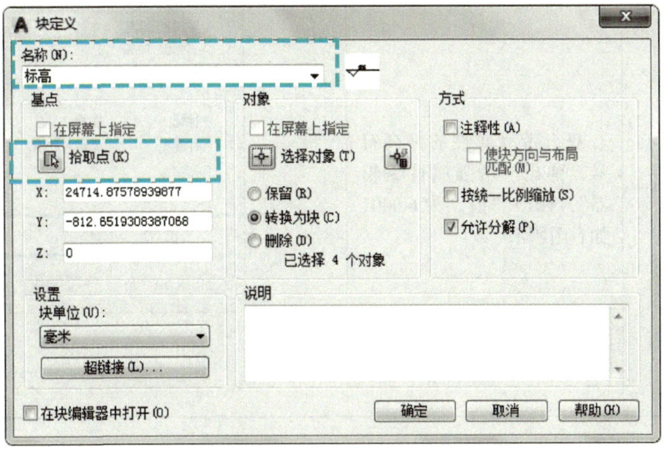
3	弹出"编辑属性"对话框，在"请输入数值"一栏内写入合适的标高值，完成带有属性的标高符号绘制，如右图所示	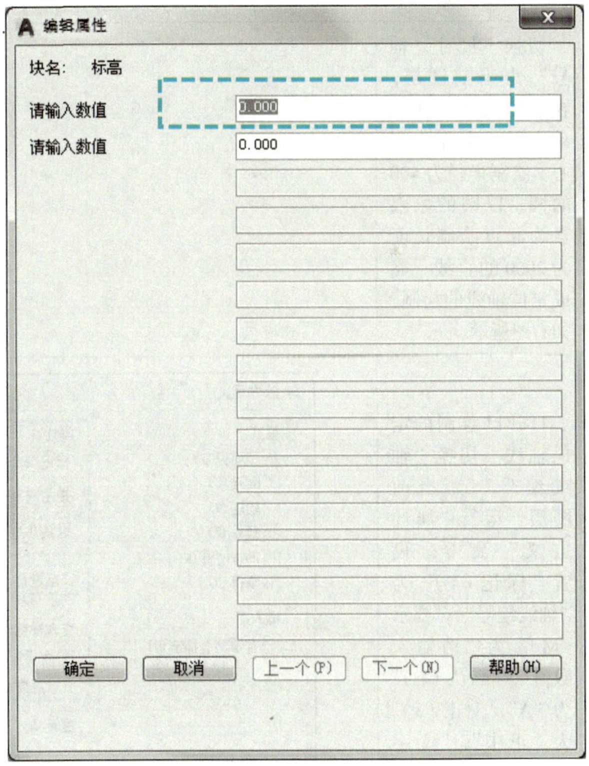 

（续）

序号	操作步骤	结果
4	双击带有属性的标高符号，弹出"增强属性编辑器"，修改"值"为6.000，如右图所示	

表 2-77　创建带有属性的定位轴线编号

序号	操作步骤	结果
1	切换"尺寸、轴号"为当前图层，在绘图区域内任意单击某一点作为圆心，绘制半径为400的圆，以圆的象限点为起点绘制长度为2000的直线，完成定位轴线的绘制，如右图所示	带有属性的定位轴线
2	打开已绘制的定位轴线，切换"轴线编号"为当前图层。运行"属性定义"命令，设置"标记（T）"为"轴线编号"，"提示（M）"为"请输入数值"，"默认（L）"为"A"，"对正（J）"为"正中"，"文字样式（S）"为"数字"，"文字高度（E）"为400，如右图所示	轴线编号

（续）

序号	操作步骤	结果
3	执行"内部块"命令，弹出"块定义"对话框，设置名称为"轴线编号"，拾取点选择直线上端点，将轴线编号保存为内部块	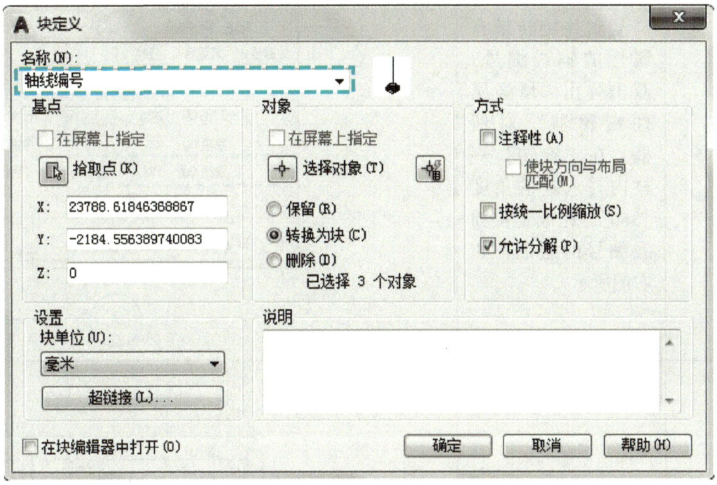
4	自动弹出"编辑属性"对话框，在"请输入数值"一栏内写入合适的标高值，完成带有属性的定位轴线编号绘制，如右图所示	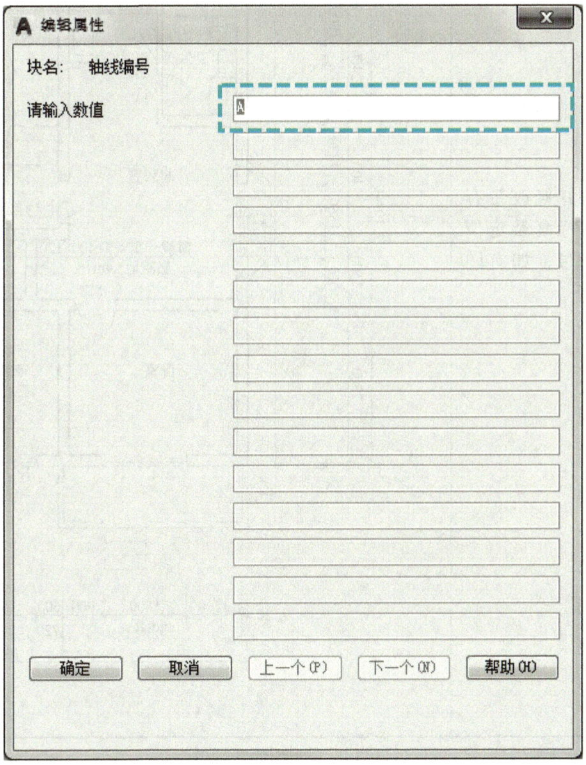

（续）

序号	操作步骤	结果
5	复制并旋转带有属性的轴线编号，双击弹出"增强属性编辑器"对话框，在"旋转"一栏内写入新的角度"360"，完成定位轴线编号的绘制，如右图所示	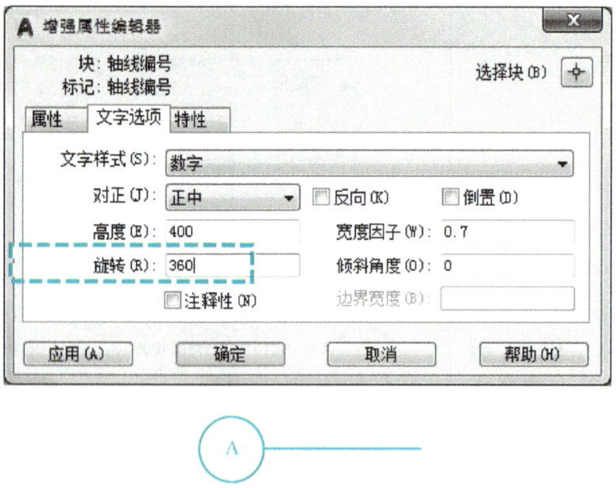
6	复制并修改带有属性的标高及定位轴线编号，如右图所示	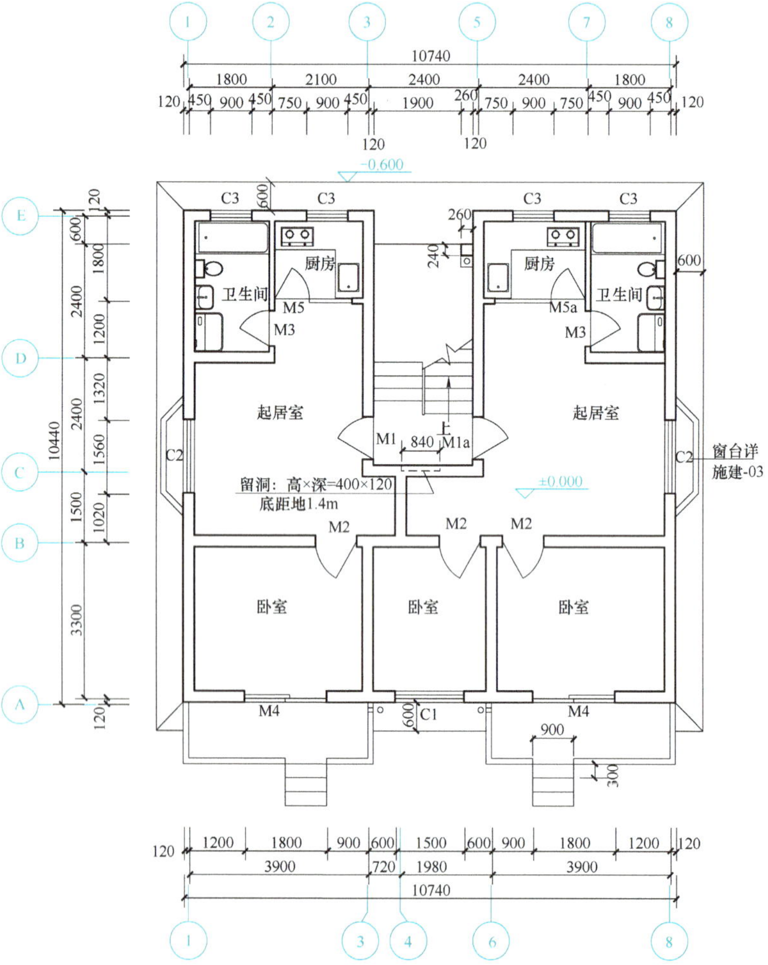

3. 技能训练

技能训练内容：创建带有属性的标高符号和定位轴线编号。学习结果评价见表2-78。

表 2-78　学习结果评价——创建带有属性的标高符号和定位轴线编号

序号	评价内容	评价标准				评价结果
		优秀 （91~100）	良好 （81~90）	一般 （71~80）	较差 （60~70）	
1	能根据绘图要求完成创建带有属性的标高符号和轴号的绘制					
2	激发学生应用现代信息技术的兴趣和开拓创新的职业精神					

十四、能绘制剖切符号、图名及比例

1. 基础知识

在 GB/T 50001—2017《房屋建筑制图统一标准》中查看比例、剖切符号的有关规定。

2. 操作步骤

一层平面图的剖切符号、图名及比例的绘制步骤见表 2-79。

表 2-79　剖切符号、图名及比例的绘制

序号	操作步骤	结果
1	切换"标高"为当前图层，执行"多段线"命令，设置宽度为 20，在屏幕任意单击某一点作为起点，输入"@400，0""@0，−600"，绘制剖切符号。将剖切符号移动到图形上部合适位置，执行镜像操作，复制剖切符号到图形下部合适位置。利用复制、镜像命令继续绘制需要转折的剖切位置线。切换"文字"为当前图层，选择"数字"文字样式，利用"单行文字"输入编号"1"，文字高度设为 400。将数字"1"进行复制，完成剖切符号的绘制，如右图所示	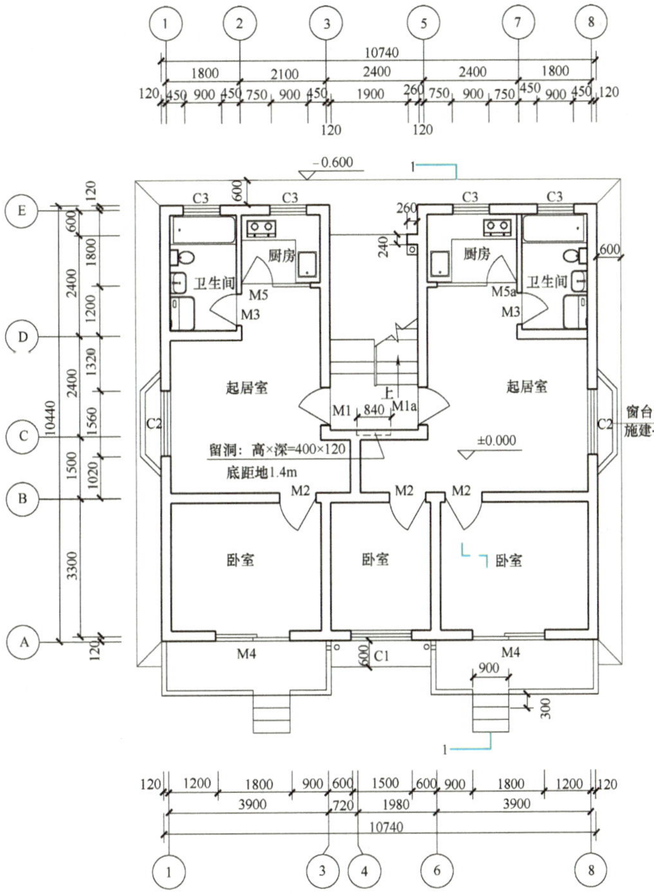

（续）

序号	操作步骤	结果
2	将绘制的指北针复制到"建筑平面图"中。切换"文字"为当前图层，选择"仿宋"文字样式，利用"单行文字"输入"一层平面图"，文字高度设置为500。选择"数字"文字样式，利用"单行文字"输入比例"1：100"，文字高度为400。切换"符号"为当前图层，执行"多段线"命令，设置线宽为20，绘制长度为3000的直线，移动到文字下方，完成图名和比例的绘制，如右图所示	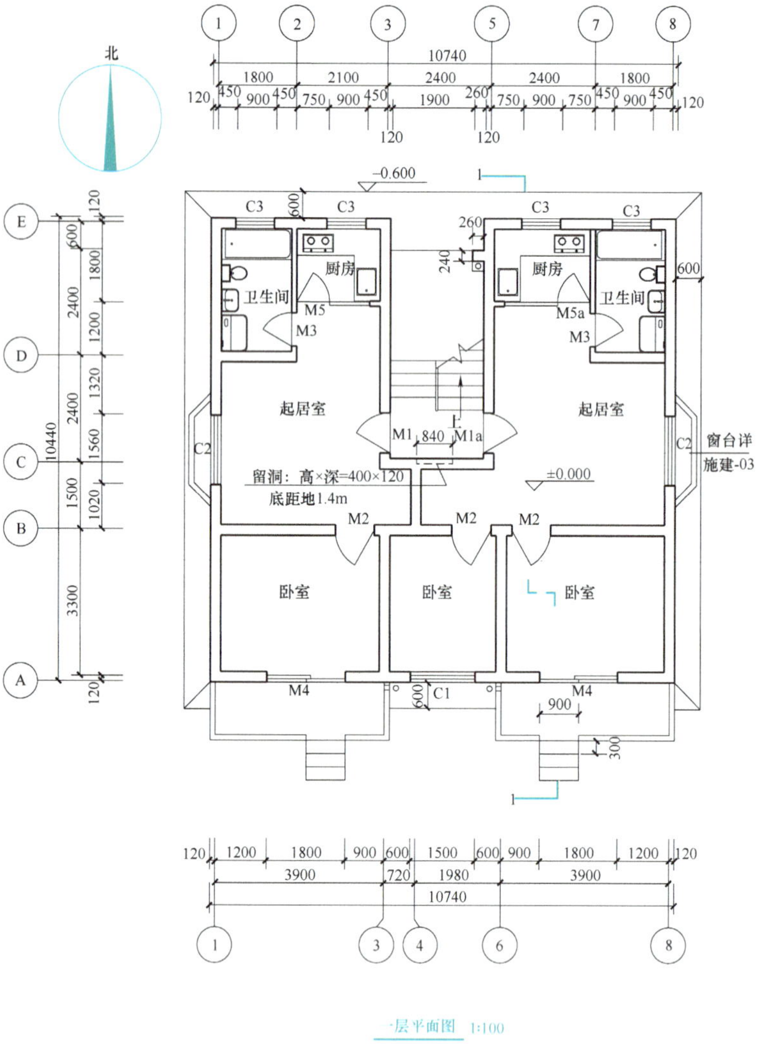 一层平面图 1:100

3. 技能训练

技能训练内容：完成剖切符号、图名及比例绘制。学习结果评价见表 2-80。

表 2-80　学习结果评价——绘制剖切符号、图名及比例

序号	评价内容	评价标准				评价结果
		优秀（91~100）	良好（81~90）	一般（71~80）	较差（60~70）	
1	能根据绘图要求完成剖切符号、图名及比例绘制					
2	激发学生应用现代信息技术的兴趣和开拓创新的职业精神					

十五、能完成建筑平面图虚拟打印出图

根据 GB/T 50001—2017《房屋建筑制图统一标准》，对建筑平面图进行虚拟打印。

1. 操作步骤

建筑平面图虚拟打印的具体操作步骤见表 2-81。

表 2-81　建筑平面图虚拟打印出图

序号	操作步骤	结果
1	绘制 A3 图框和标题栏，并放大 100 倍，将建筑平面图移动到图框的合适位置（一般为居中偏上）	
2	在命令行中输入"plot"命令，打开"打印 - 模型"对话框，设置打印机名称为"DWG TO PDF"，相关参数如右图所示	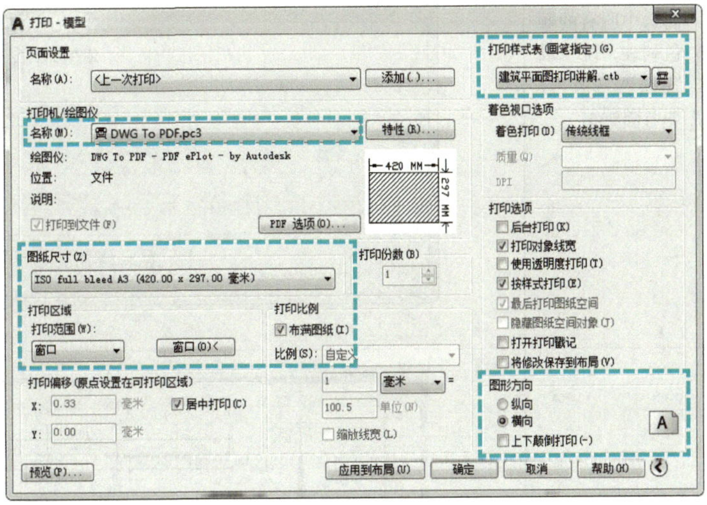
3	创建新的打印样式表，名称设置为"建筑平面图打印讲解"，如右图所示	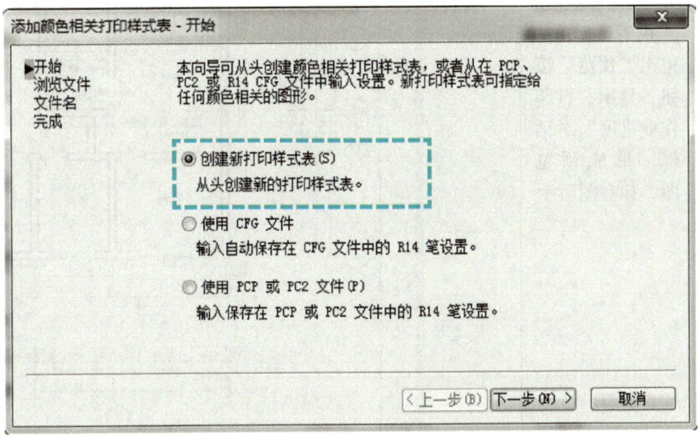

（续）

序号	操作步骤	结果
4	打开"打印样式表编辑器 - 建筑平面图打印讲解.ctb"对话框，单击"颜色1"并按住<Shift>键单击"颜色255"，从而选中所有的颜色列表，统一设置颜色为黑色，如右图所示	
5	设置完成后，单击"预览"按钮，显示"打印作业进度"对话框，形成预览图，如右图所示	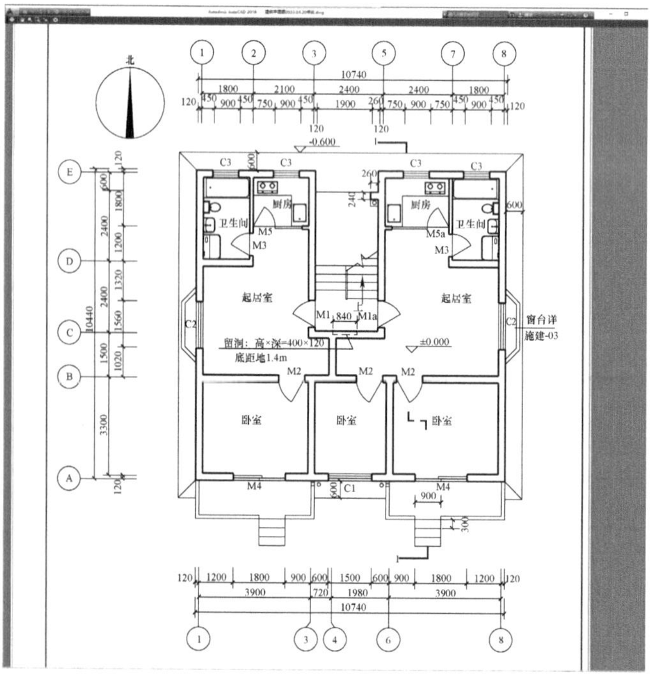

（续）

序号	操作步骤	结果
6	放大观察无误后单击左上方的"打印"按钮，保存 PDF 图到合适位置，完成建筑平面图的虚拟打印出图，如右图所示	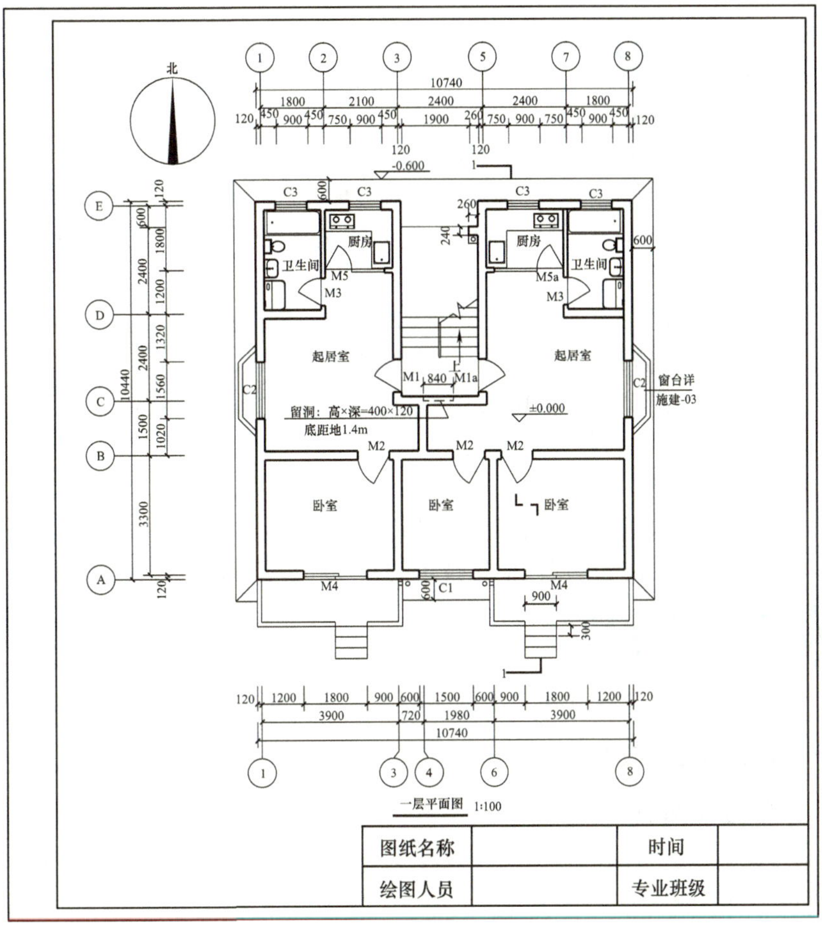

2. 技能训练

技能训练内容：能完成建筑平面图虚拟打印出图。学习结果评价见表 2-82。

表 2-82　学习结果评价——建筑平面图虚拟打印出图

序号	评价内容	评价标准				评价结果
		优秀（91~100）	良好（81~90）	一般（71~80）	较差（60~70）	
1	能根据绘图要求完成建筑平面图虚拟打印出图					
2	激发学生应用现代信息技术的兴趣和开拓创新的职业精神					

任务三　建筑立面图的绘制与输出

【学习目标】

1. 知识目标

1）了解建筑立面图的绘制原理、方法与步骤。

2）掌握建筑立面图中辅助线、墙体轮廓线、地坪线、室外楼梯、立面窗及阳台、屋顶、墙面分格线、雨水管、尺寸标注、标高和文字说明等绘制的方法和技巧。

2. 能力目标

1）能根据 GB/T 50001—2017《房屋建筑制图统一标准》，读懂建筑立面图。

2）能独立查找图纸中建筑立面图的相关尺寸。

3）能根据 GB/T 50001—2017《房屋建筑制图统一标准》，利用 AutoCAD 软件，独立完成建筑立面图的绘制。

3. 素养目标

1）在绘图过程中养成严谨、细致、精益求精的绘图员素质。

2）激发学生应用现代信息技术的兴趣和开拓创新的职业精神。

【任务描述】

本任务主要介绍建筑立图绘制的方法和步骤。

一、能识读建筑立面图

1. 基础知识

建筑立面图简称立面图，为建筑施工图的基本图之一，其比例应与建筑平面图相同，以便相互对照阅读。

（1）立面图的形成、命名与用途

1）形成。立面图是正投影图。建筑物的各个立面（即外墙面）向平行于它的投影面上投影所得的正投影图，就形成了建筑物的各立面图，也就是一栋房屋的正立面图和侧立面图，如图 2-56 所示。

2）命名。建筑物各立面的名称通常按各立面的朝向来命名，如南立面图、北立面图、东立面图、西立面图。也可按轴线的编号来命名，如①～④立面图。对于比较简单房屋的立面图，可用正立面图、侧立面图等名称。此外，还可在平面图上标注各立面图的观看方向的箭头线，并用字母作编号，立面图的名称就以编号来命名，如 A 立面图、B 立面图等。当某些立面图相同时，立面图可省略不画，注明即可。

3）用途。建筑立面图是表示建筑物的体型和外貌的图样，并表明外墙装修要求。为此，立面图主要为室外装修用。

（2）立面图的主要内容

1）图名、比例。

2）立面两端的定位轴线及其编号。

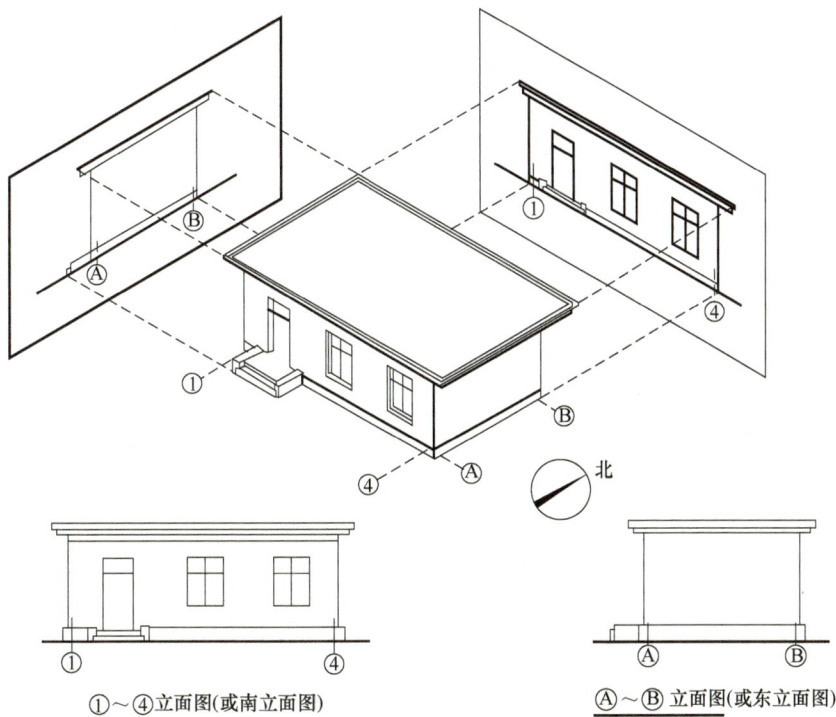

①~④立面图(或南立面图)　　　　　　　Ⓐ~Ⓑ立面图(或东立面图)

图　2-56

3）门窗的形状、位置及开启方向。

4）屋顶外形及可能有的水箱位置。

5）窗台、雨篷、阳台、台阶、雨水管、水斗、外墙面勒脚等的形状和位置，注明各部分的材料和外部装饰的做法。

6）标高及必须标注的局部尺寸。

7）详图索引符号。

8）施工说明等。

（3）立面图的图示内容

1）定位轴线。立面图中一般只画出两端的轴线及其编号，以便与平面图对照识读。

2）图线。一般立面图的外形轮廓线用粗实线表示；室外地面线用特粗实线（1.4b）绘制，阳台、雨篷、门窗洞、台阶、花坛等轮廓线用中粗实线表示；门窗扇及其分格线、雨水管、墙面引条线、有关说明引出线、尺寸线、尺寸界线和标高等均用细实线表示。

3）图例及符号。由于立面图的比例较小，所以门窗可按规定图例绘制。有时立面图中的阳台门和部分窗中画有斜的细线，那是门窗开启方向的符号。细实线表示外开，细虚线表示内开，开启线两条斜线的交点表示门窗转轴的位置。凡是门窗型号相同的，只要画其中一个就可以了，其余部分可只画出门窗洞轮廓线。

有关详图索引符号的要求与平面图相同。

4）尺寸标注。立面图上一般应在室外地面、室内地面，各层楼面、檐口、窗台、窗顶、雨篷底、阳台面等处注写标高，并宜沿高度方向注写各部分的高度尺寸。

137

5）其他规定。平面形状曲折的建筑物，可绘制展开立面图，圆形或多边形平面的建筑物，可分段展开绘制立面图，但均应在图名后加注"展开"二字。

（4）立面图的绘制步骤

第一步：将平面图复制到立面图中，作为辅助图形。

第二步：从平面图引出纵向辅助线。

第三步：画出室外地平线。

第四步：画出室内地坪线、楼面线、屋顶线、阳台位置线、窗户位置线和建筑物外轮廓线等各种定位辅助线。

第五步：画墙面细部，如阳台、窗台、楣线、门窗、墙面分格缝、壁柱、室外台阶、花池等。

第六步：绘制标高、首尾轴线，注写墙面装修说明文字、图名及比例等。

第七步：虚拟打印出图。

2. 技能训练

技能训练内容：查看建施-03、建施-04立面图，了解各户卫生间、厨房、客厅、卧室以及楼梯间的外窗和门的尺寸及其造型；了解屋脊造型、屋顶老虎窗、夹层窗户、露台、阳台及雨篷的尺寸和造型。查看①～⑧轴立面图，了解该住宅楼的层数，每层层高，室外地面标高，室内外高差，室外楼梯踏步高度；了解阳台的外轮廓线尺寸和高度，栏杆的材质；了解墙面的装修做法，分格线的位置；查看门窗表，了解推拉门的造型及尺寸；了解一、二层 C1 窗的造型、位置及尺寸。学习结果评价见表2-83。

表 2-83　学习结果评价——识读建筑立面图

序号	评价内容	评价标准				评价结果
		优秀 （91~100）	良好 （81~90）	一般 （71~80）	较差 （60~70）	
1	能根据规范要求，以小组为单位完成①～⑧轴立面图的识读					
2	培养团队合作的职业精神					

二、能完成建筑立面图的绘图准备

1. 基础知识

（1）"三面投影"规律

"长对正、高平齐、宽相等"是三面投影图的特点，是画图必须遵循的投影规律，建筑施工图的绘制也必须符合这条规律，如图2-57所示。绘制建筑立面图，可将平面图作为绘制立面图的辅助图形。先从平面图画竖直投影线将建筑物的主要特征投影到立面图，然后绘制立面图的各部分细节。

（2）"构造线"命令

"构造线"命令用无限长直线所通过的两点定义构造线的位置，可以创建无限长的构造线，对于创建构造线和参照线以及修剪边界十分有用。

执行"构造线"命令（xline，简写"xl"）有以下两种途径：

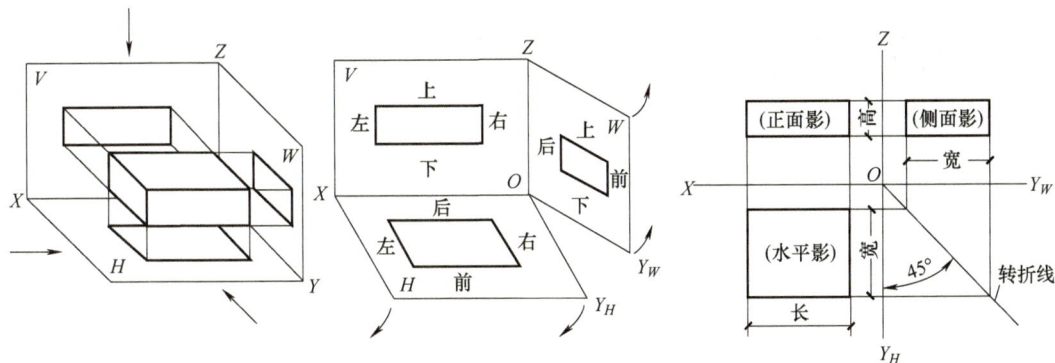

图 2-57

1）单击菜单"绘图"→"构造线"

2）在命令窗口中输入"xl"（xline）。

命令：_xline

指定点或［水平（H）/垂直（V）/角度（A）/二等分（B）/偏移（O）］：

指定通过点：

2. 操作过程

（1）创建建筑立面图的绘图文件

新建文件，弹出"选择样板"对话框，单击"建筑施工图样板 .dwt"，将文件保存为"建筑立面图 .dwg"。

（2）设置建筑立面图中的图层

根据建筑施工图的特点，在命令行中输入"layer"（简写"la"），弹出"图层特性管理器"，创建"辅助平面""辅助线""轴线编号""立面外轮廓线""墙面分格线""地坪线""文字说明""符号""屋顶轮廓""填充图案""阳台栏杆""门窗""台阶"图层。每个图层都应设定相应的颜色，要求颜色清晰、主次分明，颜色设置不宜过多。图层设置见表 2-84。

表 2-84 建筑立面图图层设置

图层名称	颜色	线型	线宽 /mm
辅助平面	7	连续	默认
辅助线	红色	连续	默认
立面外轮廓线	181	连续	0.5
墙面分格线	134	连续	0.15
地坪线	7	连续	0.7
文字	7	连续	默认
尺寸、标高、轴号	3	连续	0.25
填充图案	251	连续	默认
阳台栏杆	8	连续	0.25

（续）

图层名称	颜色	线型	线宽 /mm
门窗	33	连续	0.25
可见线	7	连续	0.2
台阶	2	连续	0.25

（3）垂直辅助线的绘制

垂直辅助线的绘制见表 2-85。

表 2-85　绘制垂直辅助线

序号	操作步骤	结果
1	打开"建筑平面图.dwg"，关闭除"墙体""楼梯"和"门窗"以外的图层，修改为"0"图层	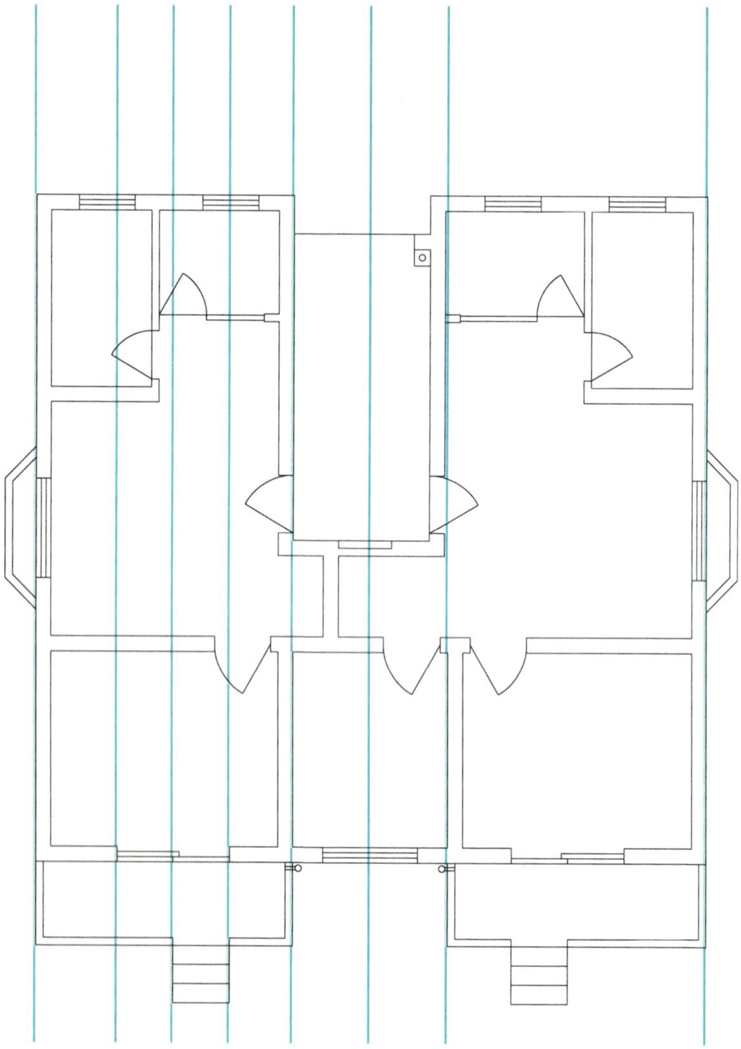
2	将修改后的平面图复制粘贴到"建筑立面图.dwg"中，再将其修改为"辅助平面"图层	
3	切换"辅助线"为当前图层，利用"构造线"命令绘制垂直辅助线，如右图所示	

3. 技能训练

技能训练内容：完成①～⑧轴立面图的绘图准备。学习结果评价见表 2-86。

表 2-86　学习结果评价——建筑立面图的绘图准备

序号	评价内容	评价标准				评价结果
		优秀 （91~100）	良好 （81~90）	一般 （71~80）	较差 （60~70）	
1	能根据绘图要求完成①~⑧轴立面图的绘图准备					
2	培养学生精益求精的工程师素质					

三、能绘制 C1 窗正立面图

1. 图纸尺寸分析

通过查看图纸，了解到 C1 窗详图在建施 -3 中，窗为弧形窗，窗宽 1500mm，窗总高 1500mm，上方弧形窗高为 500mm，下方窗高为 1000mm。窗台外挑宽度为 120mm、60mm，外挑长度为 100mm，未注明窗框宽度，以 60mm 宽进行绘制。

C1窗正立面的绘制

2. 操作步骤

C1 窗的具体绘制步骤见表 2-87。

表 2-87　C1 窗的绘制

序号	操作步骤	结果
1	执行"矩形"命令，输入"@1500，1000"，如右图所示	
2	利用"偏移"命令，将矩形向内偏移 60，如右图所示	
3	执行"分解"命令，将两个矩形进行分解，删除多余直线 AB。继续绘制连接中点的直线 CD 和长度为 500 的辅助直线 DE，如右图所示	

（续）

序号	操作步骤	结果
4	执行"延伸"命令，将直线 FA、GB 向上延伸，如右图所示	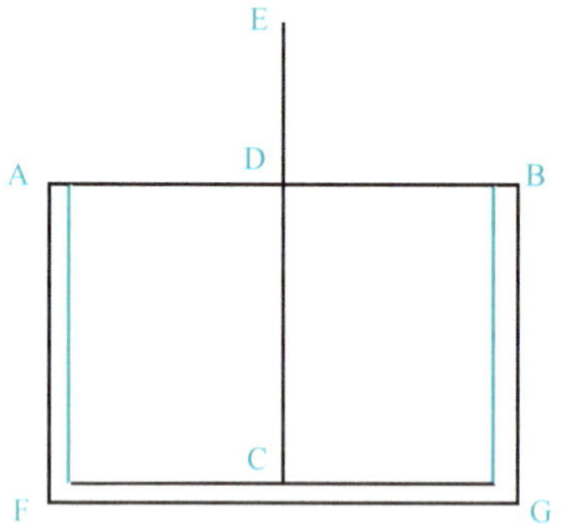
5	利用"直线"命令，以 E 点为起点，向下绘制长度为 60 的辅助线 EH。利用"三点"绘制圆弧，如右图所示	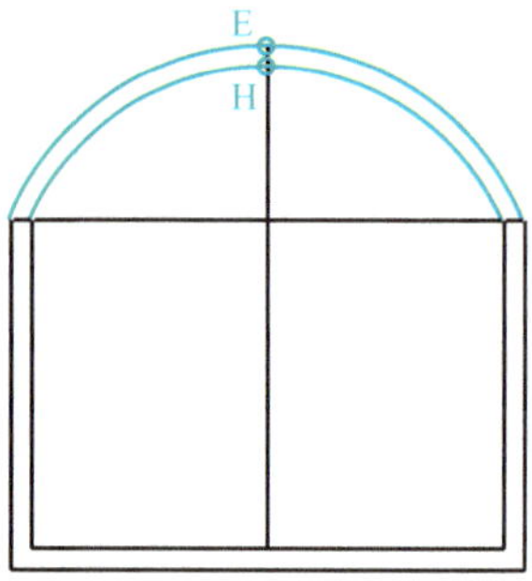
6	执行"修剪""删除"命令，删除多余直线，如右图所示	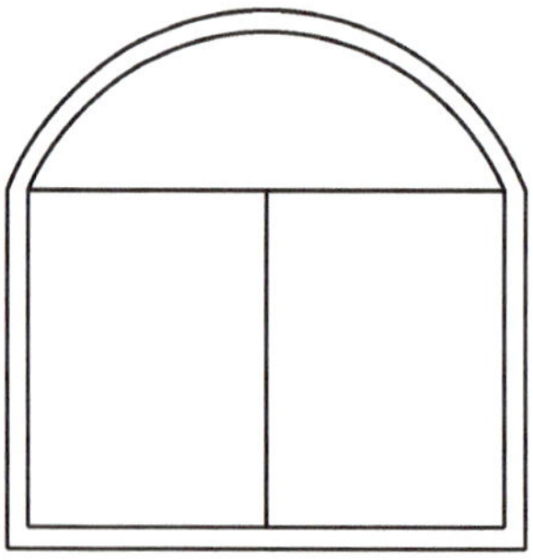
7	执行"偏移"命令，将直线 IJ 向下偏移 120、60，如右图所示	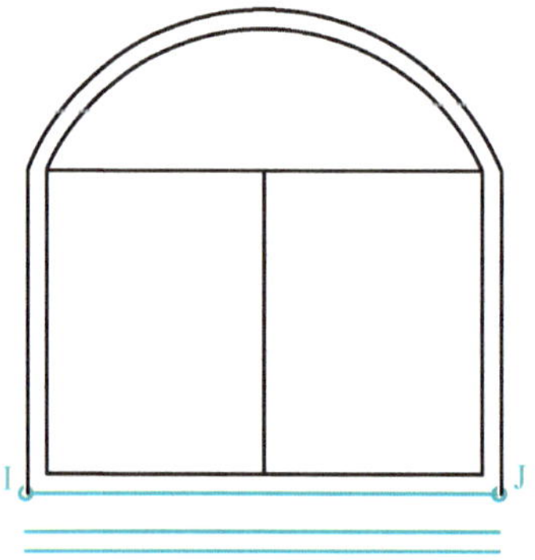

（续）

序号	操作步骤	结果
8	执行"多段线"线命令，以 J 点为起点，输入"@100，0""@0，−120""@−100，0"，如右图所示	
9	利用"镜像"命令，将窗台外挑部分进行镜像，完成 C1 窗的绘制，如右图所示	
10	执行"直线"命令，绘制水平辅助直线。执行"偏移"命令，将水平直线向上偏移 1500、3000、3000、3000。将绘制的 C1 窗修改至"门窗"图层，以"k 点"为基点，复制到合适位置，如右图所示	

3. 技能训练

技能训练内容：完成 C1 窗正立面图的绘制，学习结果评价见表 2-88。

表 2-88　学习结果评价——绘制 C1 窗正立面

序号	评价内容	评价标准				评价结果
		优秀（91~100）	良好（81~90）	一般（71~80）	较差（60~70）	
1	能根据绘图要求完成 C1 窗正立面图的绘制					
2	养成独立学习新知识、新技能的能力					

四、能绘制阳台正立面图

1. 基础知识

（1）"点"命令

"点"命令分为"单点"和"多点"，一般不单独使用，常用于线上点的标定。

执行"点"命令（Point，简写"PO"）有以下两种途径：

1）显示状态栏，打开"绘图"→"点"→"单点"或"多点"。

2）在命令窗口中输入"PO"（Point）。

（2）点样式的设置

执行"点样式"（Ptype）命令有以下两种途径：

1）打开"实用工具"→"点样式"，如图 2-58a 所示。

2）在命令窗口中输入"Ptype"，弹出"点样式"对话框，如图 2-58b 所示。

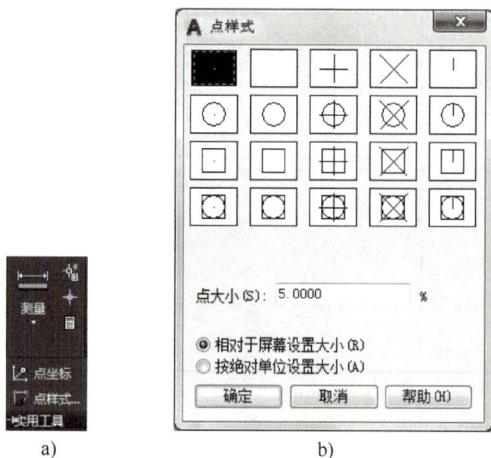

a)　　　　　　　　b)

图　2-58

（3）定数等分点和定距等分点的使用

定数等分（Divide，简写"Div"）：在对象上绘制指定数目的等分点。

定距等分（Measure，简写"Me"）：在对象上绘制指定间距的等分点。

操作提示：

1）点一般不用删除，如果不需要显示，可设置点样式为"空"。

2）点的捕捉类型为"节点"。

3）定距等分操作在选择对象时，单击直线位置的不同，等分的效果也不一样。如将长度 2500 的直线分别进行定距等分，等分距离为 600，如图 2-59 所示。

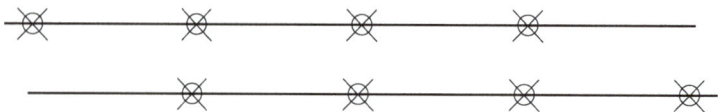

图　2-59

2. 图纸尺寸分析

通过查看一层平面图可知，阳台的外轮廓线尺寸为 3900mm+120mm+120mm，总计 4140mm，因此阳台正立面图的长度为 4140mm。

通过分析阳台大样图，了解到阳台的高度为 950mm+400mm+300mm。

通过分析①～⑧轴立面图可知，最底部为室外地坪线 -0.600m，室内地坪为 ±0.000m，共 4 层有阳台，1~3 层每层层高 3m，4 层层高 2.8m，首层阳台无下部造型，4 层阳台无上部造型。

3. 操作步骤

我们以建筑立面图上的阳台正立面图为依据，参考阳台大样图的细部尺寸进行绘制，其具体操作步骤见表 2-89。

表 2-89　阳台正立面图的绘制

序号	操作步骤	结果
1	执行"直线"命令，绘制长度为 4140 的直线。执行"偏移"命令，将直线 AB 向下偏移，偏移距离设置为 120、120、590、120、400、300，如右图所示	
2	继续绘制直线 AC、BD，如右图所示	
3	打开"格式"→"点样式"，修改成合适的点样式。执行"绘图"→"点"→"定数等分"，选择直线 EF，输入线段数目为"16"，如右图所示	
4	执行"直线"命令，以节点 G 为起点，绘制垂线，如右图所示	

（续）

序号	操作步骤	结果
5	执行"直线"命令，利用"两点之间的中点"绘制位于直线 EG 之间的等分垂线，如右图所示	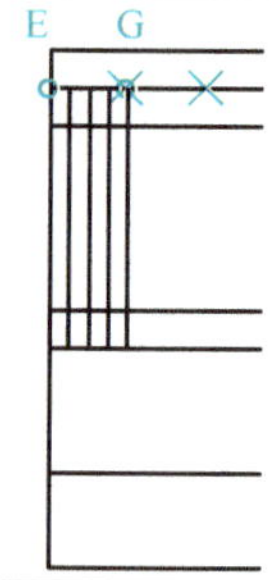
6	利用 H、I 两点绘制圆，如右图所示	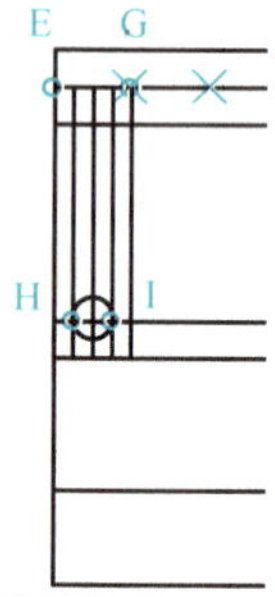
7	执行"移动"命令，选择圆，输入"@0，65"，如右图所示	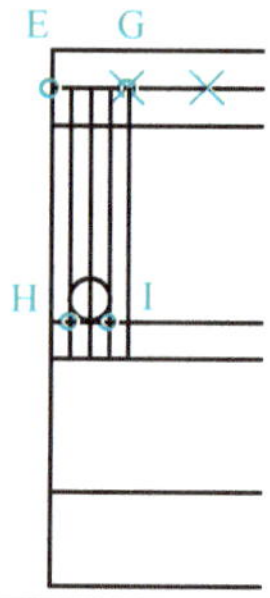
8	继续利用"复制"命令，将圆复制到合适位置，如右图所示	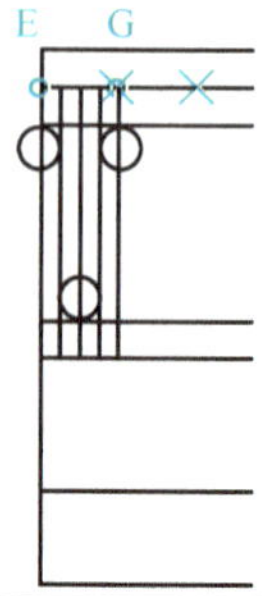
9	执行"修剪"命令，修剪多余部分，如右图所示	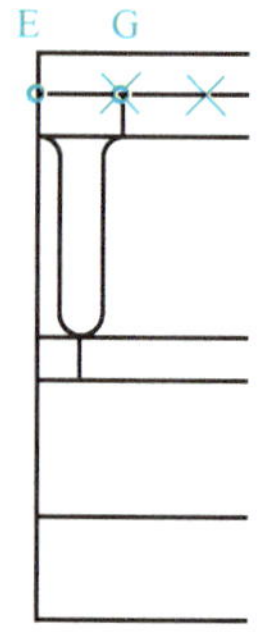

（续）

序号	操作步骤	结果
10	执行"复制"命令，选择绘制的栏杆图案，以 G 点为基点，第二个点选择各个节点，如右图所示	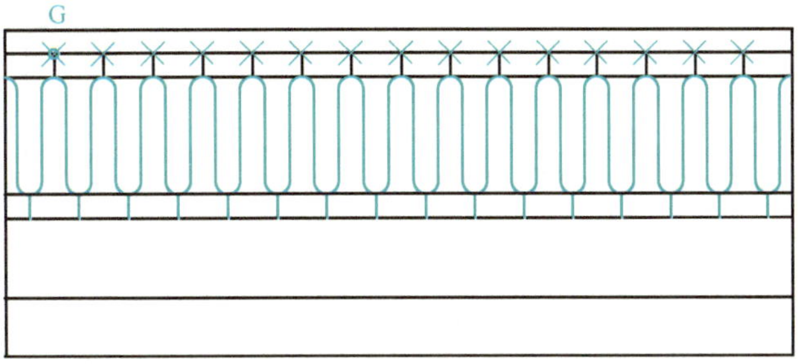
11	将多余直线删除，并将"点样式"设置为默认样式，如右图所示	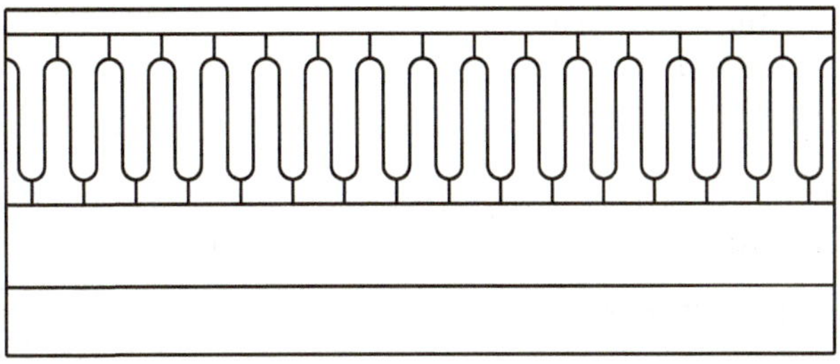
12	以 C、J、D 三点绘制圆弧。执行"偏移"命令，设置距离为 60，将圆弧向下偏移，如右图所示	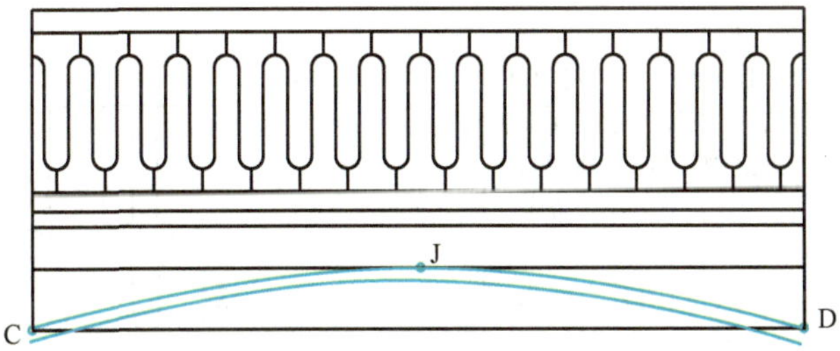
13	执行"直线"命令，以 K 点为第一点，绘制长度为 300 的直线。执行"偏移"命令，将直线向右偏移，设置距离为 60、60、60、120、120、120，如右图所示	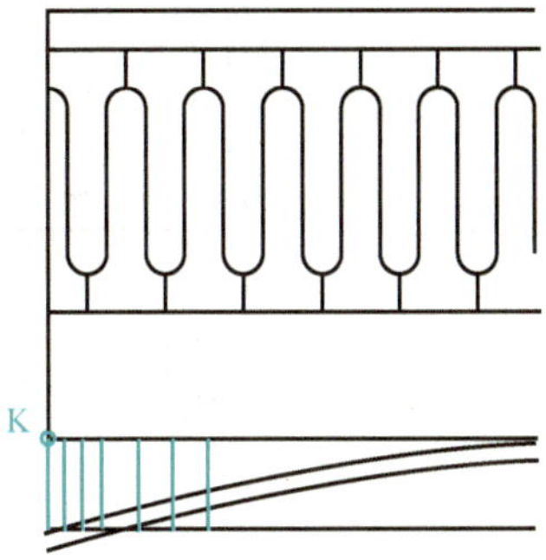

（续）

序号	操作步骤	结果
14	执行"删除""修剪"命令，修剪多余直线，如右图所示	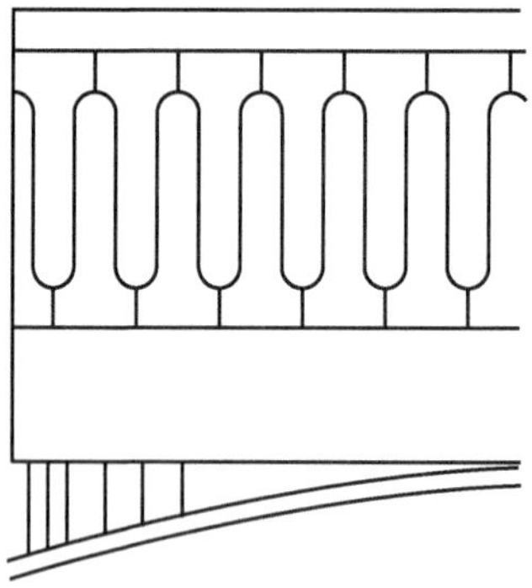
15	绘制半径为 60 的圆，将其移动到合适位置，如右图所示	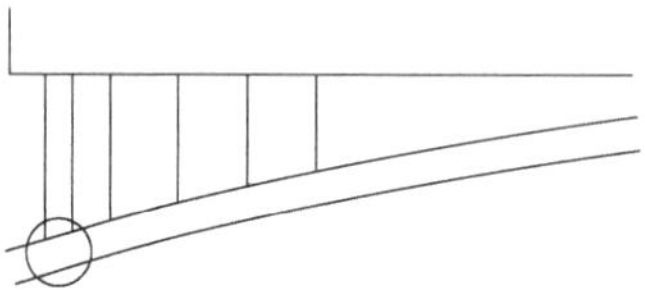
16	执行"修剪"命令，绘制图形，如右图所示	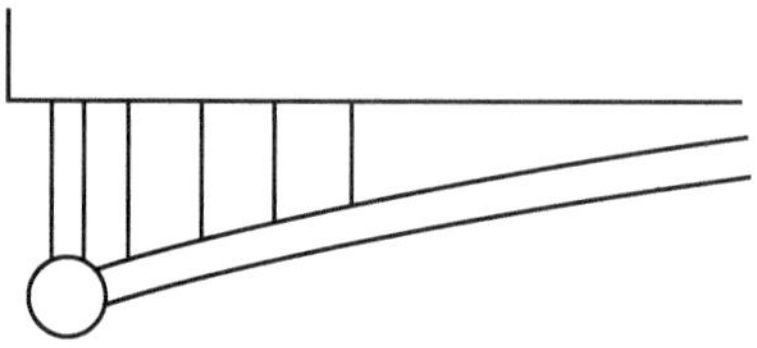
17	打开"极轴追踪""对象捕捉追踪"和"对象捕捉"，在直线的延长线上，继续绘制长度为 100 的直线。利用"圆角"命令，按住 <Shift> 键不放，将两平行直线闭合为圆弧，如右图所示	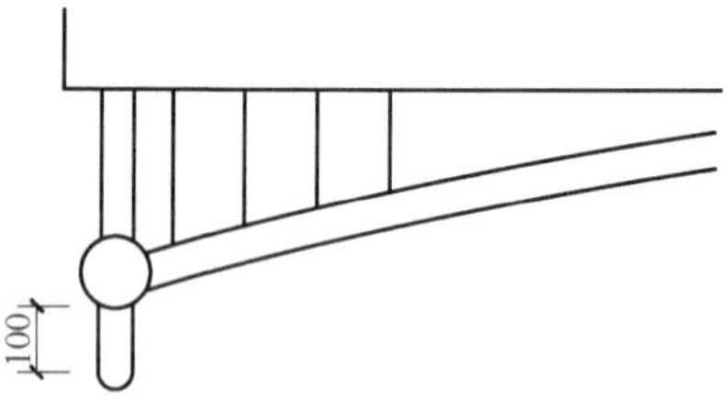
18	执行"镜像"命令，将左侧图形进行镜像操作。利用"修剪"命令，完成阳台正立面图的绘制，如右图所示	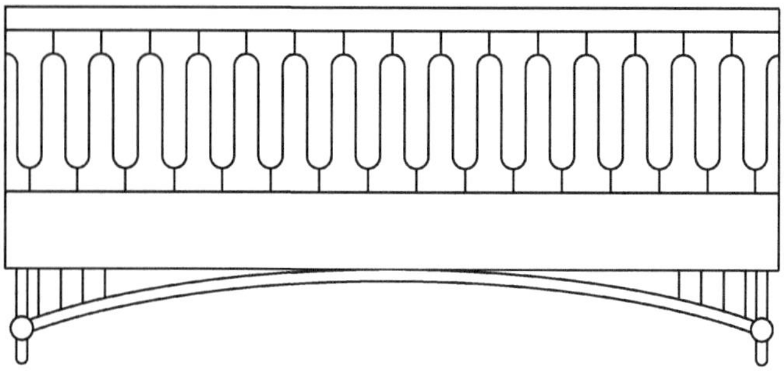

（续）

序号	操作步骤	结果
19	执行"偏移"命令，将标高 –0.600 水平辅助线向上偏移 600、3000、3000、3000、2400。将绘制的阳台正立面图修改至"阳台栏杆"图层，以 L 点为基点，复制到合适位置，删除多余部分，如右图所示	

4. 技能训练

技能训练内容：完成阳台正立面的绘制。学习结果评价见表 2-90。

表 2-90　学习结果评价——绘制阳台正立面图

序号	评价内容	评价标准				评价结果
		优秀（91~100）	良好（81~90）	一般（71~80）	较差（60~70）	
1	能根据绘图要求完成阳台正立面的绘制					
2	养成独立学习新知识、新技能的能力					

五、能绘制 C2 窗侧立面图

1. 图纸尺寸分析

通过分析 B—B 大样图可知，C2 窗洞净高为 1500mm，上窗台板高度为 120mm+60mm，下窗台板高度为 100mm+120mm+60mm，C2 窗侧立面图中，外净高应为 1960mm，上下栏杆高为 300mm。

C2 窗侧立面图的绘制

2. 操作步骤

绘制 C2 窗侧立面图的具体操作步骤见表 2-91。

表 2-91　C2 窗侧立面图的绘制

序号	操作步骤	结果
1	执行"直线"命令，利用坐标输入法，在屏幕上任意单击作为第一点，输入"@0，1960""@-500，0""@0，-120""@500，0""@0，-60""@-400，0""@0，60"，如右图所示	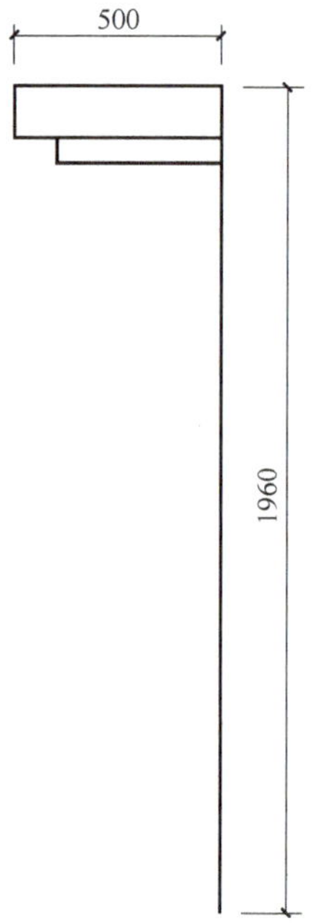
2	继续利用"直线"命令，以 A 点为第一点，输入"@0，-300"，绘制直线 AB。执行"圆弧"命令，以 B 点为起点，C 点为端点，采用"起点、端点、方向"绘制圆弧，如右图所示	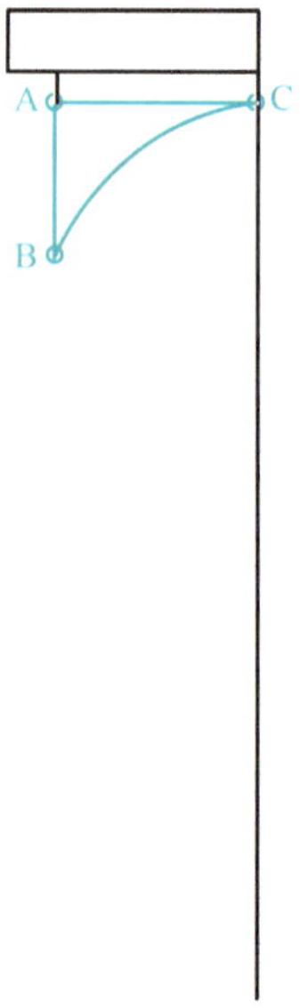

（续）

序号	操作步骤	结果
3	利用"直线"命令，以直线 AC 的中点为第一点绘制与圆弧垂直相交的直线。执行"圆"命令，以 B 点为圆心绘制半径为 40 的圆，如右图所示	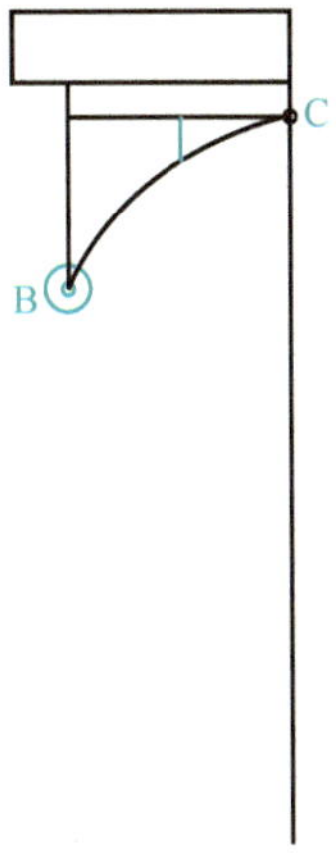
4	执行"移动"命令，将圆向上移动到合适位置；利用"修剪"命令，修剪多余部分，如右图所示	
5	执行直线命令，以 D 点为第一点，输入"@-400，0""@0，60""@400，0""@0，220""@-500，0""@0，-220""@0，100，"，如右图所示	

（续）

序号	操作步骤	结果
6	执行"偏移"命令，设置偏移距离为30，将直线 EF 向右偏移 30。执行"直线"命令，以 G 点为第一点，输入"@0，300""@0，470"，如右图所示	
7	删除多余直线。执行"偏移"命令，将直线 HG 向右偏移 60、120、120，将直线 HI 向下偏移 60，如右图所示	

（续）

序号	操作步骤	结果
8	利用"修剪"命令，修剪多余直线。执行"复制"命令，将圆复制到合适位置，完成 C2 窗侧立面图的绘制，如右图所示	
9	执行"偏移"命令，将 ±0.000 标高处水平直线向上偏移 900、3000、3000、3000、1500。将绘制的 C2 窗侧立面图修改至"门窗"图层，以 J 点为基点，复制到合适位置，如右图所示	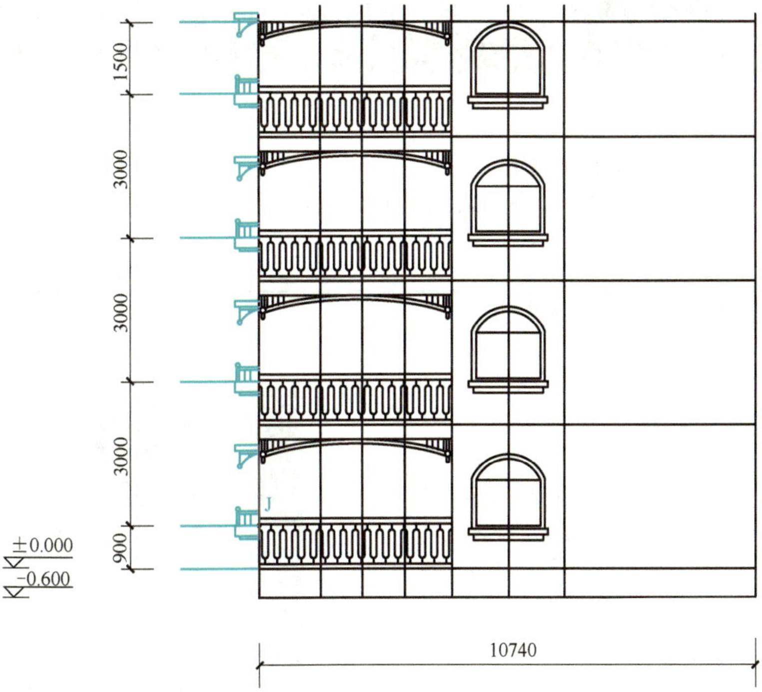

3. 技能训练

技能训练内容：完成 C2 窗侧立面图的绘制。学习结果评价见表 2-92。

表 2-92　学习结果评价——绘制 C2 窗侧立面图

序号	评价内容	评价标准				评价结果
		优秀 （91~100）	良好 （81~90）	一般 （71~80）	较差 （60~70）	
1	能根据绘图要求完成 C2 窗侧立面图的绘制					
2	养成独立学习新知识、新技能的能力					

六、能绘制 C6 窗正立面图、屋顶及立面轮廓线

1. 基础知识

（1）图案填充

"图案填充"命令可以使用填充图案、实体填充或渐变填充来填充封闭区域或选定对象。

执行"图案填充"（Hatch，简写"H"）有以下两种途径：

1）单击绘图工具栏上"图案填充"按钮 。

2）在命令窗口中输入"H"（Hatch），弹出"图案填充创建"对话框，设置各项参数，如图 2-60 所示。

图　2-60

（2）图案填充编辑

图案填充编辑具体操作过程见表 2-93。

表 2-93　图案填充编辑

序号	操作方法	结果
1	双击填充的图案可打开"图案填充编辑"对话框，编辑相关数据，如右图所示	

（续）

序号	操作方法	结果
2	选择填充的图案，右击，弹出"图案填充编辑"对话框，编辑相关数据，如右图所示	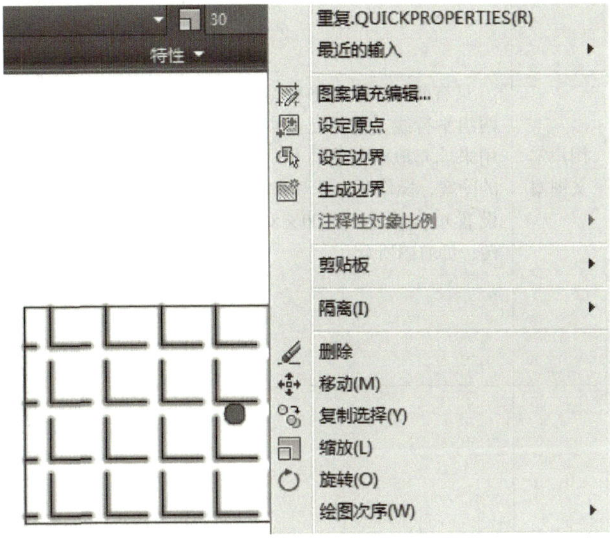

（3）图案填充类型及常用图例

1）图案填充类型。图案填充的类型包括预定义、用户定义和自定义，见表 2-94。

表 2-94　图案填充的类型

序号	类型	内容	结果
1	预定义图案	选择"预定义"图案填充类型，单击"图案"后  ANGLE，弹出"填充图案选项板"，即可选择需要的图案，如右图所示	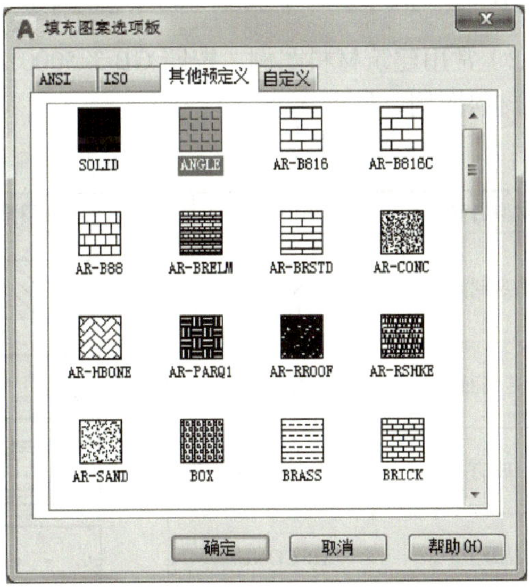

（续）

序号	类型	内容	结果
2	用户定义图案	只有两种，一种平行线，一种两组平行线，并相互垂直。可以用来填充地面砖等具有一定尺寸的图案，操作时打开"双向"。如设置填充图案为800×800的地砖，如右图所示	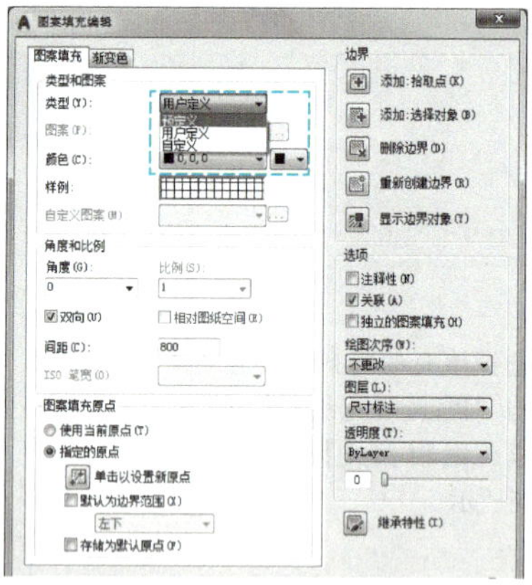
3	自定义图案	可以手动添加填充图案，一般不进行设置，默认情况下该选项卡为空白	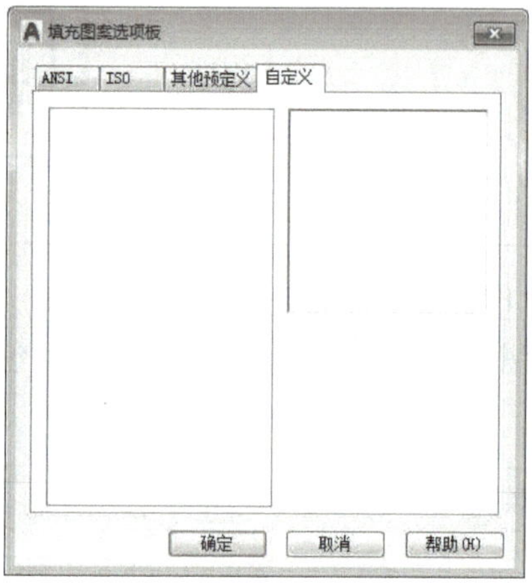

2）常用建筑材料图例。按照 GB/T 50001—2017《房屋建筑制图统一标准》列出了常用建筑材料图例，见表2-95。

表2-95　常用建筑材料图例

材料名称	CAD中图例代号	填充图案造型	备注
墙身剖面	ANSI31	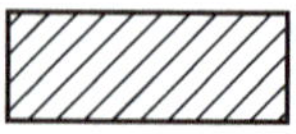	1. 适应于砌体、砌块砖墙剖面 2. 断面较窄，不易画出图案时，可以涂红表示
砖墙面	AR-BRELM	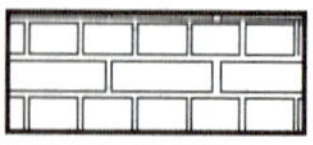	
玻璃	AR-RROOF	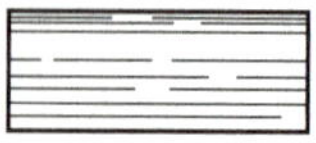	包括平板玻璃、磨砂玻璃、夹丝玻璃、钢化玻璃等
混凝土	AR-CONC	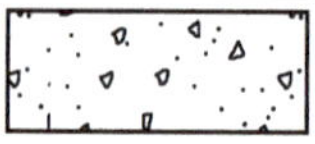	1. 适应于能承重的混凝土及钢筋混凝土 2. 包括各种强度等级、骨料、添加剂的混凝土
钢筋混凝土	ANSI31+ AR-CONC	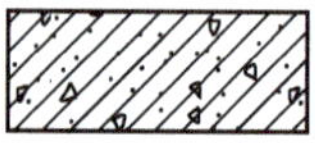	3. 断面较窄，不易画出图案时，可以涂黑表示

（续）

材料名称	CAD 中图例代号	填充图案造型	备注
多孔材料	ANSI37		包括水泥珍珠岩、沥青珍珠岩、泡沫混凝土、非承重加气混凝土、泡沫塑料等
灰、沙土	AR-SAND		靠近轮廓线的点较密
木地板地面	DOLMIT		
瓷砖地面	ANGLE		

（4）图案填充边界

图案填充边界：可以创建、添加及删除边界，如图 2-61 所示。图案填充边界的内容及说明见表 2-96。

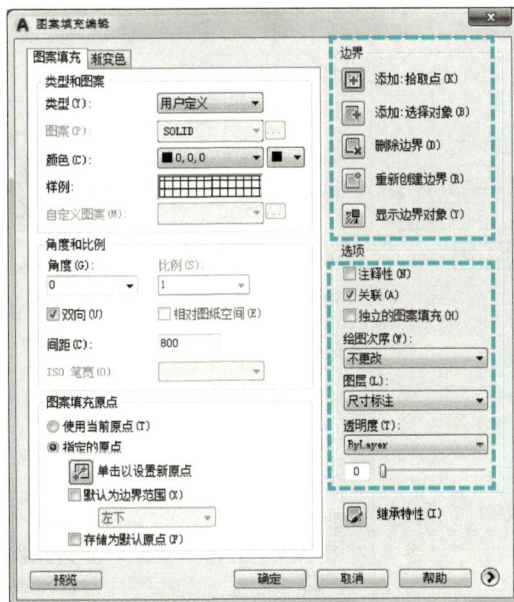

图 2-61

表 2-96　图案填充边界

序号	内容	说明
1	添加：拾取点（K）	根据围绕指定点构成封闭区域的现有对象来确定边界
2	添加：选择对象（B）	根据构成封闭区域的选定对象确定边界
3	删除边界（D）	从边界定义中删除任何先前添加的对象
4	重新创建边界（R）	围绕选定的图案填充创建多段线或面域，并（可选）将图案填充对象与其关联
5	显示边界对象（Y）	亮显定义关联图案填充、实体填充或渐变填充的边界的对象

（5）创建关联图案填充

"关联"状态下，边界修改后，图案随边界更新，如图 2-62a 所示。反之，图案不随边界更新，如图 2-62b 所示。

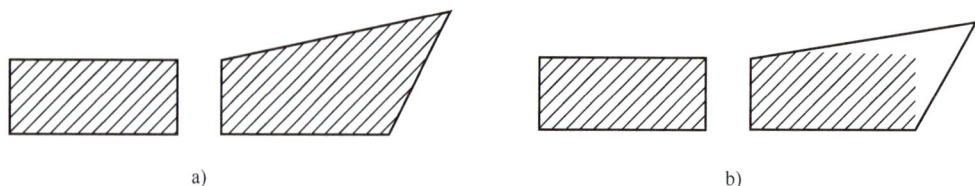

a)   b)

图　2-62

（6）"孤岛"设置

打开"图案填充编辑"对话框，单击对话框右下角的展开按钮，"孤岛"显示样式包括"普通"样式、"外部"样式和"忽略"样式三种，如图 2-63 所示。

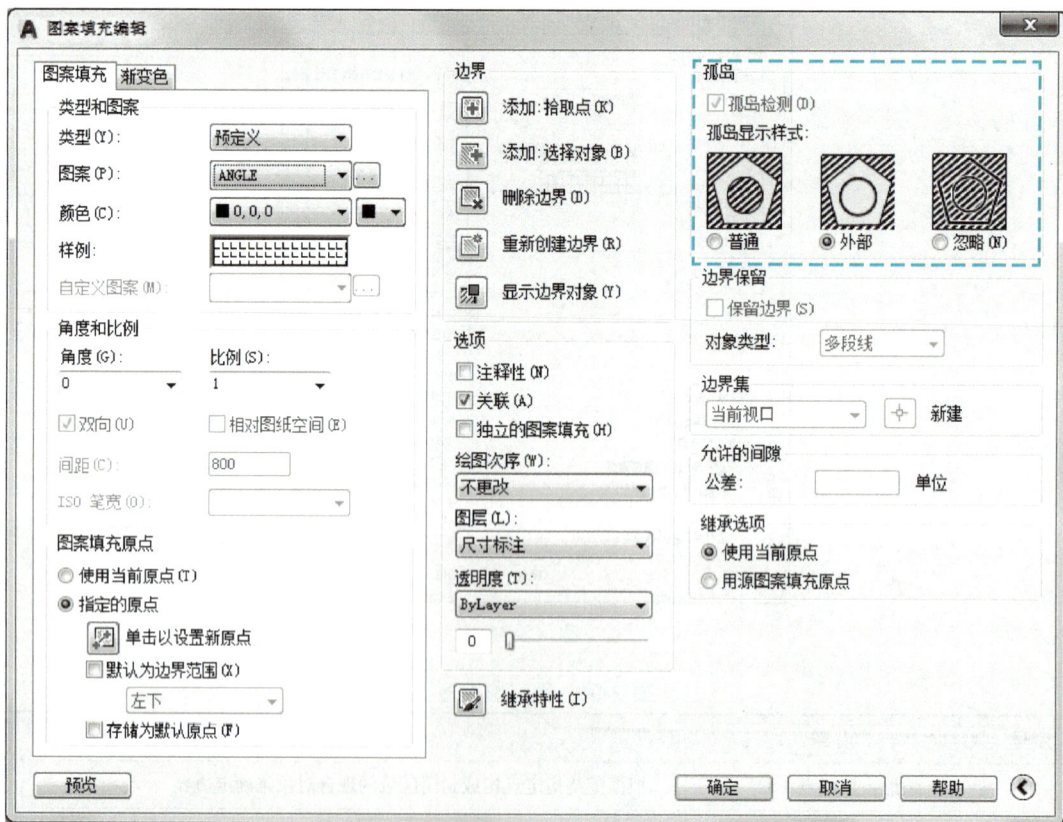

图　2-63

（7）渐变色

打开"图案填充编辑"对话框，单击"渐变色"选项卡，其操作与图案填充类似，如图 2-64 所示。

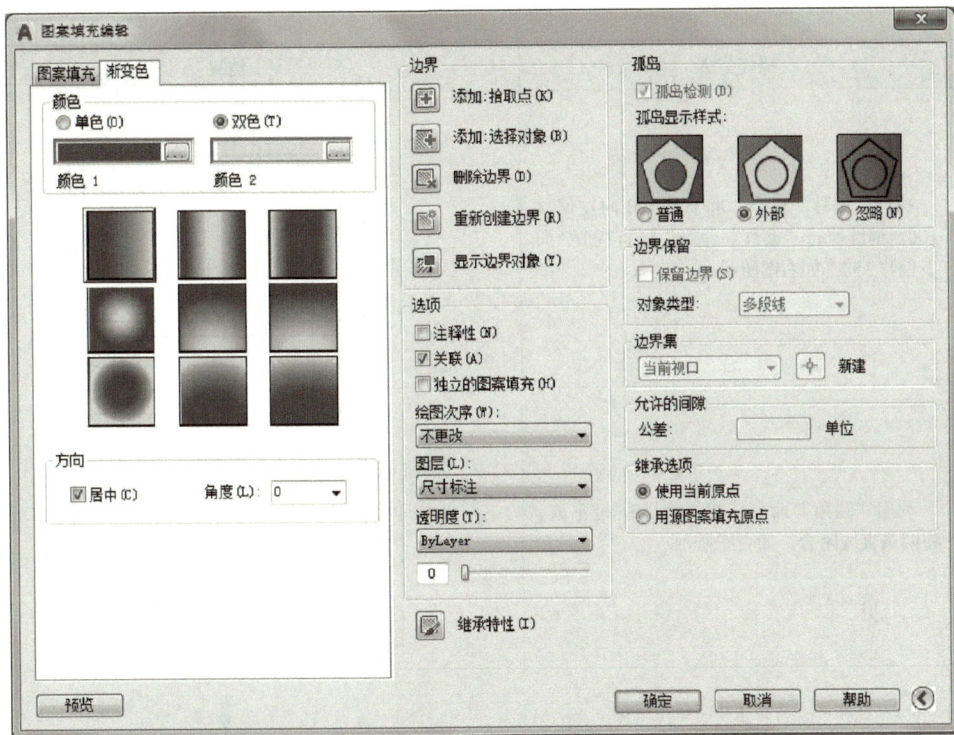

图　2-64

操作提示：

1）图案填充命令使用时，要求被填充的对象必须封闭，否则无法正常执行。

2）对于复杂图形，边界使用"添加：选择对象"更合适。

3）填充图案后尽量不要分解，以便于后期编辑。

C6窗正立面图
的绘制

2. 操作步骤

C6 窗正立面图的绘制见表 2-97，屋顶与外立面轮廓线的绘制见表 2-98。

表 2-97　C6 窗正立面图的绘制

序号	操作步骤	结果
1	利用"矩形"命令，在屏幕上任意单击某一点作为第一个角点，输入"@1500，900"。执行"偏移"命令，设置偏移距离为60，将矩形向内偏移。执行"分解"命令，将矩形进行分解，如右图所示	900　1500

（续）

序号	操作步骤	结果
2	执行"偏移"命令，将直线 AB 向左偏移 100。继续执行"偏移"命令，将直线 BC 向下偏移 150，如右图所示	
3	利用"圆角"命令，按住 <shift> 键不放，将两条直线闭合，如右图所示	
4	执行"直线"命令，以直线中点 D 作为第一点，输入"@0，1590"，继续绘制直线 EF，如右图所示	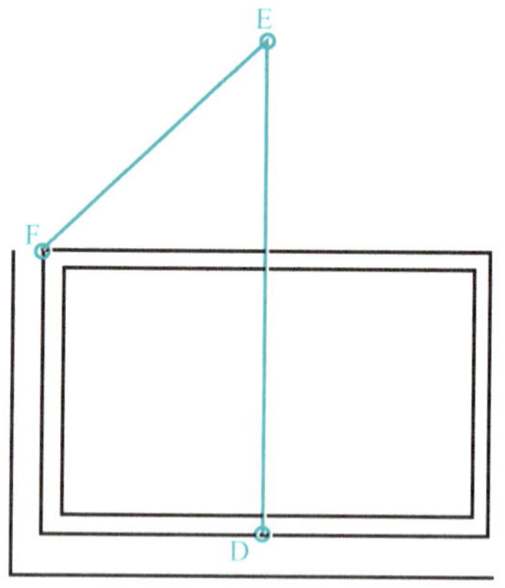
5	执行"偏移"命令，将直线 EF 向下偏移 60，向上偏移 100。继续执行"偏移"命令，将直线 GH 向左偏移 200，绘制直线 G′H′ 如右图所示	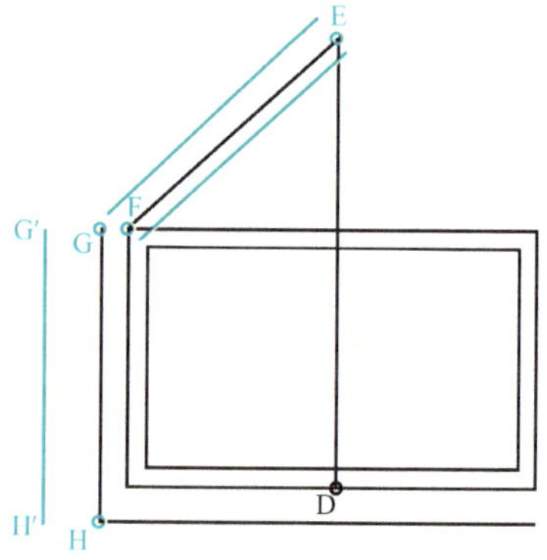

（续）

序号	操作步骤	结果
6	执行"延伸"命令，将直线 EF、E′F′ 分别延伸至直线 G′H′，如右图所示	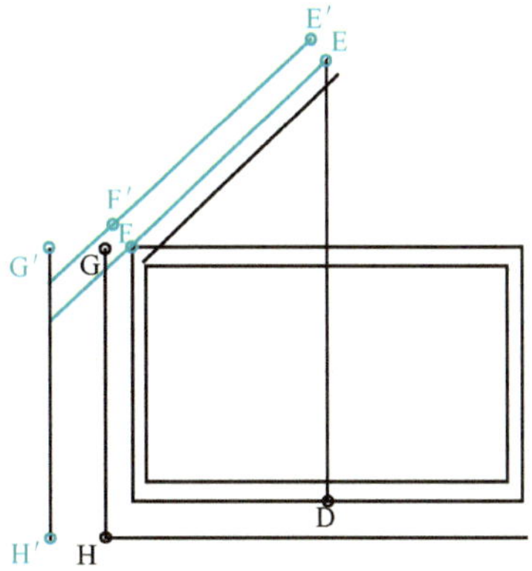
7	执行"直线"命令，以 M 点作为第一点，绘制与直线 EN 垂直相交的直线，继续绘制水平直线，如右图所示	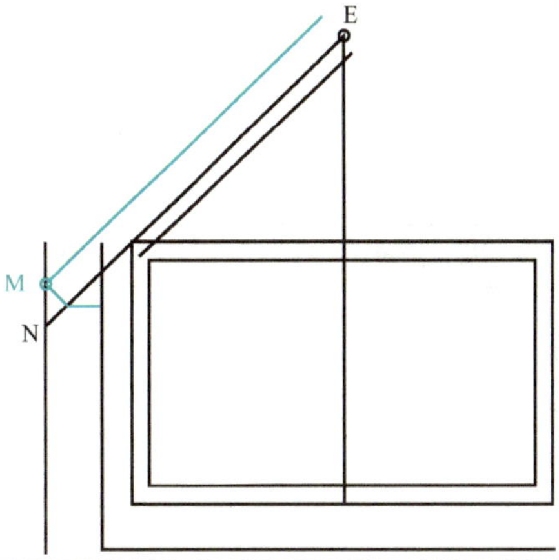
8	执行"修剪""删除"命令，删除多余直线，如右图所示	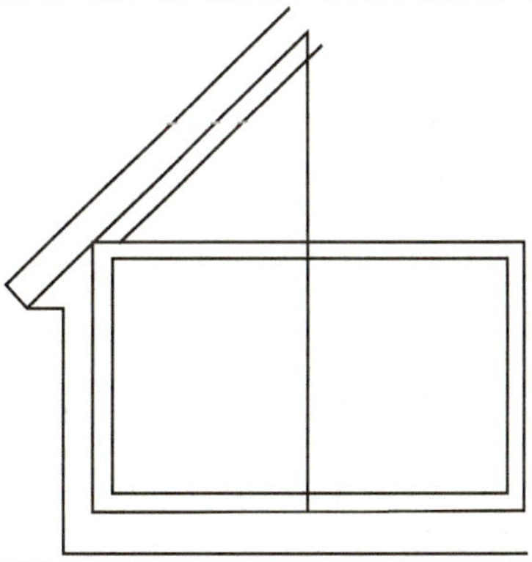
9	执行"镜像"命令，绘制图形，如右图所示	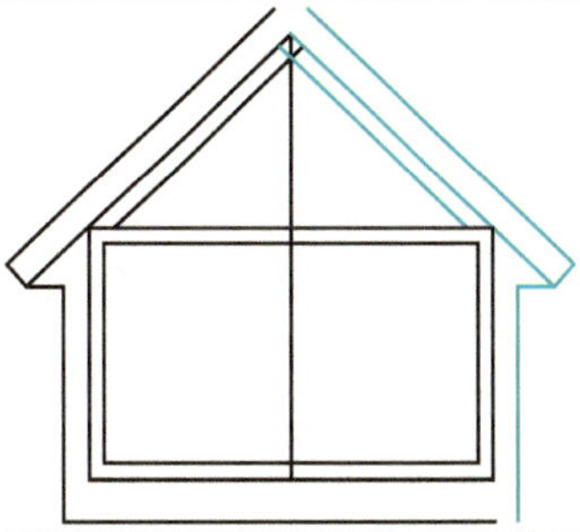

（续）

序号	操作步骤	结果
10	利用"圆角"命令，按住 <shift> 键不放，将直线闭合，删除多余线条，完成 C6 窗的绘制，如右图所示	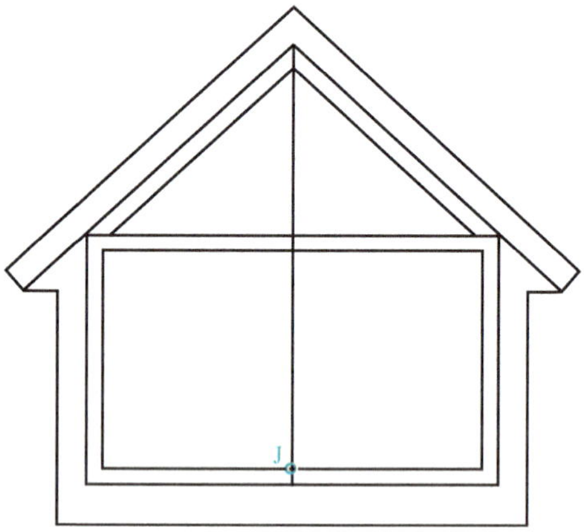

表 2-98　屋顶与外立面轮廓线的绘制

序号	操作步骤	结果
1	将 ±0.000 标高处水平直线向上偏移 13120，再次将 ±0.000 标高处水平直线向上偏移 17020。将标高 11.4m 处水平直线向上偏移 200、100、200、100，修改至"可见线"图层，如右图所示	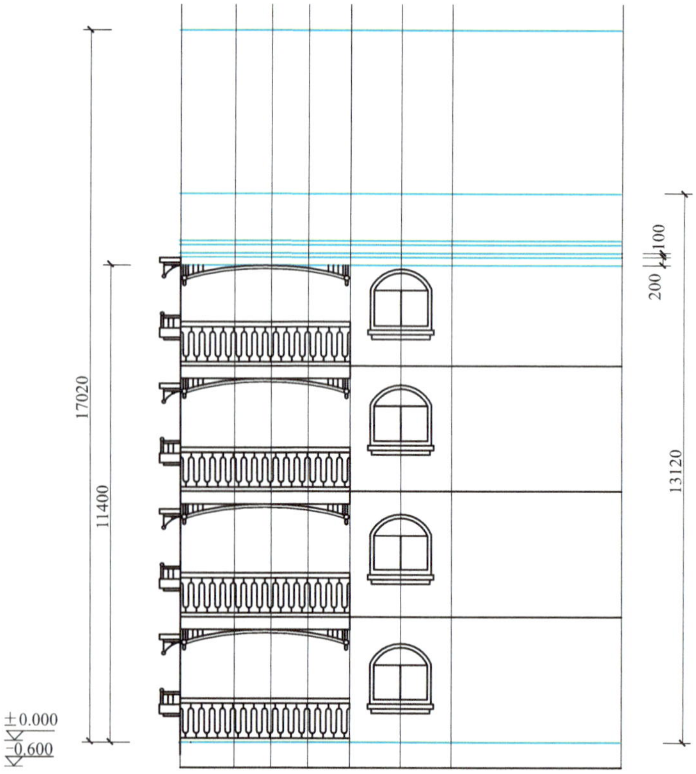

（续）

序号	操作步骤	结果
2	将"可见线"图层置为当前，利用"直线"命令，沿辅助线绘制阳台上板，厚度100，突出阳台的立面轮廓100。继续利用"直线""延伸"命令，绘制挑檐及屋面外轮廓线，如右图所示	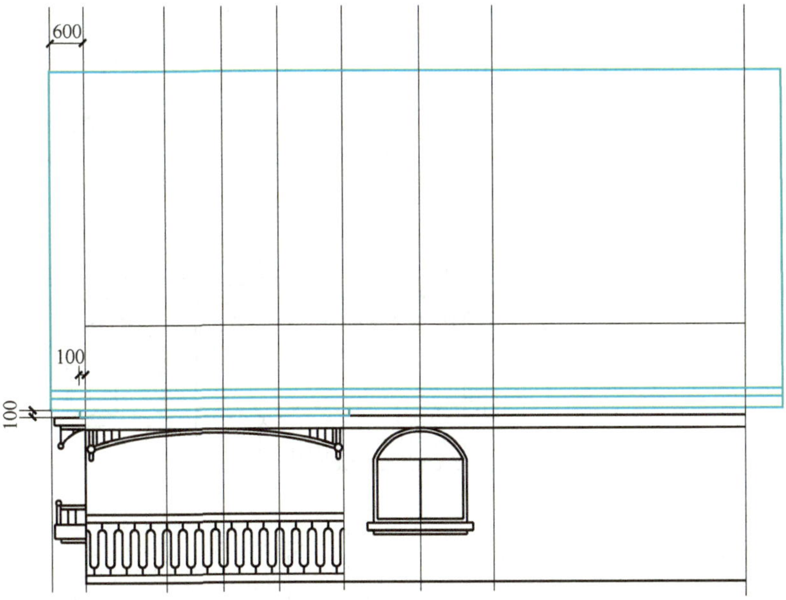
3	将绘制的 C6 窗正立面图修改至"门窗"图层，其外轮廓修改至"立面外轮廓线"图层，以 J 点为基点进行复制，如右图所示	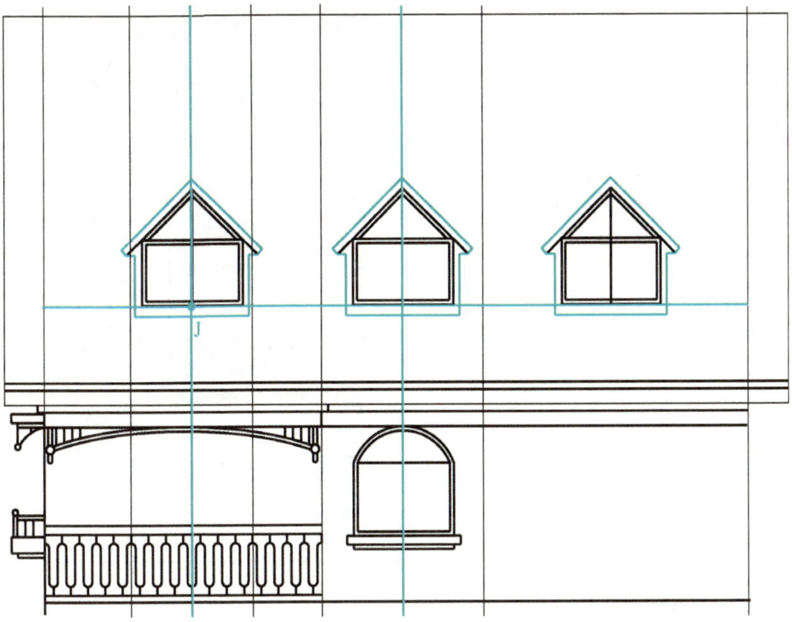

（续）

序号	操作步骤	结果
4	关闭"辅助线"图层，将"填充图案"图层置为当前。执行"图案填充"命令，选择"预定义"→STEEL"，角度设置为45°，比例设置为150，对屋顶部分进行图案填充，如右图所示	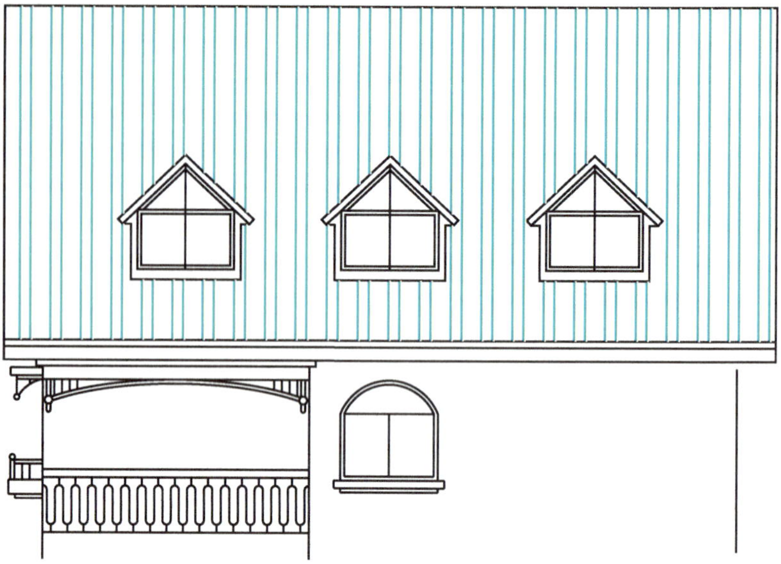
5	打开"地坪线"图层，绘制地坪线。将"立面外轮廓线"图层置为当前，绘制墙体外轮廓线，如右图所示	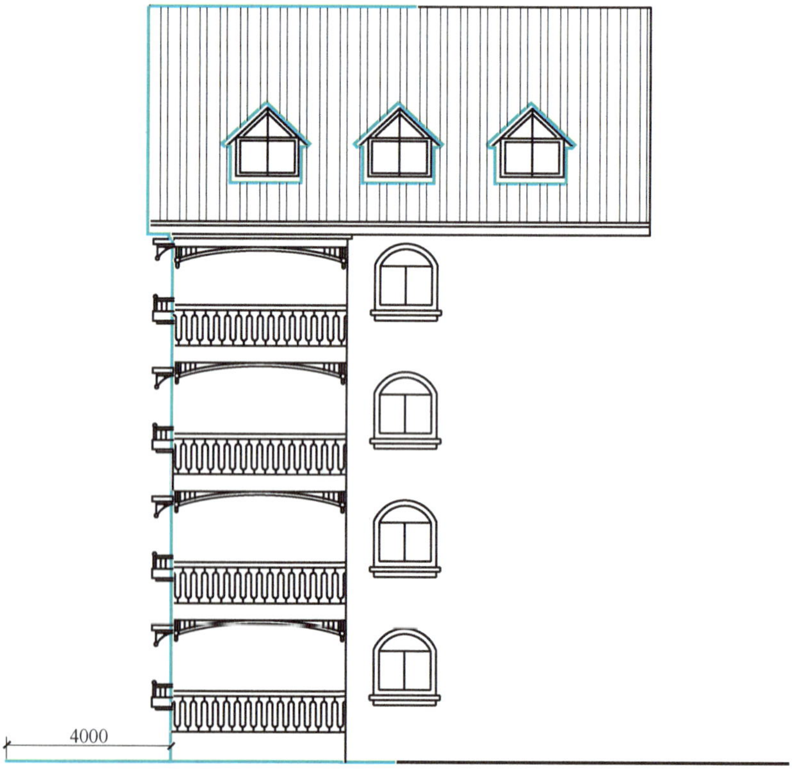

3. 技能训练

技能训练内容：完成 C6 窗正立面图、屋顶及立面轮廓线的绘制，学习结果评价见表 2-99。

表 2-99　学习结果评价——绘制 C6 窗正立面图、屋顶及立面轮廓线

序号	评价内容	评价标准				评价结果
		优秀 （91~100）	良好 （81~90）	一般 （71~80）	较差 （60~70）	
1	能根据绘图要求完成 C6 窗正立面图、屋顶及外立面轮廓线的绘制					
2	养成独立学习新知识、新技能的能力					

七、能绘制墙面分格线、室外楼梯踏步、M4 推拉门和雨水管

1. 图纸尺寸分析

由①~⑧轴立面图可知，墙面分格线分别位于高度 2.6m、5.6m、8.6m 各一道，宽度为 400mm。由一层平面图可知，楼梯共 4 个踏步，室内外高差 600mm，每个踏步 150mm。雨水管直径为 100mm，下端离地 150mm，雨水斗宽度为 280mm，高度为 370mm。查看门窗表，可知推拉门 M4 的宽度为 1800mm，高度为 2400mm，具体参照 M6、M7，上部有亮子，高度为 400mm。

2. 操作步骤

墙面分格线的绘制见表 2-100，台阶的绘制见表 2-101，M4 推拉门的绘制见表 2-102，雨水管的绘制见表 2-103。

表 2-100　墙面分格线的绘制

操作步骤	结果
关闭"立面外轮廓线""地坪线"图层，打开"辅助线"图层。将"墙面分格线"图层置为当前，利用直线命令，在 ±0.000 标高处绘制水平直线，并将直线向上偏移 900、1700、400、900、1700、400、1700、400、900，完成墙面分格线的绘制，如右图所示	

表 2-101　台阶的绘制

序号	操作步骤	结果
1	将"台阶"图层置为当前，利用"直线""偏移"命令绘制台阶踏步，如右图所示	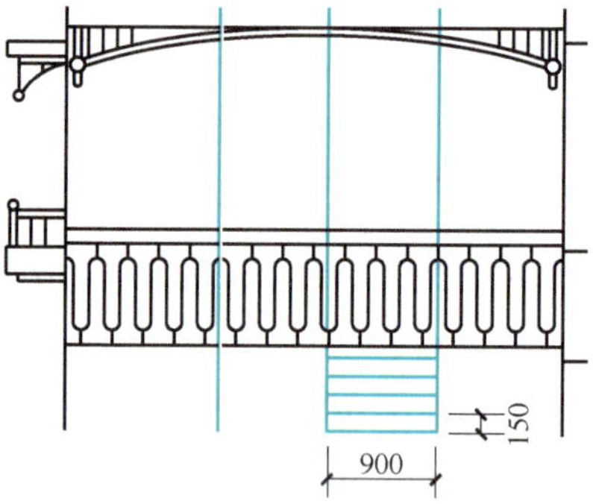
2	执行"修剪"命令，修剪阳台栏杆多余部分。利用"圆角"命令，将扶手端部闭合为半圆。执行"直线"命令，继续完成一楼栏杆扶手的绘制，如右图所示	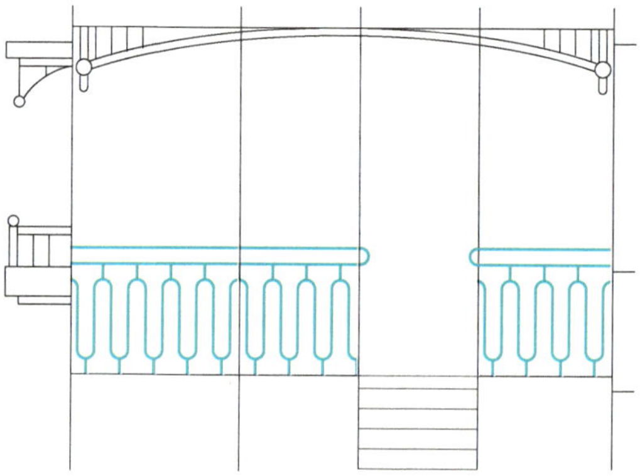

表 2-102　M4 推拉门的绘制

序号	操作步骤	结果
1	将"门窗"图层置为当前，利用"直线""偏移""修剪"命令绘制 M4 推拉门，如右图所示	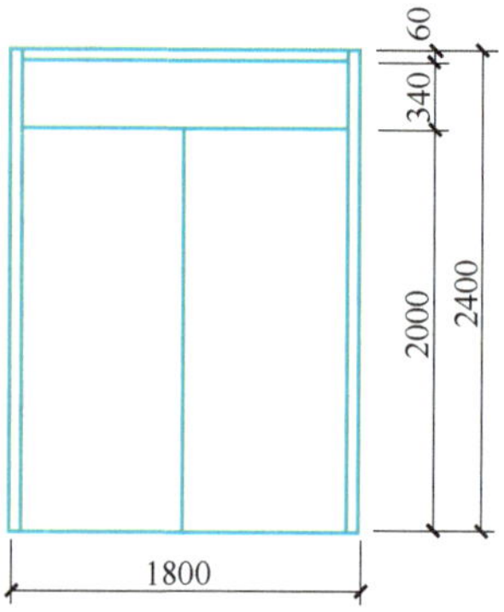

（续）

序号	操作步骤	结果
2	将绘制的 M4 推拉门复制至一楼地面，放置合适位置，如右图所示	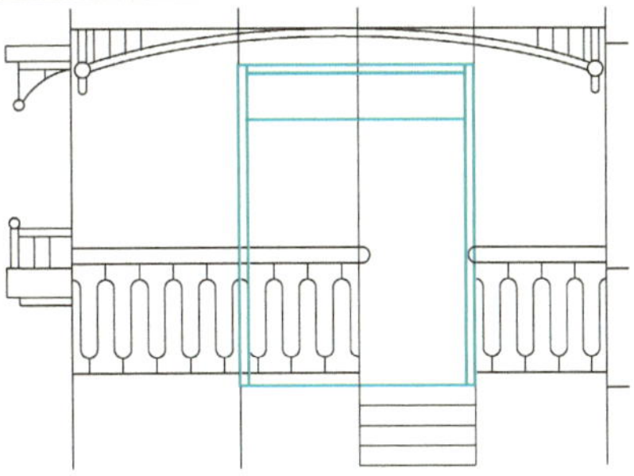
3	执行"修剪"命令，完成一楼推拉门的绘制，如右图所示	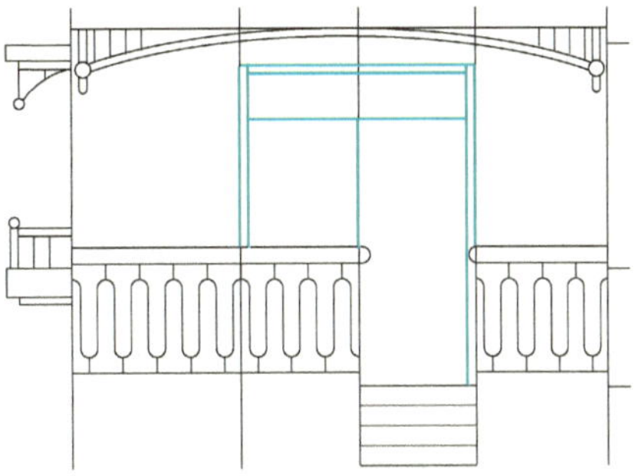
4	继续利用"复制""修剪"命令，完成其他楼层推拉门的绘制，如右图所示	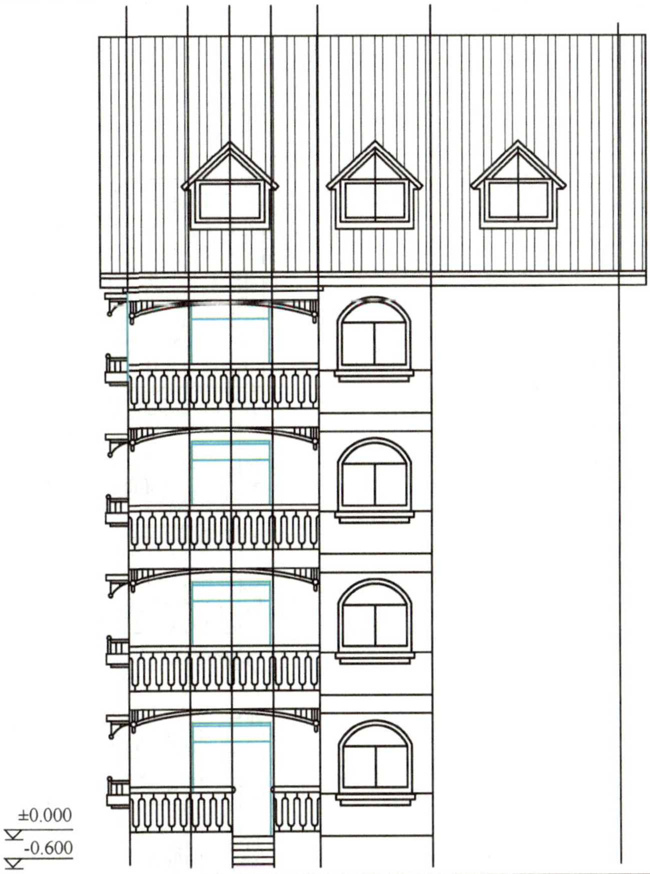

表 2-103　雨水管的绘制

序号	操作步骤	结果
1	将"台阶"图层置为当前,利用"直线""偏移""镜像"和"修剪"命令绘制雨水斗及水管,如右图所示	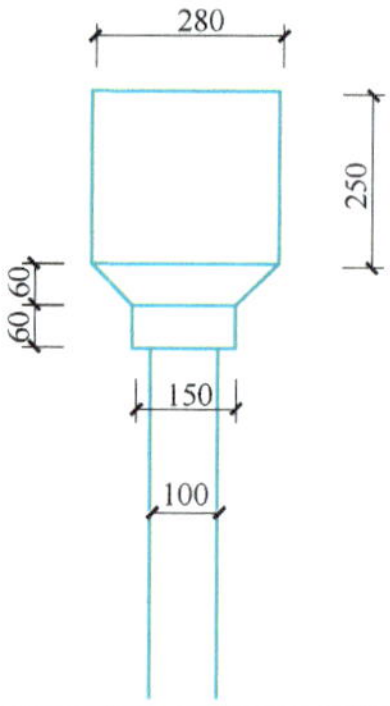
2	将雨水斗及水管复制至合适位置,利用"修剪"命令绘制图形,如右图所示	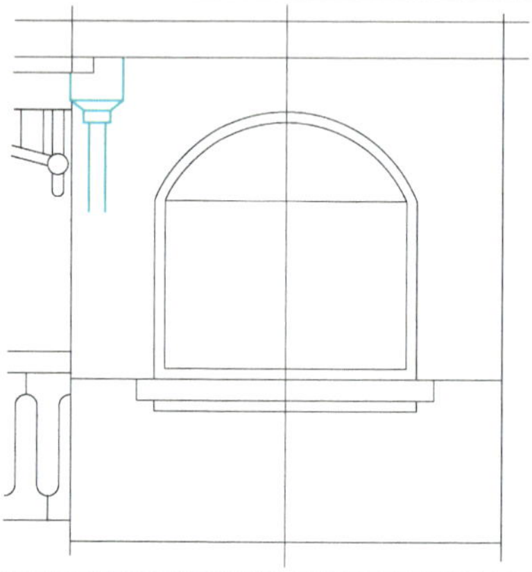
3	关闭"辅助线"图层。执行"延伸"命令,将雨水管延长至室外地面。利用"拉伸"命令,选择下端编辑点,输入"@0,150"。继续利用"直线"命令完成雨水管的绘制,如右图所示	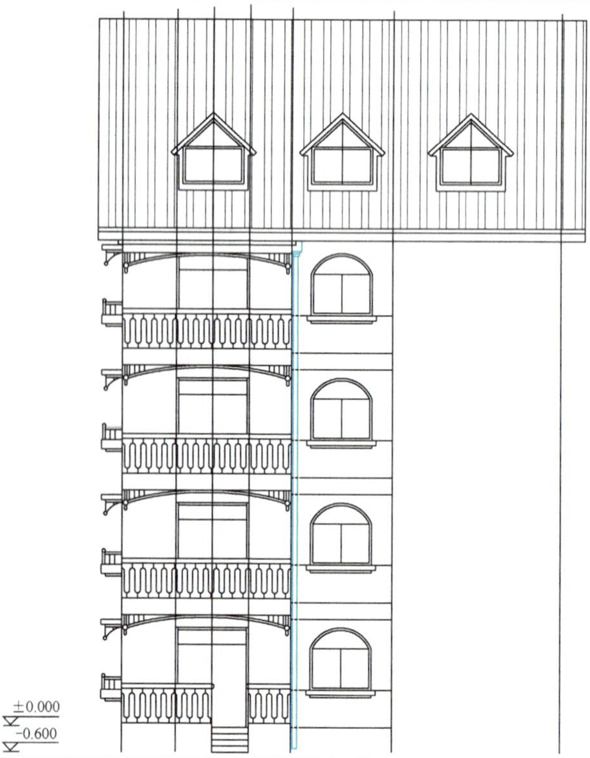

（续）

序号	操作步骤	结果
4	执行"镜像"命令，将 M4 推拉门、阳台立面图、C2 窗立面图和雨水管进行镜像操作，如右图所示	
5	打开"立面外轮廓线、地坪线"图层，利用"镜像""修剪"命令完成图形的绘制，如右图所示	

3. 技能训练

技能训练内容：完成墙面分格线、台阶、M4 推拉门和雨水管的绘制。学习结果评价见表 2-104。

表 2-104　学习结果评价——绘制墙面分格线、台阶、M4 推拉门和雨水管

序号	评价内容	评价标准				评价结果
		优秀 （91~100）	良好 （81~90）	一般 （71~80）	较差 （60~70）	
1	能根据绘图要求完成墙面分格线、台阶、M4 推拉门和雨水管的绘制					
2	养成独立学习新知识、新技能的能力					

八、能绘制标高符号、文字、轴线编号、图名及比例

1. 图纸尺寸分析

由①~⑧立面图可知，室外地坪标高为 –0.6m，一层室内地坪标高为 ±0.000m，一层 C1 窗底板顶标高为 0.9m，窗户高 1.5m，窗台顶板底标高为 2.4m。1~3 层每层层高均为 3m，4 层层高为 2.8m，因此 2~4 层标高分别为 3m、6m、9m、11.8m。C2 窗台顶板底标高为 2.4m、5.4m、8.4m、11.4m。由详图计算得，檐口顶标高为 12m。老虎窗底板顶标高为 13.20m，屋顶标高为 17.02m。

2. 操作步骤

标高、文字注写、轴线编号、图名及比例的绘制见表 2-105。

表 2-105　标高的绘制

序号	操作步骤	内容	结果
1	绘制标高	将"建筑平面图"的 ±0.000 标高复制至"建筑立面图"中，修改至"尺寸、标高、轴号"图层。执行"复制"命令，将 ±0.000 标高多次向上复制，距离分别为 3000、6000、9000、11800 和 17020，继续将 ±0.000 标高复制至檐口顶部、老虎窗底板顶，修改相应的标高值，完成标高的绘制，如右图所示	

（续）

序号	操作步骤	内容	结果
2	注写文字	将"建筑平面图"的文字复制到"建筑立面图"中，修改至"文字"图层。将文字复制至合适位置，并修改文字内容。利用"直线"命令，绘制文字引出线，完成建筑立面图的文字注写，如右图所示	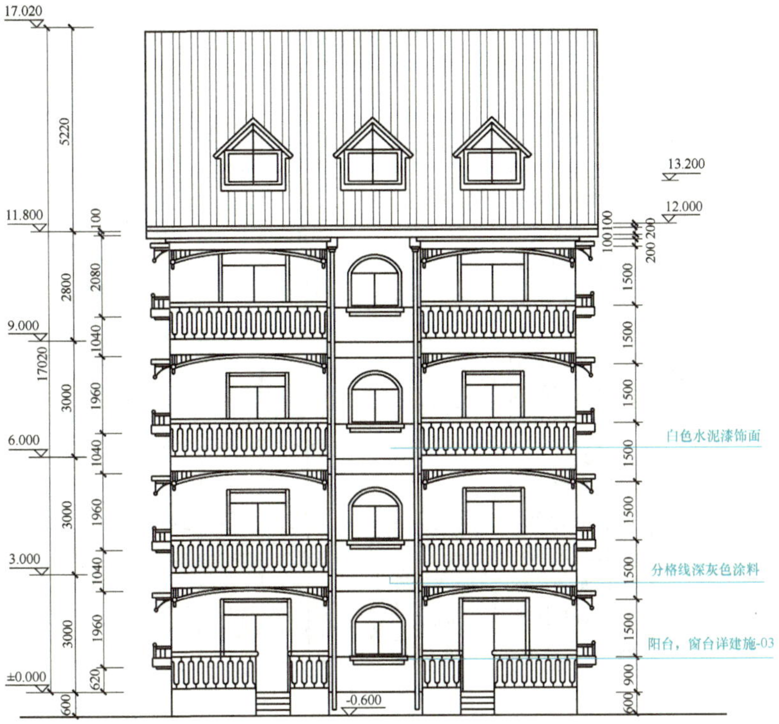
3	绘制轴线编号	打开"建筑平面图"，将①号定位轴线复制到"建筑立面图"中，修改为"轴线编号"图层。执行"移动"命令，将①号定位轴线移动至距离外墙120处。执行"镜像"命令，将①号定位轴线进行镜像操作，修改定位轴线编号为⑧，如右图所示	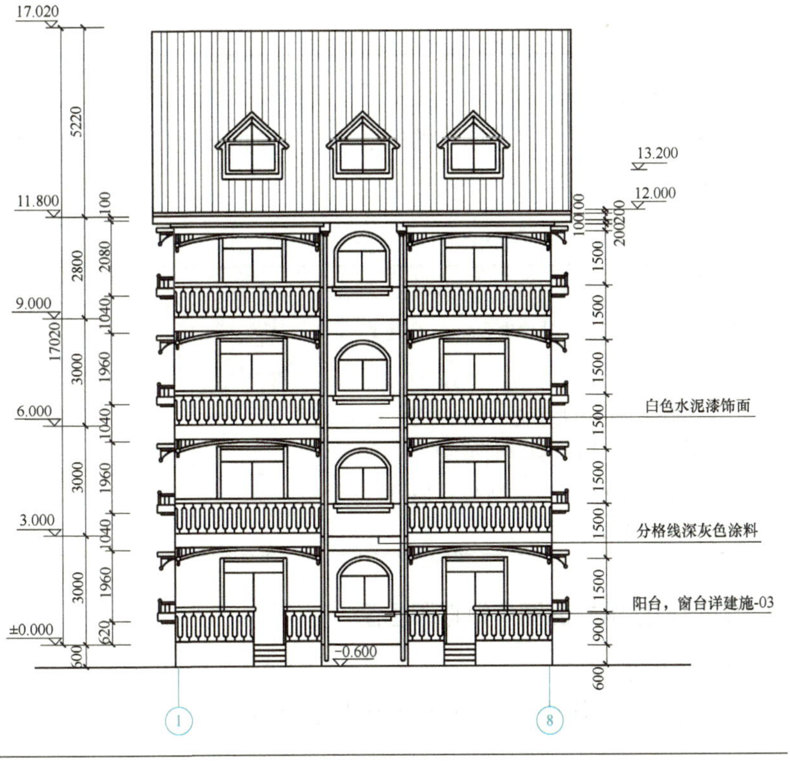

（续）

序号	操作步骤	内容	结果
4	绘制图名及比例	打开"建筑平面图"，将图名及比例复制到"建筑立面图"中，修改为"文字说明"图层。将图名修改为"①～⑧立面图"，比例1:100不变，下划线修改为"外轮廓线"图层，完成建筑立面图的绘制，如右图所示	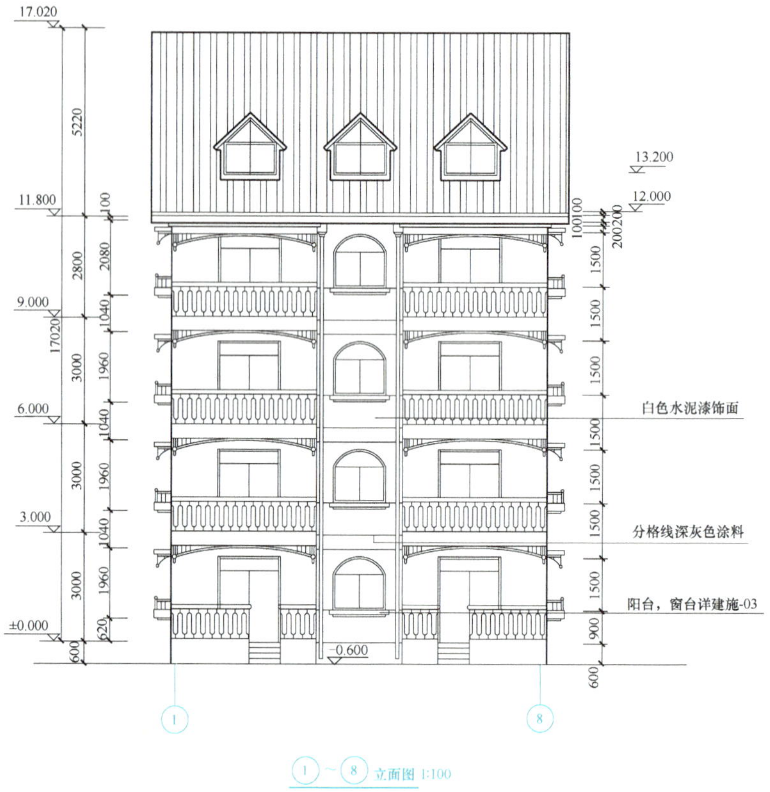

3. 技能训练

技能训练内容：完成标高符号、文字、轴线编号、图名及比例的绘制，学习结果评价见表 2-106。

表 2-106　学习结果评价——绘制立面图的标高符号、文字、轴线编号、图名及比例

序号	评价内容	评价标准				评价结果
		优秀（91～100）	良好（81～90）	一般（71～80）	较差（60～70）	
1	能根据绘图要求完成标高符号、文字、轴线编号、图名及比例的绘制					
2	培养学生严谨、细致的工作作风和良好的职业道德					

九、能完成建筑立面图虚拟打印出图

1. 操作步骤

建筑立面图虚拟打印的具体步骤见表 2-107。

表 2-107 建筑立面图虚拟打印出图

序号	操作步骤	结果
1	绘制 A3 图框，并放大 100 倍，将建筑立面图移动到图框的合适位置	
2	在命令行中输入"plot"命令，打开"打印 - 模型"对话框，设置打印机名称为"DWG To PDF. pc3"，其他相关参数如右图所示	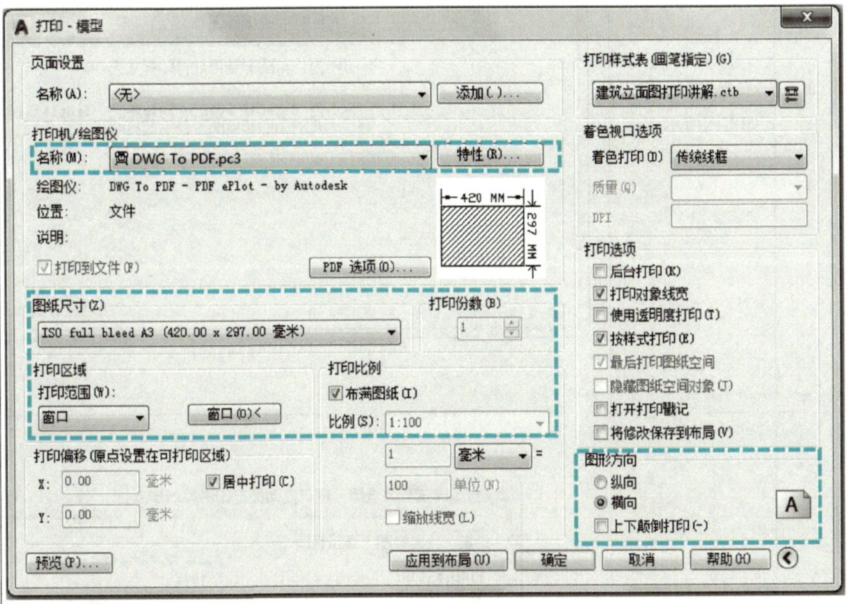
3	创建新的打印样式表为"建筑立面图打印讲解"，如右图所示	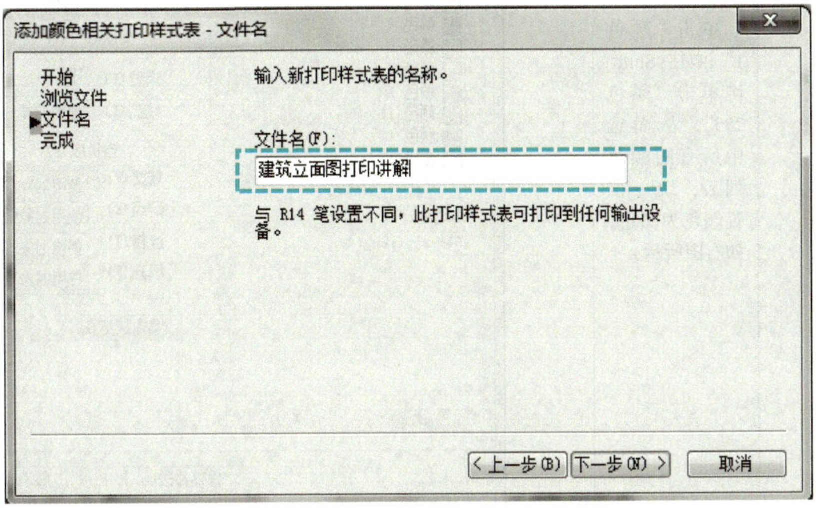

（续）

序号	操作步骤	结果
4	打开"打印样式表编辑器"，如右图所示	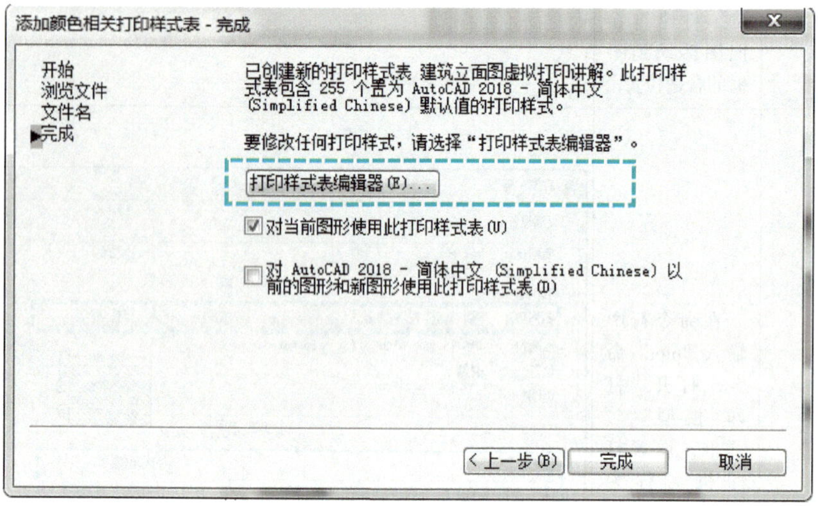
5	单击"颜色1"并按住<Shift>键单击"颜色255"，从而选中所有的颜色列表，统一设置颜色为黑色，如右图所示	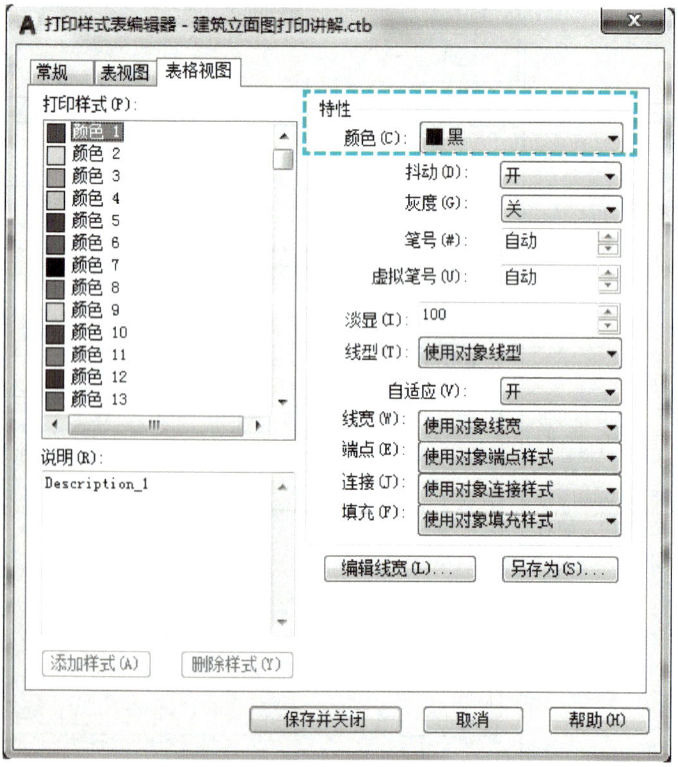

（续）

序号	操作步骤	结果
6	设置完成后，单击"预览"按钮，显示"打印作业进度"对话框，形成预览图，如右图所示	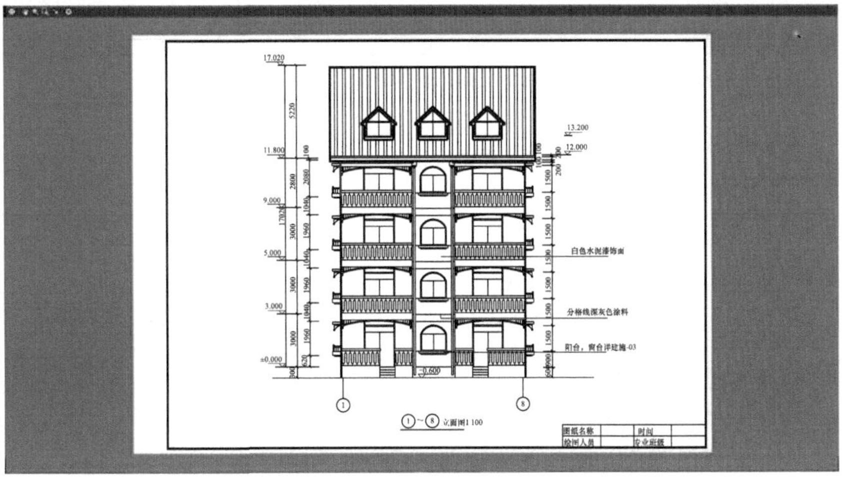
7	放大观察无误后单击左上方的"打印"按钮，保存 PDF 图到合适位置，完成建筑立面图的虚拟打印出图，如右图所示	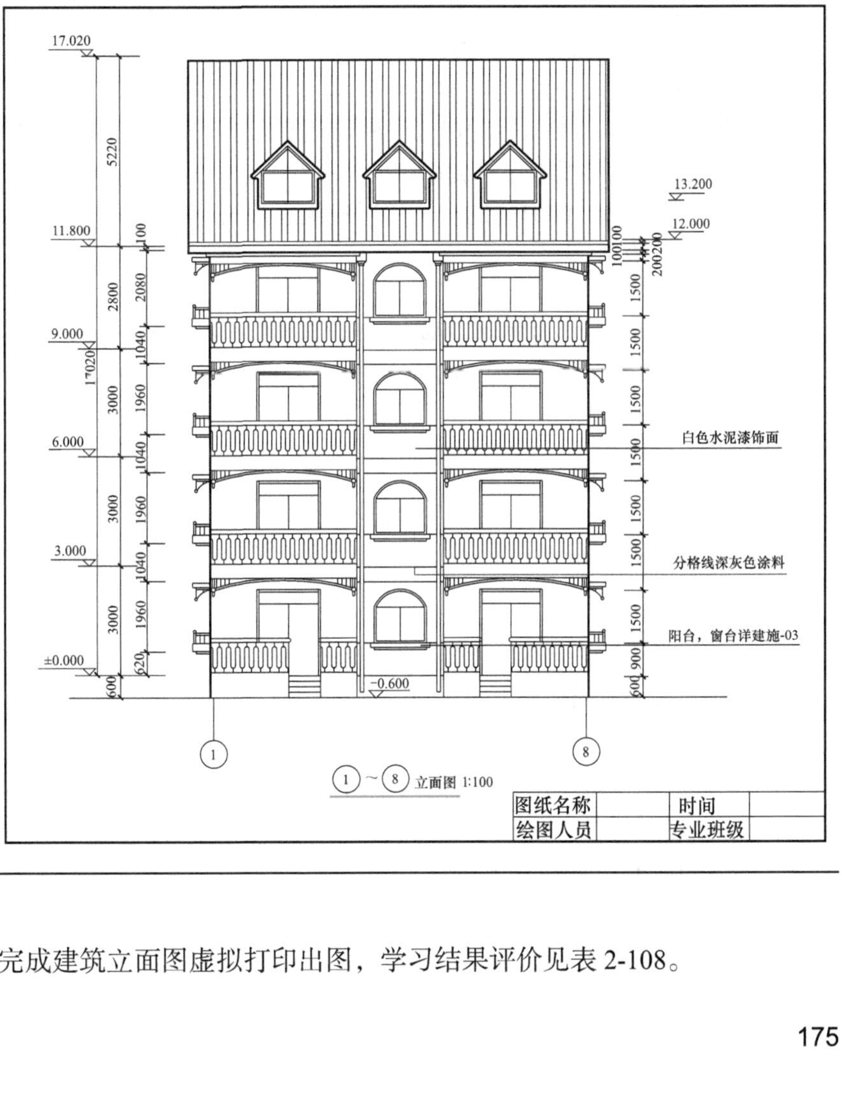

2. 技能训练

技能训练内容：完成建筑立面图虚拟打印出图，学习结果评价见表 2-108。

表 2-108　学习结果评价——建筑立面图虚拟打印出图

序号	评价内容	评价标准				评价结果
		优秀 （91~100）	良好 （81~90）	一般 （71~80）	较差 （60~70）	
1	能根据绘图要求完成建筑立面图虚拟打印出图					
2	培养学生严谨、细致的工作作风和良好的职业道德					

任务四　建筑剖面图的绘制与输出

【学习目标】

1. 知识目标

1）了解建筑剖面图的绘制原理、方法与流程。

2）掌握建筑剖面图中墙体轮廓线与地坪线、楼板及梁、室外台阶、阳台、屋顶、室内楼梯、雨篷、露台、尺寸标注和标高等绘制的基本方法和技巧。

2. 能力目标

1）能根据 GB/T 50001—2017《房屋建筑制图统一标准》，读懂建筑剖面图。

2）能独立查找图纸中建筑剖面图的相关尺寸。

3）能根据 GB/T 50001—2017《房屋建筑制图统一标准》，利用 AutoCAD 软件，独立完成建筑剖面图的绘制。

3. 素养目标

1）在绘图过程中养成严谨、细致、精益求精的绘图员素质。

2）激发学生应用现代信息技术的兴趣和开拓创新的职业精神。

【任务描述】

本任务主要介绍建筑剖面图绘制的方法和步骤。

一、能识读建筑剖面图

1. 基础知识

建筑剖面图简称剖面图，是建筑施工图的基本图之一，其比例应与建筑平面图、立面图相同，以便和它们对照阅读，但也可将比例放大。

（1）剖面图的形成与用途

1）形成。假想用一个垂直剖切平面把房屋剖开，将观察者与剖切平面之间的部分房屋移走，把留下的部分对与剖切平面平行的投影面作正投影，所得到的正投影图，称为建筑剖面图，简称剖面图，如图 2-65 所示。

2）用途。建筑剖面图简要地表示建筑物内部垂直方向的结构形式、分层情况、内部构造及各部位的高度等。

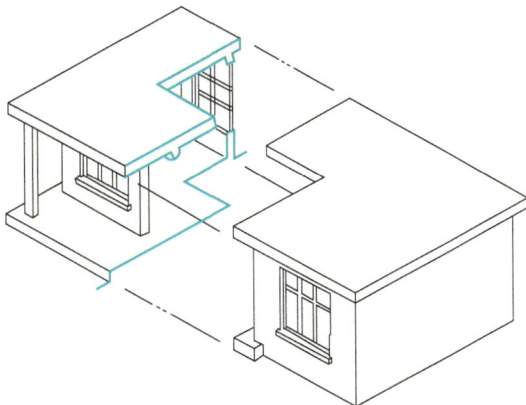

图　2-65

剖面图的剖切位置应选择在内部结构和构造比较复杂或有代表性的部位，其数量应依据房屋的复杂程度和施工实际需要而定。两层以上的楼房一般至少要有一个楼梯间的剖面图。剖面图的剖切位置和剖视方向可以从底层平面图中找到，如我们将要绘制的 1—1 剖面图。

（2）剖面图的主要内容

剖面图的主要内容可概括如下（并可按其顺序识读）：

1）图名、比例。

2）定位轴线及其尺寸。

3）剖切到的屋面（包括隔热层及吊顶）、楼面、室内外地面（包括台阶、明沟及散水等），剖切到的内外墙身及其门、窗（包括过梁、圈梁、防潮层、女儿墙及压顶），剖切到的各种承重梁和连系梁、楼梯梯段及楼梯平台、雨篷及雨篷梁、阳台、走廊等。

4）未剖切到的可见部分，如可见的楼梯梯段、栏杆扶手、走廊端头的窗；可见的梁、柱，可见的水斗和雨水管，可见的踢脚和室内的各种装饰等。

5）垂直方向的尺寸及标高。

6）详图索引符号。

7）施工说明等。

（3）剖面图的图示内容

1）定位轴线。剖面图中的定位轴线一般只画出两端的轴线及其编号，以便与平面图对照。

2）图线。室内外地坪线用特粗实线表示。剖切到的墙身、楼板、屋面板、楼梯段、楼梯平台等轮廓线用粗实线表示。未剖切到但可见的门窗洞、楼梯段、楼梯扶手和内外墙的轮廓线用中粗实线表示。门、窗扇及其分格线、水斗及雨水管等用细实线表示。尺寸线、尺寸界线、引出线和标高符号按规定画成细实线。

3）图例。门、窗要按照制图规范绘制。在 1∶100 的剖面图中，剖切到的砖墙和钢筋混凝土的材料图例画法与 1∶100 的平面图相同。

4）尺寸标注。建筑剖面图中，必须标注垂直尺寸和标高。外墙的高度尺寸一般也标注三道：最外侧一道为室外地面以上的总高尺寸；中间一道为层高尺寸，即底层地面到二层楼面、各层楼面到上一层楼面、顶层楼面到檐口处屋面的尺寸等，同时还注明室内外地面的高差尺寸；里面一道为门、窗洞及窗间墙的高度尺寸。此外，还应标注某些尺寸，如室内门窗洞、窗台的高度及有些不另画详图的构配件尺寸等。剖面图上两轴线间的尺寸也必须注出。

在建筑剖面图上，室内外地面、楼面、楼梯平台面、屋顶檐口顶面都应注明建筑标高。某些梁的底面、雨篷底面等应注明结构标高。

（4）剖面图的绘制步骤

第一步：将平面图、立面图复制到剖面图中，作为辅助图形。

第二步：分别从平面图、立面图引出纵横辅助线。

第三步：画出室内外地坪线。

第四步：画出楼面线、屋顶线、剖切到的墙体及门窗位置线、可见的墙体及门窗位置线、阳台位置线和建筑物外轮廓线等各种定位辅助线。

第五步：画出细部，如屋面板、楼面板、挑檐、梁、阳台、窗台、门窗、雨篷、老虎窗、露台及室外台阶等。

第六步：绘制标高、首尾轴线、尺寸标注、注写墙面装修说明文字、图名及比例等。

第七步：虚拟打印出图。

2. 技能训练

技能训练内容：查看建施 -04 剖面图了解到该住宅的结构形式、分层情况、内部构造及各部位的高度，了解楼板的厚度，了解挑檐的形状和具体尺寸，了解阳台剖面图的具体尺寸；查看建施 -01 四层平面图，了解室内楼梯梯段长度，每级踏步宽度，踏步高度、踏步数，楼梯宽度及栏杆高度；查看建施 -01，了解雨篷的宽度，造型尺寸，雨篷底标高；查看门窗表，了解 C3 窗的尺寸以及 M5、M5a、M2、M4 门的尺寸，了解窗台高度；查看建施 -02 屋顶平面图、建施 -04 中 2—2 剖面图和 3—3 剖面图，了解露台的形状和具体尺寸；根据建施 -04 中 2—2 剖面图，了解 C6 老虎窗板底高度及具体尺寸。学习结果评价见表 2-109。

表 2-109　学习结果评价——识读建筑剖面图

序号	评价内容	评价标准				评价结果
		优秀 （91~100）	良好 （81~90）	一般 （71~80）	较差 （60~70）	
1	能根据规范要求，以小组为单位完成 1—1 建筑剖面图的识读					
2	培养团队合作的职业精神					

二、能完成建筑剖面图的绘图准备

1. 基础知识

采用正投影法绘制建筑剖面图，可将建筑平面图、立面图作为绘制建筑剖面图的辅助图形。先从建筑平面图、立面图画垂直、水平投影线将建筑物的主要特征投影到剖面图，然后再绘制建筑剖面图的各部分细节，如图 2-66 所示。

图 2-66

2. 操作步骤

（1）创建建筑剖面图绘图文件

新建文件，弹出"选择样板"对话框，单击"建筑施工图样板 .dwt"，将文件保存为"建筑剖面图 .dwg"。

（2）设置建筑剖面图中的图层

根据建筑剖面图的特点，在命令行中输入"layer"（简写"la"），弹出"图层特性管理器"，创建图层。每个图层都应设定相应的颜色，要求颜色清晰、主次分明，颜色设置不宜过多。图层设置见表 2-110。

表 2-110 建筑剖面图图层设置

图层名称	颜色	线型	线宽
辅助平面立面	白色	连续	默认
辅助线	红色	连续	默认
阳台栏杆	8	连续	默认
图案填充	9	连续	默认

（续）

图层名称	颜色	线型	线宽
门窗	84	连续	默认
台阶、雨篷、楼梯	2	连续	默认
剖切到构件线	7	连续	默认
可见线	8	连续	默认
尺寸、标高	3	连续	默认
文字	7	连续	默认

（3）绘制辅助图形及辅助线

辅助图形及辅助线的绘制见表2-111。

表 2-111　辅助图形及辅助线的绘制

序号	操作步骤	结果
1	打开"建筑平面图 .dwg"，关闭除"墙体""台阶"和"门窗"以外的图层，删除内部楼梯平面图，将图形修改为"0"图层	
2	继续打开"建筑立面图 .dwg"，关闭"尺寸、标高、轴号""辅助线""文字""地坪线""立面外轮廓线"图层，将图形修改为"0"图层	
3	将调整后的建筑平面图和建筑立面图复制粘贴到"建筑剖面图 .dwg"中，再将图形全部修改为"辅助平面立面"图层	

（续）

序号	操作步骤	结果
4	打开"辅助线"图层，绘制 X、Y 坐标轴，将平面图和立面图移动到合适位置，如右图所示	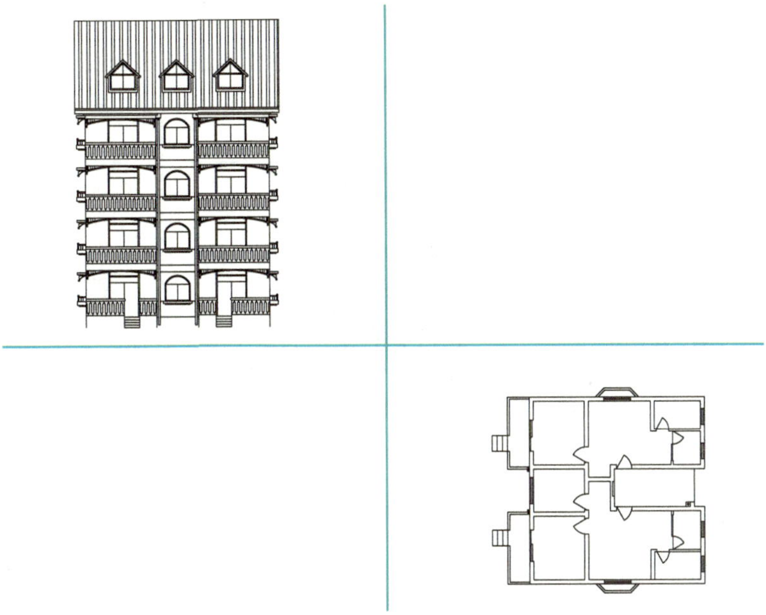
5	切换"辅助线"为当前图层，利用"直线"命令绘制水平和垂直辅助线，如右图所示	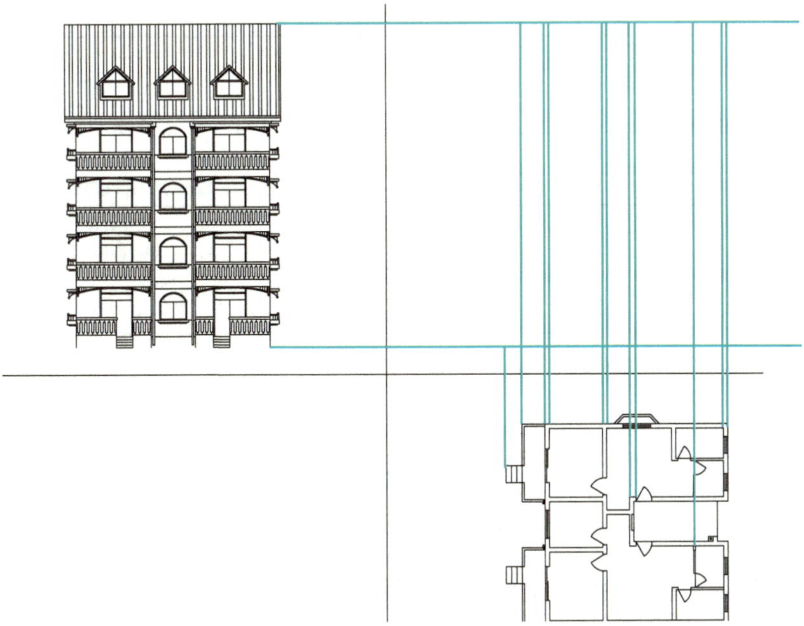

（续）

序号	操作步骤	结果
6	利用"偏移"命令，将最下端的水平辅助线向上偏移，偏移的距离设置为600、3000、3000、3000、2800，如右图所示	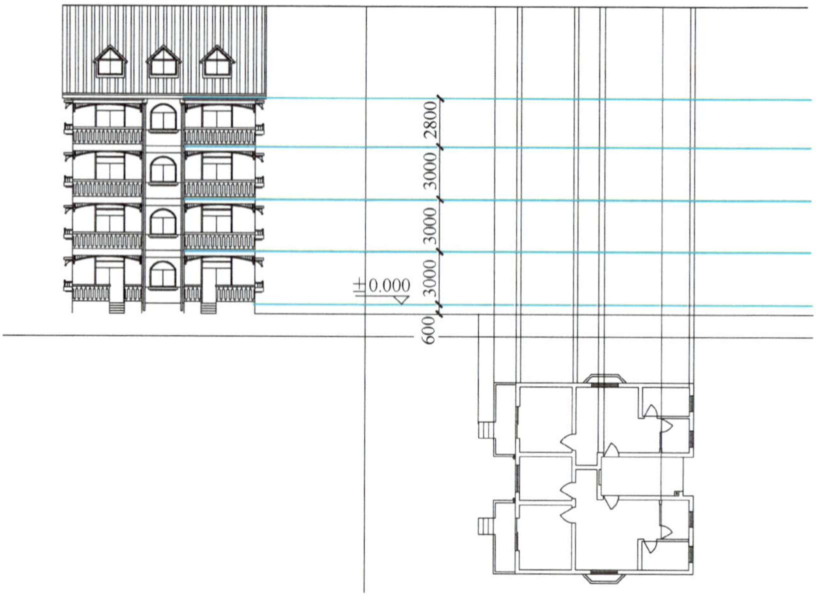

3. 技能训练

技能训练内容：完成建筑剖面图的绘图准备，学习结果评价见表2-112。

表 2-112　学习结果评价——建筑剖面图绘图准备

序号	评价内容	评价标准				评价结果
		优秀 （91~100）	良好 （81~90）	一般 （71~80）	较差 （60~70）	
1	能根据绘图要求完成建筑剖面图的绘图准备					
2	激发学生应用现代信息技术的兴趣和开拓创新的职业精神					

三、能绘制室外台阶、地坪线及剖面轮廓线

1. 操作过程

室外台阶、地坪线及剖面轮廓线的绘制见表2-113。

表 2-113 室外台阶、地坪线及剖面轮廓线的绘制

序号	操作步骤	结果
1	打开"台阶、雨篷、楼梯"图层，利用"多段线"命令，以 A 点为起点，输入"@0，150""@300，0""@0，150""@300，0""@0，150""@300，0""@0，150"，如右图所示	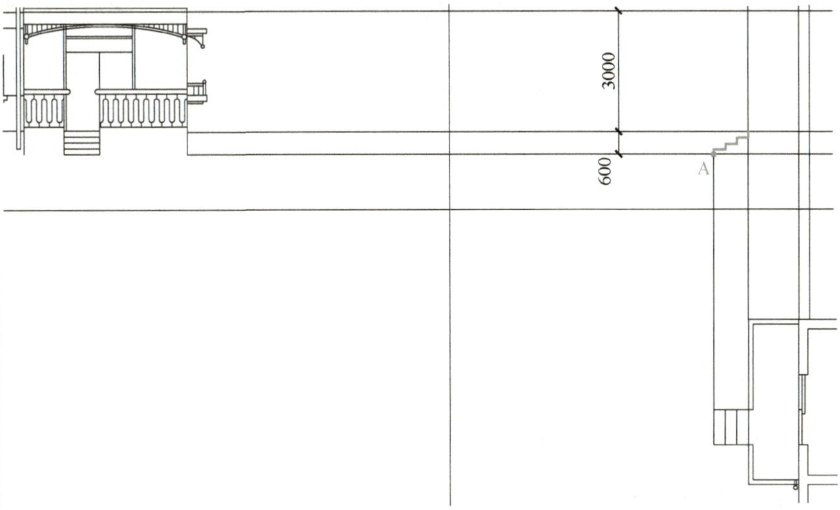
2	继续利用"多段线"命令，绘制一楼楼地面、墙体剖面及地坪线，如右图所示	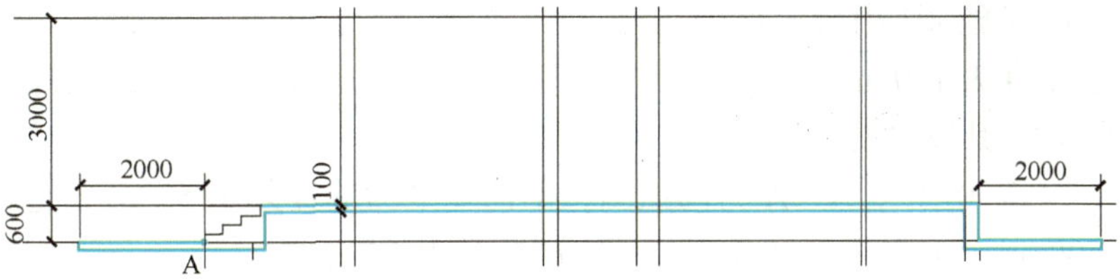
3	切换"剖切到的构件线"为当前图层，利用"直线""偏移"命令绘制建筑剖面轮廓线，其中，屋面板的厚度为 100，注意屋顶可使用"两点之间的中点"确定位置，如右图所示	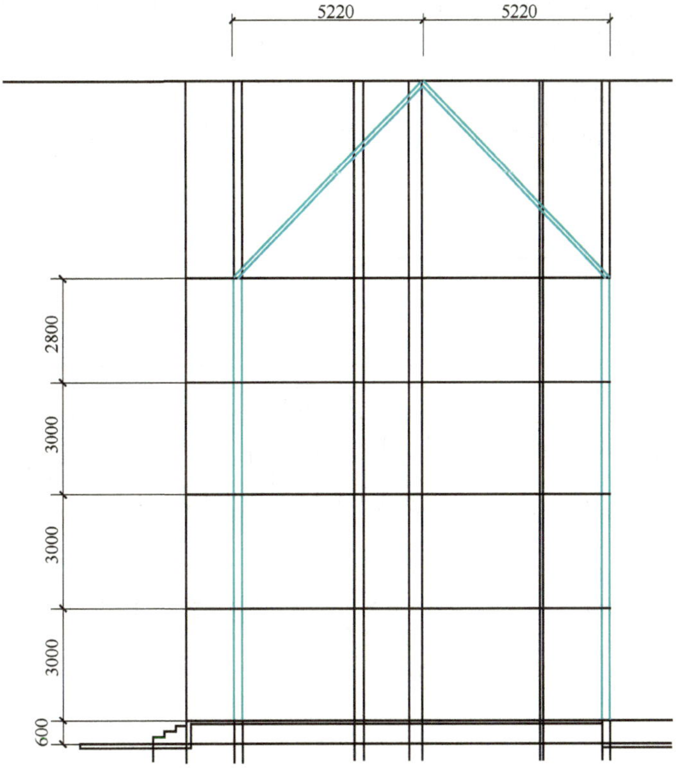

2. 技能训练

技能训练内容：完成室外台阶、地坪线及剖面轮廓线。学习结果评价见表 2-114。

表 2-114　学习结果评价——绘制室外台阶、地坪线及剖面轮廓线

序号	评价内容	评价标准				评价结果
		优秀（91~100）	良好（81~90）	一般（71~80）	较差（60~70）	
1	能根据绘图要求完成室外台阶、地坪线及剖面轮廓线					
2	培养学生严谨、细致的工作作风和良好的职业道德					

四、能绘制阳台剖面图、雨篷立面图及挑檐剖面图

1. 图纸尺寸分析

由建施 -03 阳台大样图可知，A—A 为阳台剖面图，按此尺寸绘制阳台剖面图。阳台扶手宽度为 1300mm，阳台板与卧室板同厚，为 100mm，板顶上部造型 100mm，下部造型 300mm，其他与立面图相同。

建施 -01 中，A—A 为雨篷图，雨篷宽度为墙体外 1350mm，造型尺寸为 500mm、400mm、200mm，雨篷底标高为 1.7m。

通过查看图纸得知，Ⓐ轴挑檐与阳台均与建筑立面图中相同，Ⓔ轴挑檐与Ⓐ轴挑檐相同，具体尺寸参考建施 -04，详图 1。

阳台剖面图的绘制

2. 操作步骤

阳台剖面图的绘制的绘制见表 2-115，雨篷立面图的绘制见表 2-116，挑檐剖面图及立面图的绘制见表 2-117。

表 2-115　阳台剖面图的绘制

序号	操作步骤	结果
1	打开"阳台正立面图 .dwg"，执行"偏移"命令，将直线 AB 向左偏移 100，将直线 CD 向下偏移 100、80，如右图所示	

（续）

序号	操作步骤	结果
2	执行"延伸"命令，将直线向左进行延伸操作，如右图所示	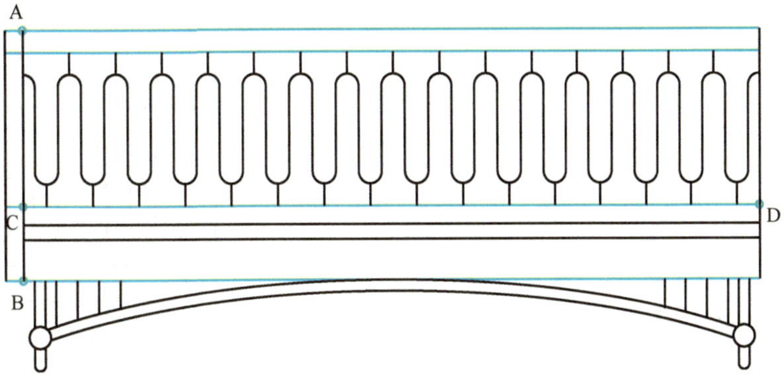
3	执行"修剪"命令，修剪多余直线，如右图所示	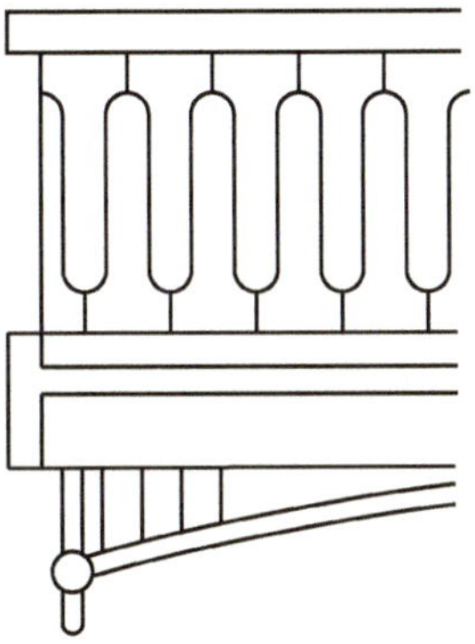
4	执行"圆角"命令，按住 \<Shift\> 键不放，将两直线端部闭合为半圆，将绘制的半圆向左移动60，利用"修剪""删除"命令绘制图形，如右图所示	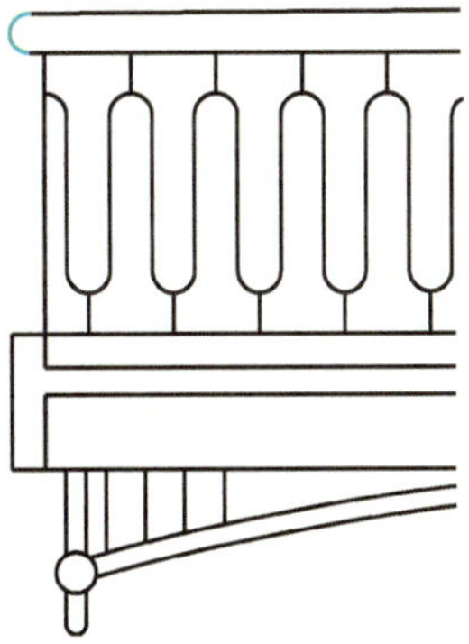
5	执行"直线"命令，绘制辅助线。执行"偏移"命令，将辅助线向右偏移1300，如右图所示	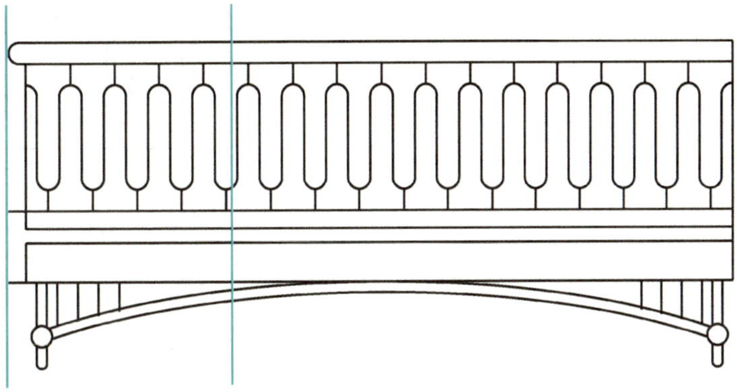

（续）

序号	操作步骤	结果
6	执行"修剪"命令，修剪多余图形。利用"删除"命令，删除多余部分，如右图所示	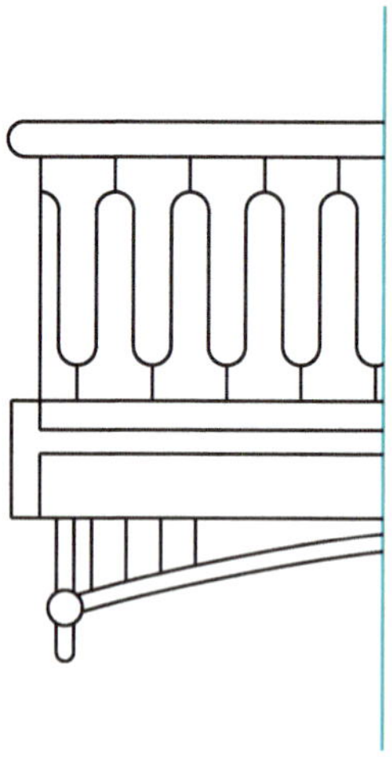
7	执行"移动"命令，将下部图形移动到 A 点，如右图所示	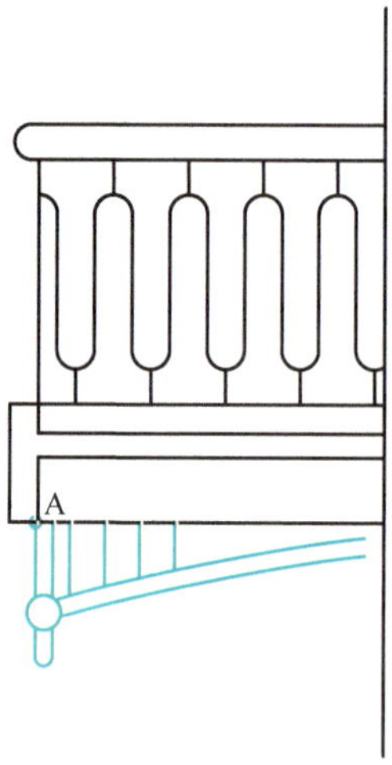
8	执行"偏移"命令，将直线 AB 向左偏移 50，如右图所示	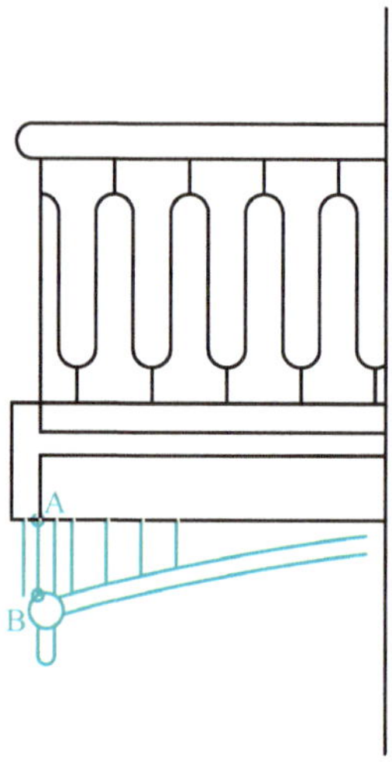

（续）

序号	操作步骤	结果
9	利用"直线"命令，绘制通过圆的上部象限点的辅助直线，如右图所示	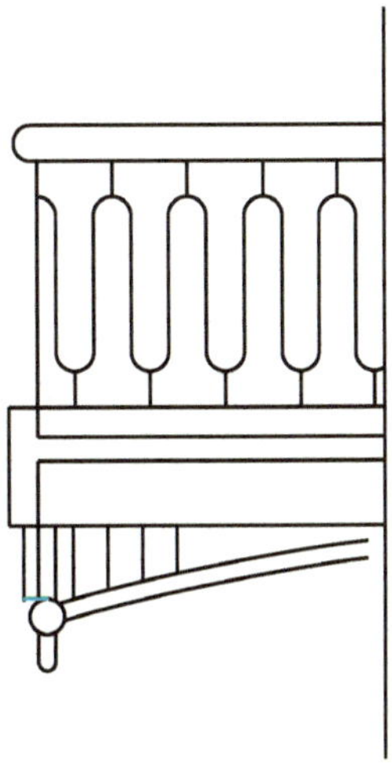
10	执行"移动"命令，以圆的上部象限点为基点，将圆及下部图形移动至 C、D 两点之间的中点位置，如右图所示	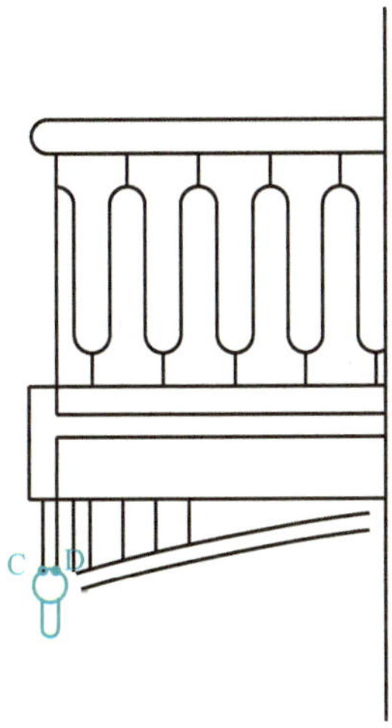
11	删除多余部分，执行"延伸"命令，将圆弧及直线延伸至合适位置，完成阳台剖面图的绘制，如右图所示	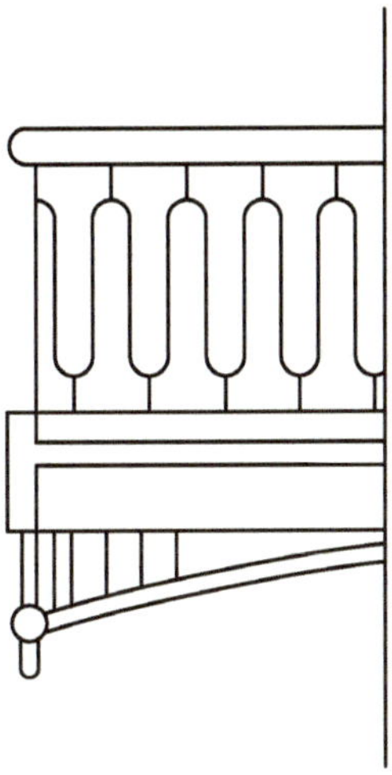

表 2-116　雨篷立面图的绘制

序号	操作步骤	结果
1	执行"直线"命令，以 A 点为第一点，输入"@0，1700""@0，900""@550，0"绘制直线，如右图所示	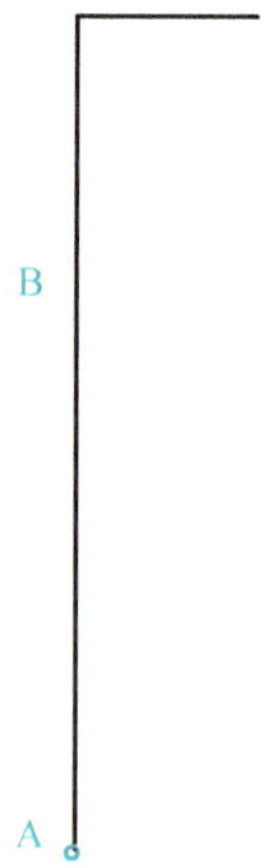
2	以 B 点为起点，输入"@750，0""@0，400"绘制直线，如右图所示	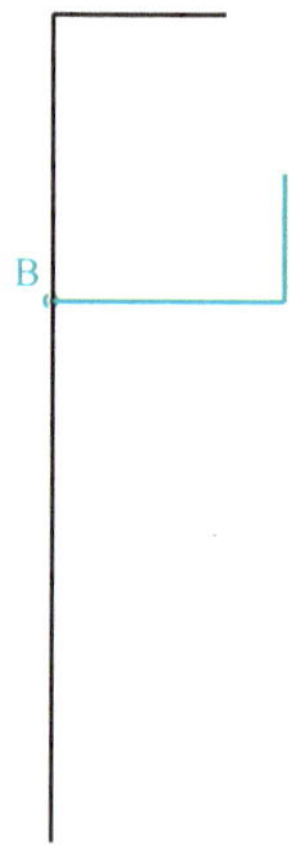
3	执行"直线"命令，绘制连接 C、D 两点的直线，如右图所示	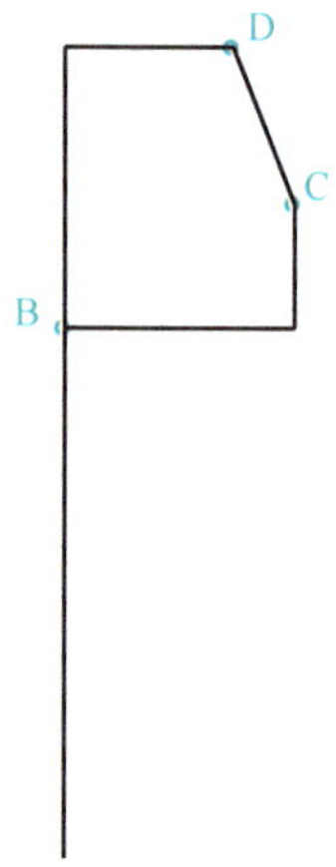

（续）

序号	操作步骤	结果
4	执行"直线"命令，以 C 点为起点绘制水平直线，如右图所示	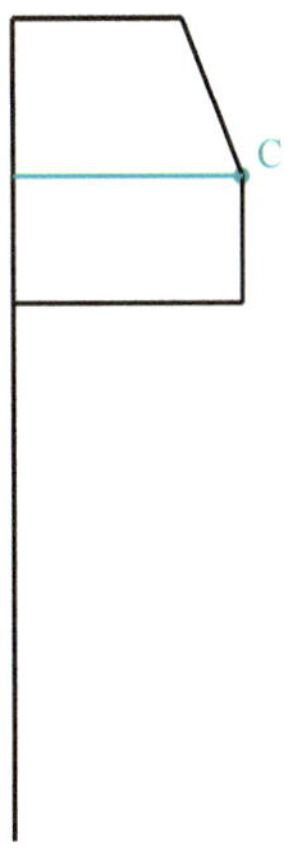
5	执行"偏移"命令，将直线 BE 向右偏移 300，如右图所示	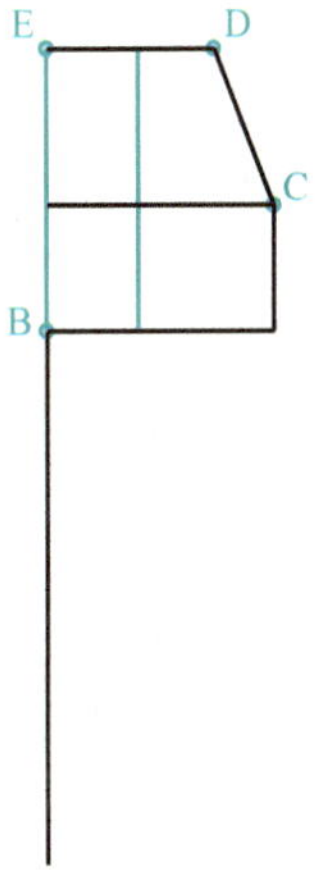
6	打开"直线"命令，利用"两点之间的中点"，绘制 EF 线段的等分线，完成雨篷立面图的绘制，如右图所示	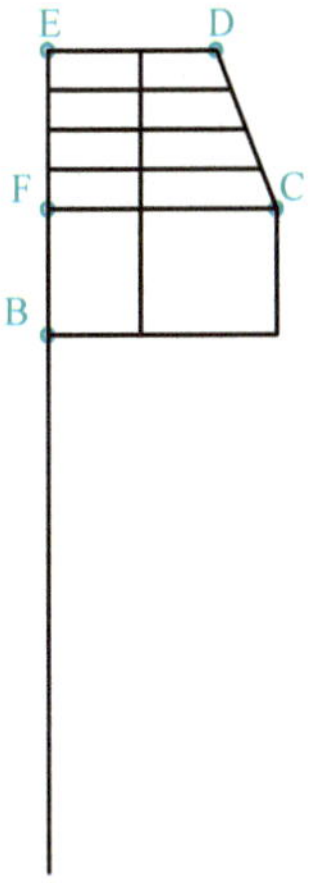

（续）

序号	操作步骤	结果
6	打开"直线"命令，利用"两点之间的中点"，绘制 EF 线段的等分线，完成雨篷立面图的绘制，如右图所示	

表 2-117　挑檐剖面图及立面图的绘制

序号	操作步骤	结果
1	执行"直线"命令，以 A 点为第一点，输入"@400，0""@0，200""@200，0""@0，−100""@−100，0""@0，−200""@−500，0""@0，−200""@1300，0"如右图所示	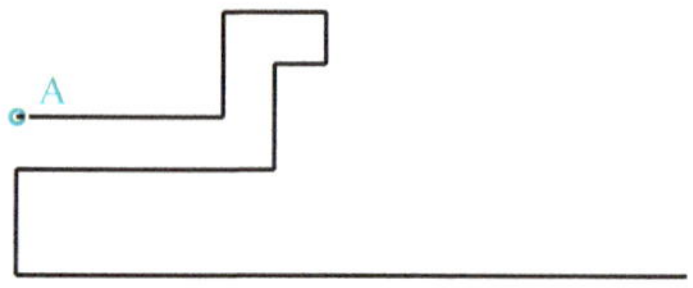 挑檐剖面图的绘制
2	分解绘制的图形，执行"复制"命令，将挑檐上部图形复制至合适位置，如右图所示	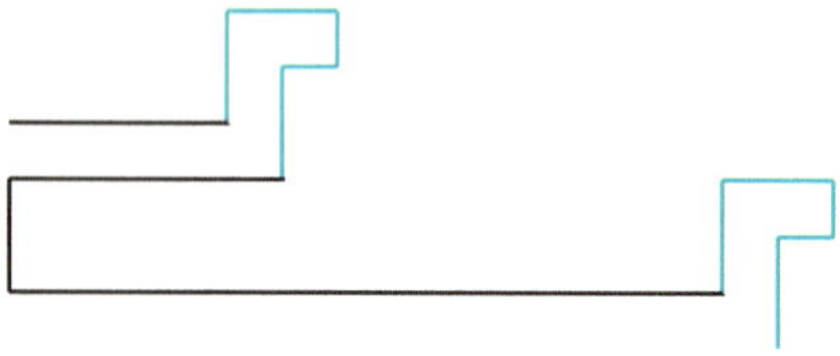
3	执行"直线"命令，以 B 点为起点绘制水平直线，如右图所示	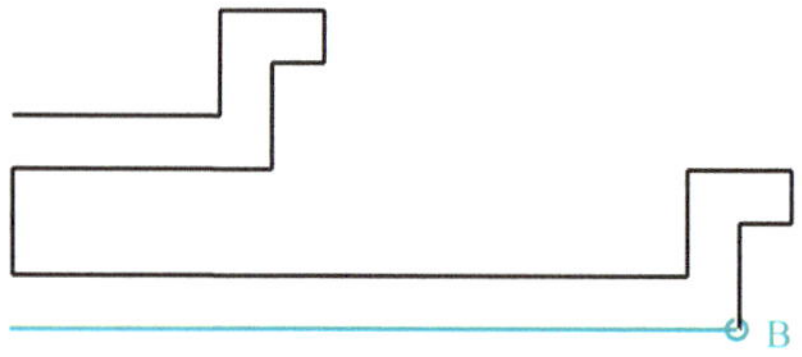

（续）

序号	操作步骤	结果
4	执行"直线"命令，以 C 点为起点，输入"@1000<135"，绘制直线 CD，如右图所示	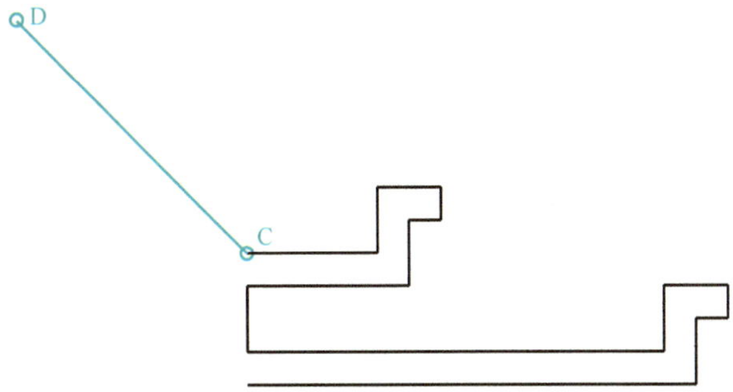
5	执行"直线"命令，以 C 点为起点绘制水平辅助直线 CE。执行"偏移"命令，将直线 CD、CE 分别向下偏移 100，如右图所示	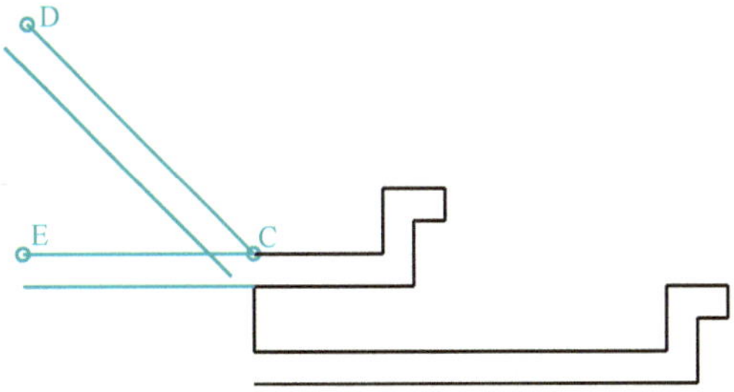
6	执行"修剪"命令，修剪多余图形，如右图所示	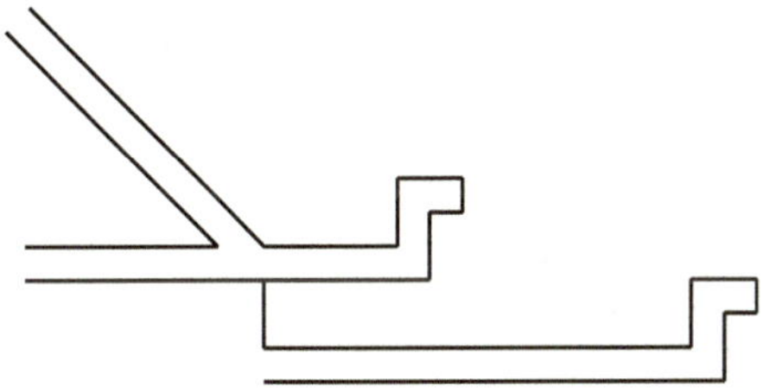
7	执行"偏移"命令，将直线 FG 向左偏移 240，如右图所示	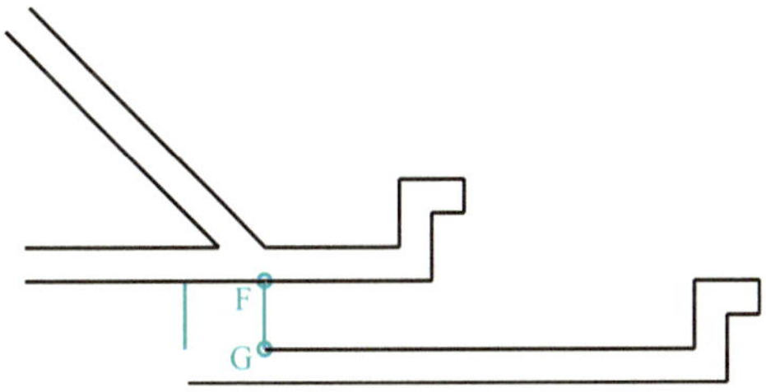
8	执行"圆角"命令，按住 <Shift> 键不放，将两直线闭合，如右图所示	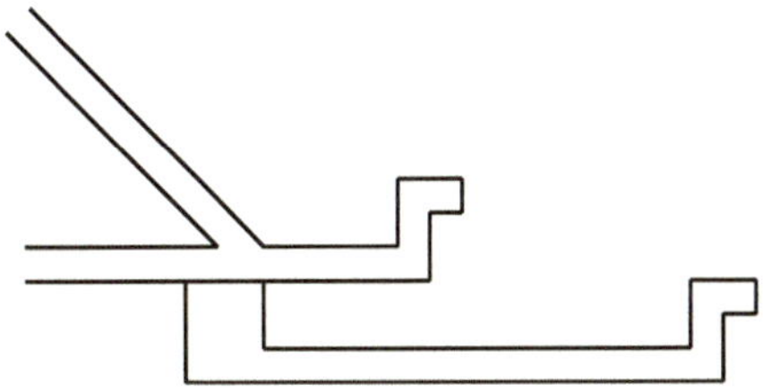

（续）

序号	操作步骤	结果
9	继续利用"直线""偏移"命令，绘制下部墙体，偏移距离设置为 240，如右图所示	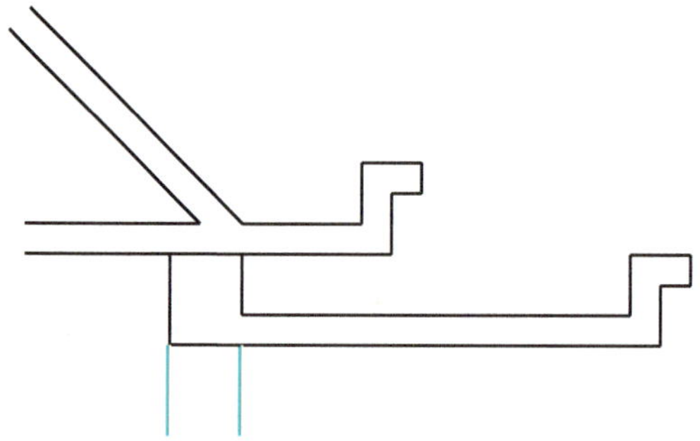
10	打开"阳台剖面图"，将部分图形复制到 H 点，如右图所示	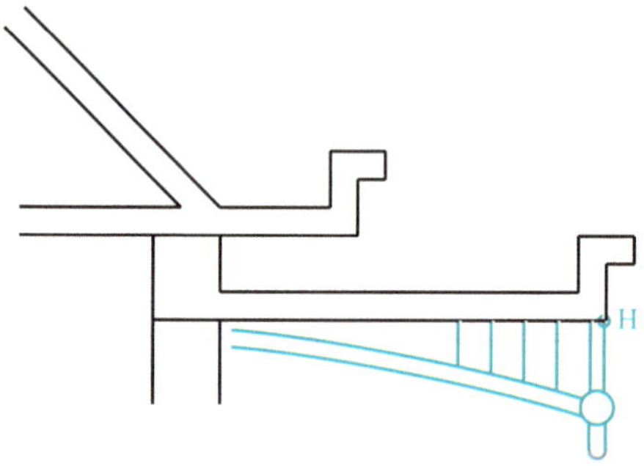
11	执行"移动"命令，将图形向左移动，设置距离为 50。继续绘制水平直线，完成挑檐剖面图的绘制，如右图所示	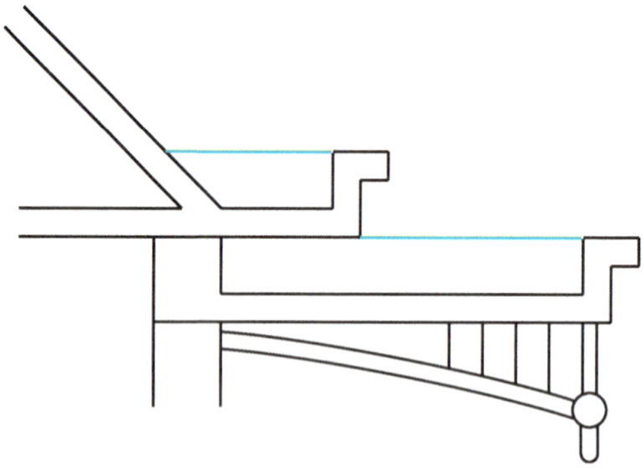
12	将"雨篷立面图"修改为"台阶、雨篷、楼梯"图层，以 I 点为基点移动到合适位置，如右图所示	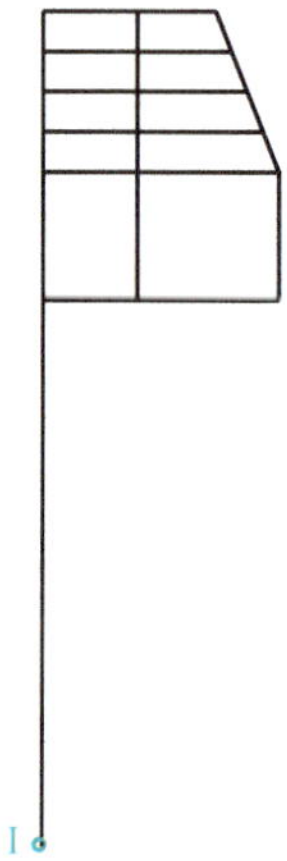

（续）

序号	操作步骤	结果
13	将"阳台剖面图"修改为"阳台栏杆"图层，以 J 点为基点复制到合适位置，如右图所示	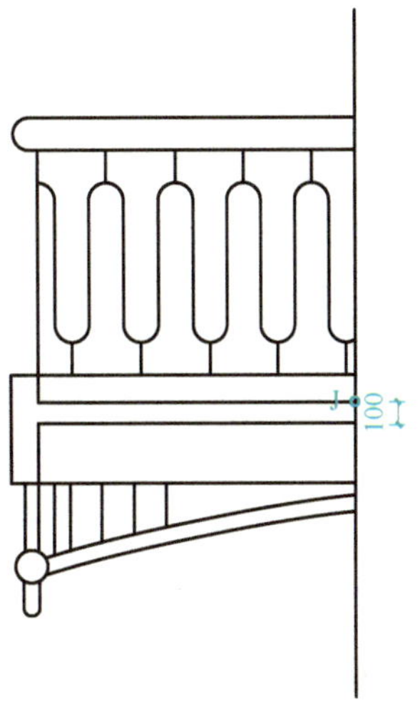
14	将"阳台剖面图"部分图形复制到一楼地面，利用"直线""修剪"命令完成一楼"阳台剖面图"的绘制，如右图所示	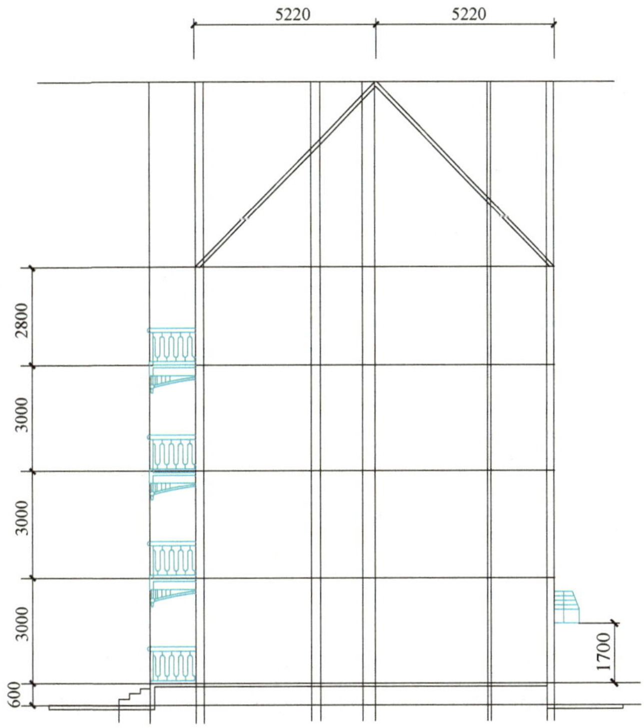

（续）

序号	操作步骤	结果
15	将"挑檐剖面图"分别修改为"剖切到构件线"和"阳台栏杆"图层，以 K 点为基点，移动到合适位置，如右图所示	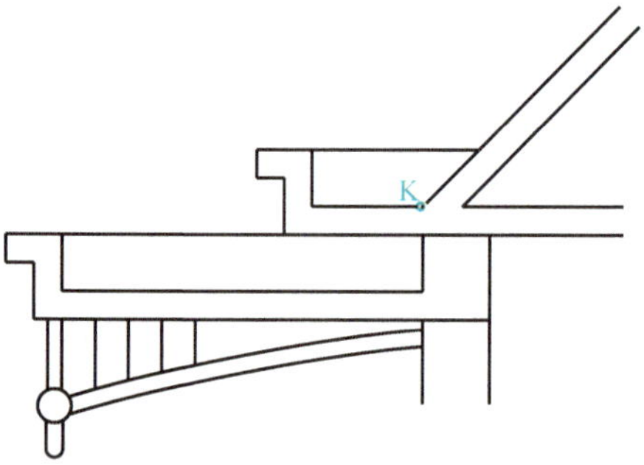
16	执行"镜像"命令，将"挑檐剖面图"部分图形进行"镜像"操作，并移动到合适位置，如右图所示	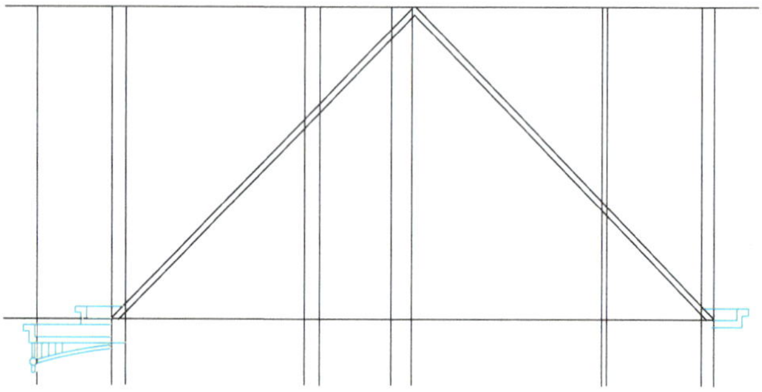

3. 技能训练

技能训练内容：完成阳台剖面图、雨篷立面图及挑檐剖面图的绘制。学习结果评价见表 2-118。

表 2-118　学习结果评价——绘制阳台剖面图、雨篷立面图及挑檐剖面图

序号	评价内容	评价标准				评价结果
		优秀 （91~100）	良好 （81~90）	一般 （71~80）	较差 （60~70）	
1	能根据绘图要求完成阳台剖面图、雨篷立面图及挑檐剖面图的绘制					
2	激发学生应用现代信息技术的兴趣和开拓创新的职业精神					

五、能绘制立面门及门窗剖面图

1. 图纸尺寸分析

查看门窗表，得知 C3 窗高 1500mm，宽度 900mm。M5 与 M5a 为对称关系，尺寸相同，门高为 2100mm，门宽 900mm。M2 尺寸与 M5a 相同。M4 宽度 1800mm，高度为 2400mm，亮子高 400mm，都无门槛高度。根据立面图可知，窗台高度 900mm。

2. 操作步骤

M1a 立面门的绘制见表 2-119，C3 窗剖面图的绘制见表 2-120，M5a 门剖面图的绘制见表 2-121，M2 门剖面图的绘制见表 2-122，M4 门剖面图的绘制见表 2-123。

表 2-119　M1a 立面门的绘制

序号	操作步骤	结果
1	执行"矩形"命令，在"指定第一角点"的提示下单击 A 点，在"指定另一角点"的提示下输入"@900，2100"。执行"偏移"命令，将矩形向内偏移 100，如右图所示	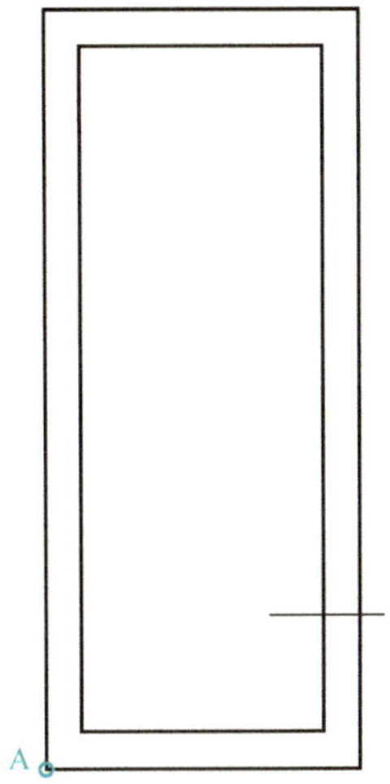
2	执行"拉伸"命令，选择矩形，以 B 点为基点，输入"@0，200"，如右图所示	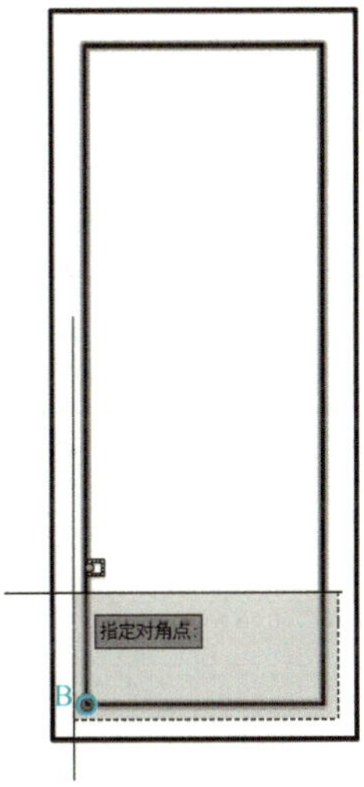
3	绘制半径为 25 的圆作为门把手，放置离地距离 1000，完成 M1a 立面门的绘制，如右图所示	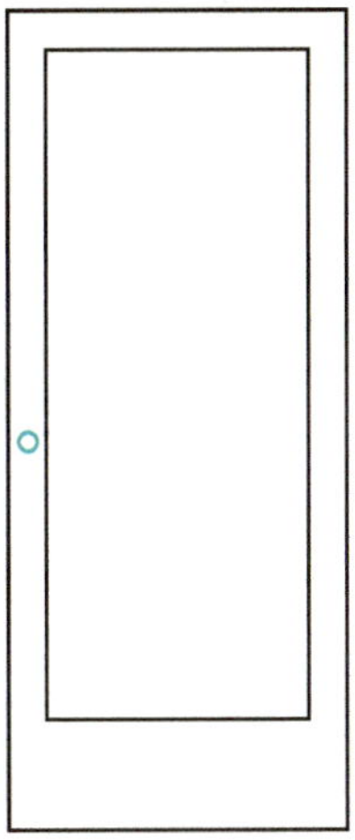

（续）

序号	操作步骤	结果
4	将 M1a 立面门修改为"门窗"图层，以 A 点为基点，复制到合适位置，如右图所示	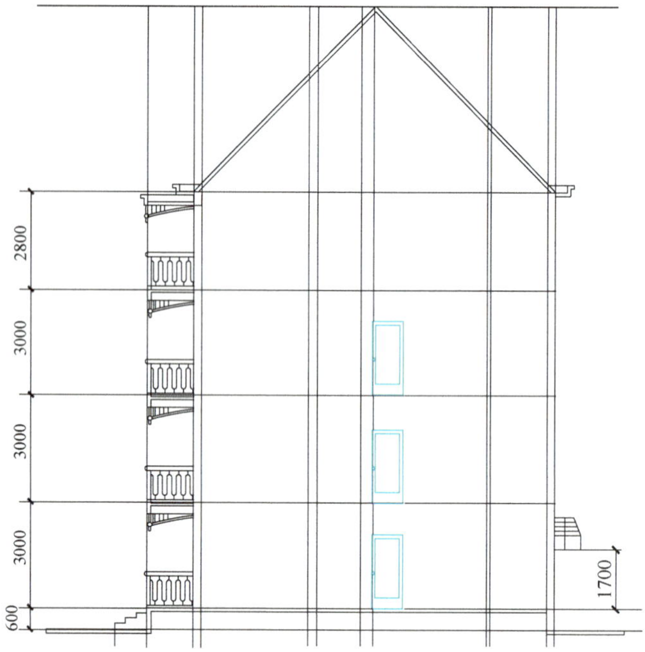

表 2-120　C3 窗剖面图的绘制

序号	操作步骤	结果
1	打开"剖切到构件线"图层，利用"直线""偏移"命令，沿辅助线绘制各层楼板，楼板厚度设置为 100，如右图所示	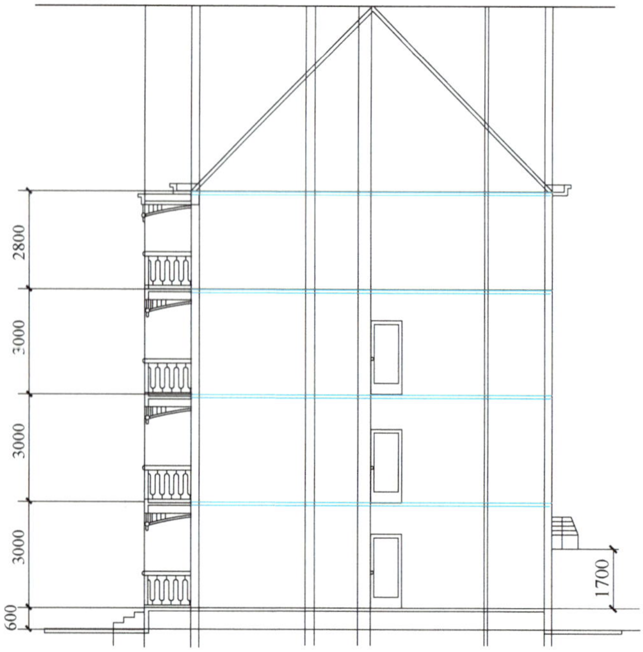

（续）

序号	操作步骤	结果
2	执行"直线"命令，沿墙体绘制直线 AB。执行"偏移"命令，将直线 AB 向上偏移 900、1500，如右图所示	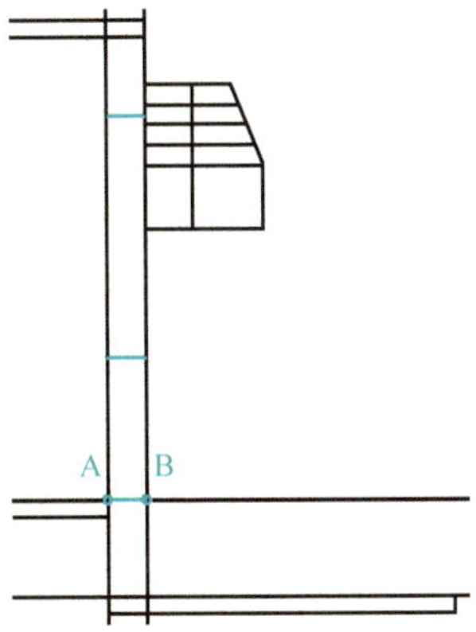
3	执行"修剪""删除"命令，绘制窗洞口，如右图所示	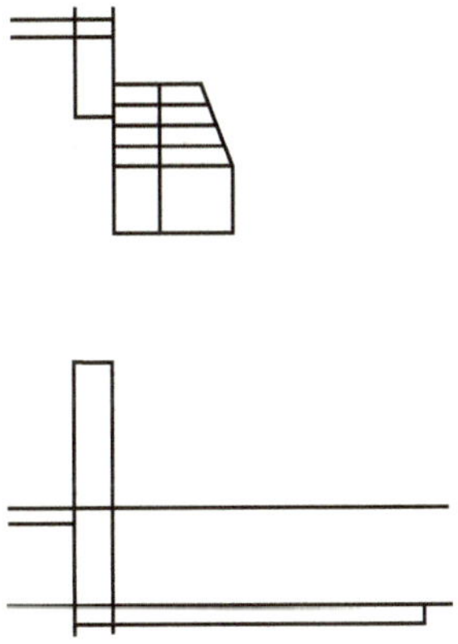
4	将"门窗"图层置为当前，执行"直线"命令，绘制直线 CD，执行"偏移"命令，将直线 CD 向右偏移 80、80、80，如右图所示	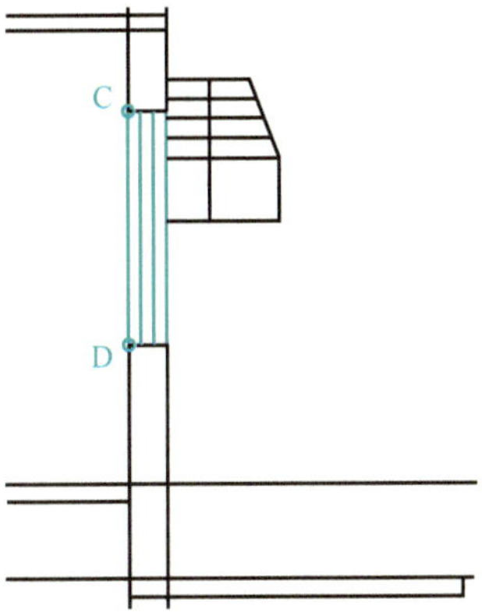

（续）

序号	操作步骤	结果
5	将绘制的 C3 窗剖面图和部分墙体以 A 点为基点进行复制，如右图所示	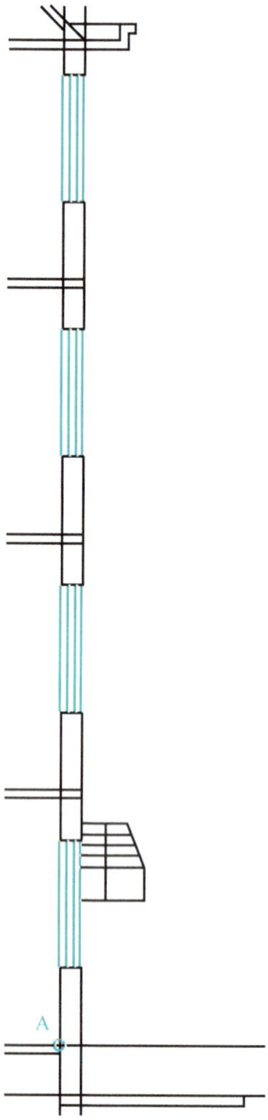

（续）

序号	操作步骤	结果
6	关闭"门窗"图层，执行"修剪"命令，绘制 C3 窗洞口，如右图所示	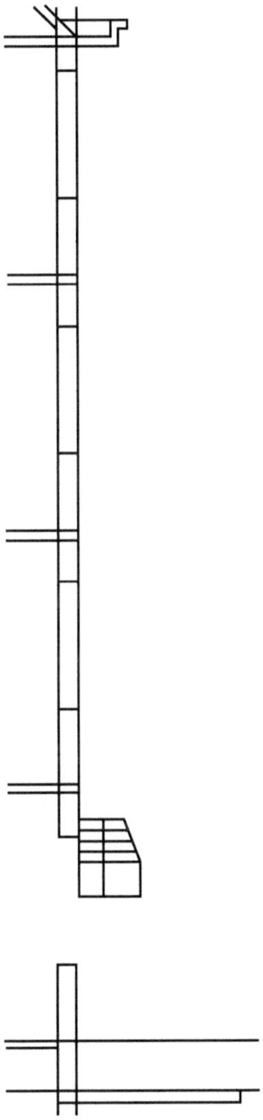

（续）

序号	操作步骤	结果
7	打开"门窗"图层，C3 窗剖面图绘制完成，如右图所示	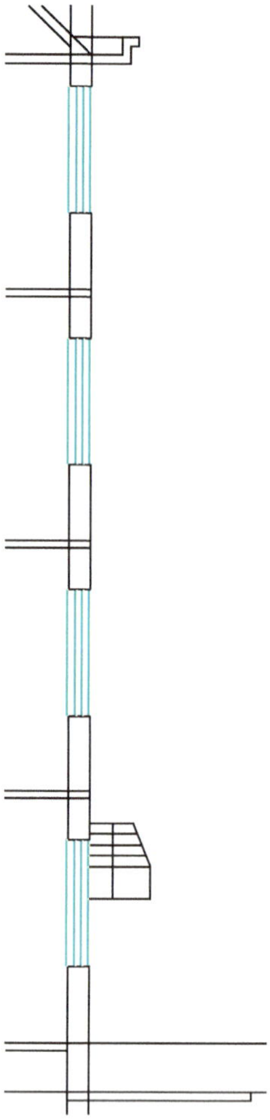

表 2-121　M5a 门剖面图的绘制

序号	操作步骤	结果
1	执行"直线"命令，以 A、B 两点之间的中点为起点绘制直线。利用"偏移"命令，将直线分别向两侧偏移 40，如右图所示	

（续）

序号	操作步骤	结果
2	执行"复制命令"，以 C 点为基点进行复制并移动到合适位置，如右图所示	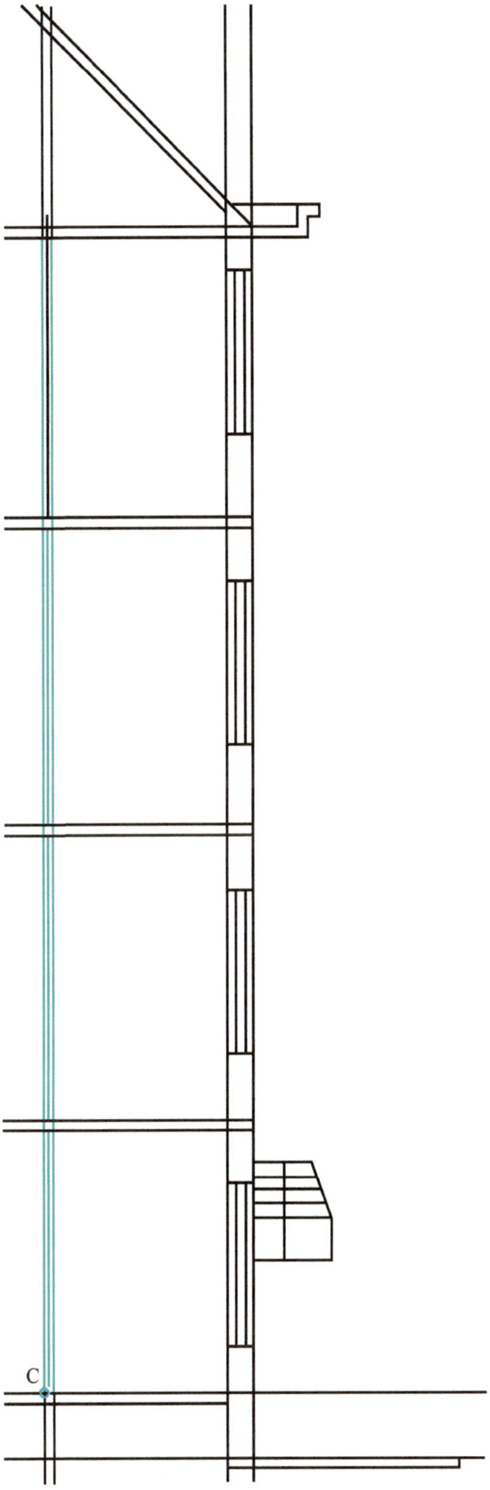

表 2-122　M2 门剖面图的绘制

序号	操作步骤	结果
1	执行"直线"命令，绘制直线 AB。利用"偏移"命令，将直线向下偏移 400、400，如右图所示	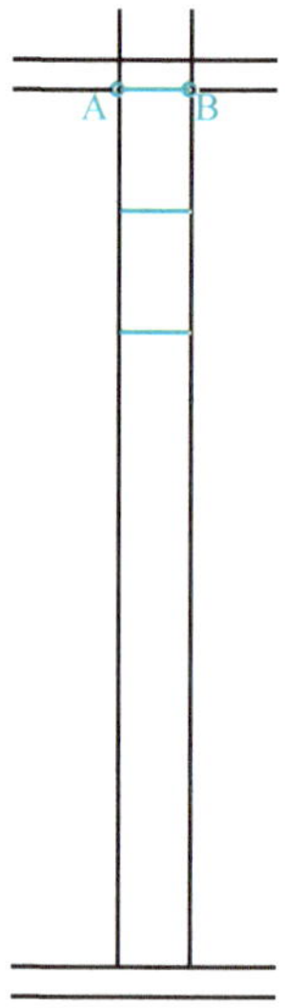
2	执行"修剪"命令，修剪多余部分，如右图所示	

（续）

序号	操作步骤	结果
3	将绘制的 C3 窗剖面图复制并移动至合适位置，如右图所示	
4	利用"拉伸"命令，对图形进行拉伸，完成 M2 门剖面图的绘制，如右图所示	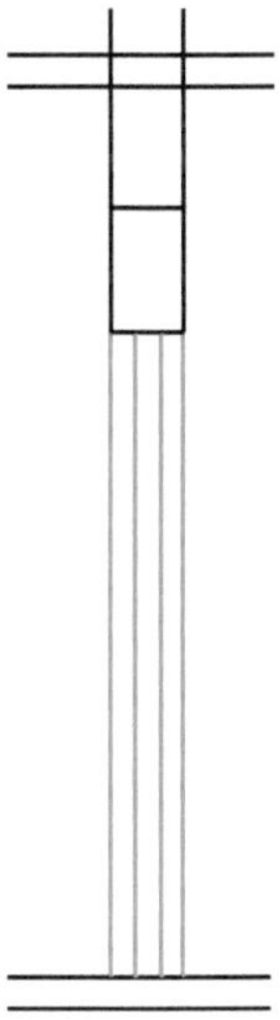

（续）

序号	操作步骤	结果
5	将绘制的 M2 门剖面图及梁向上复制，如右图所示	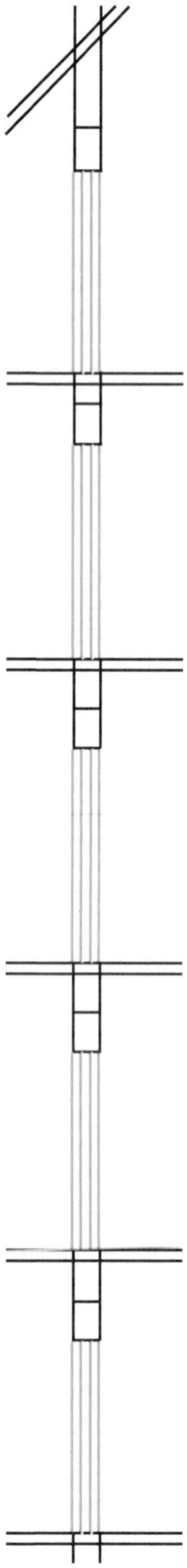

（续）

序号	操作步骤	结果
6	关闭"门窗"图层，如右图所示	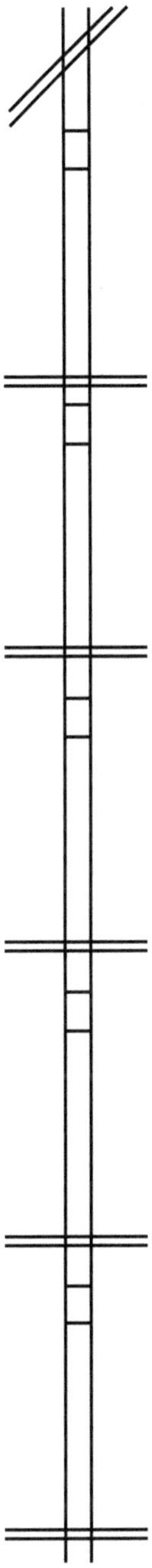

（续）

序号	操作步骤	结果
7	继续利用“修剪”命令对梁进行修剪，并修改至“剖切到构件线”图层，如右图所示	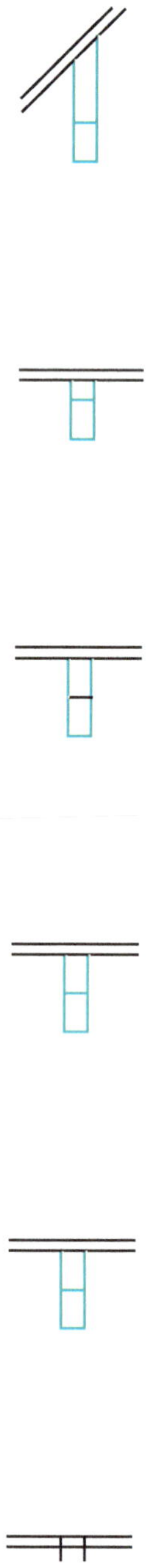

（续）

序号	操作步骤	结果
8	打开"门窗"图层，完成图形的绘制，如右图所示	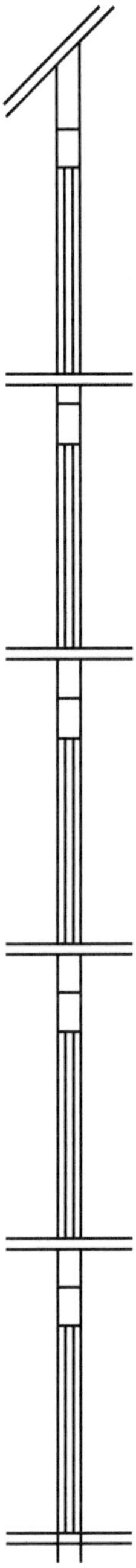

表 2-123　M4 门剖面图的绘制

序号	操作步骤	结果
1	执行"直线"命令，绘制直线 AB。利用"偏移"命令，将直线向下偏移 500。执行"修剪"命令，修剪多余部分，如右图所示	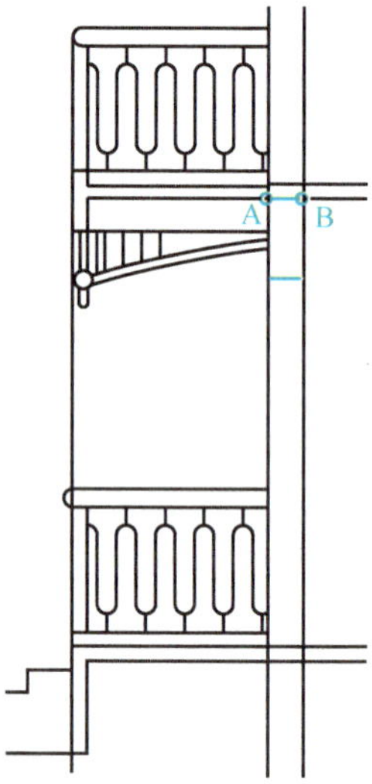
2	将绘制的 M2 门剖面图复制到 M4 门洞口，如右图所示	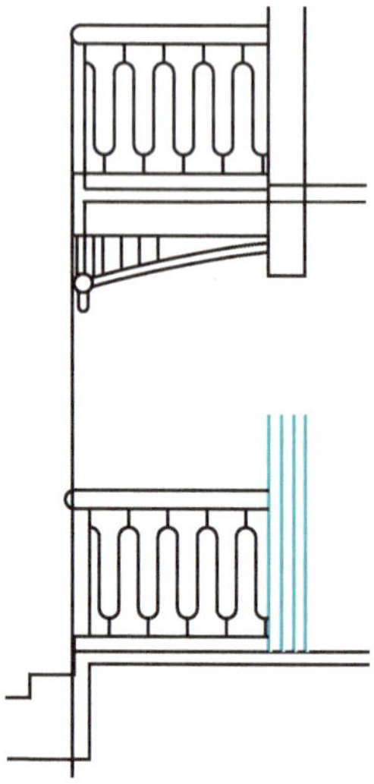

（续）

序号	操作步骤	结果
3	利用"拉伸"命令，将 M2 门剖面图拉伸至合适位置，如右图所示	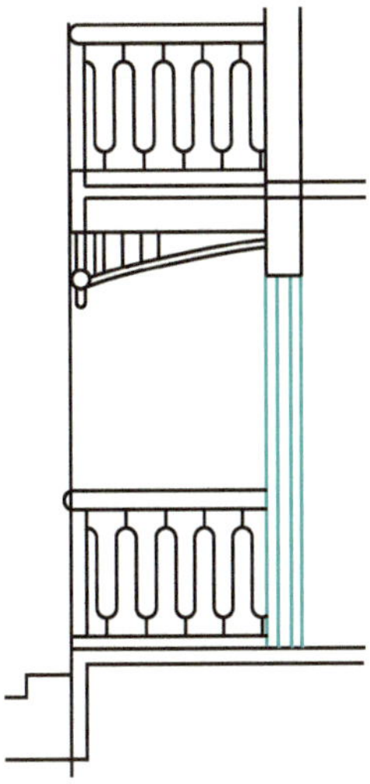
4	将 M4 门剖面图及部分墙体以 C 点为基点进行复制，如右图所示	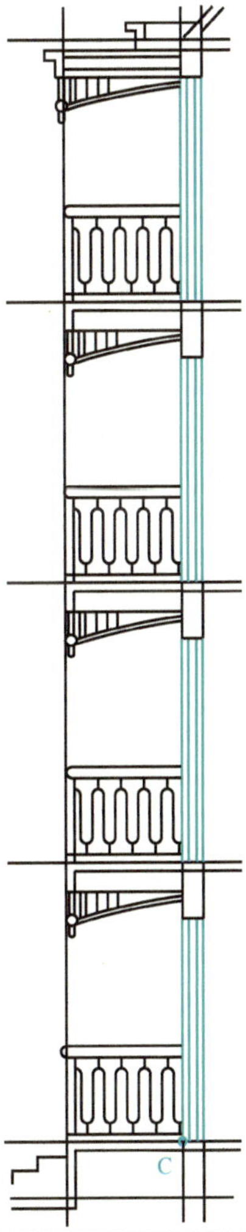

（续）

序号	操作步骤	结果
5	关闭“辅助线”“门窗”图层，利用“修剪”命令，修剪M4门洞口，如右图所示	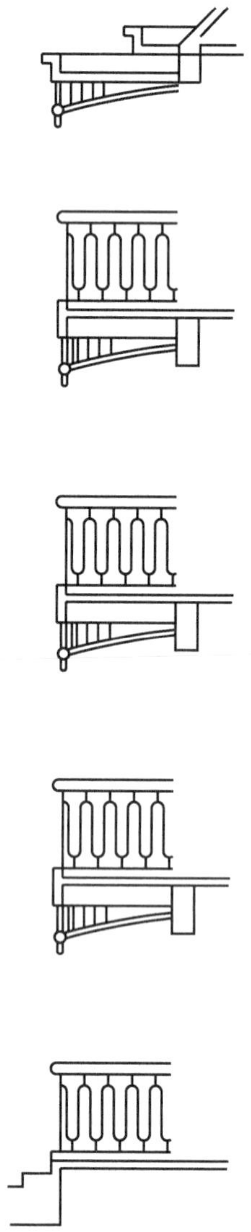

（续）

序号	操作步骤	结果
6	打开"门窗""辅助线"图层，完成图形的绘制，如右图所示	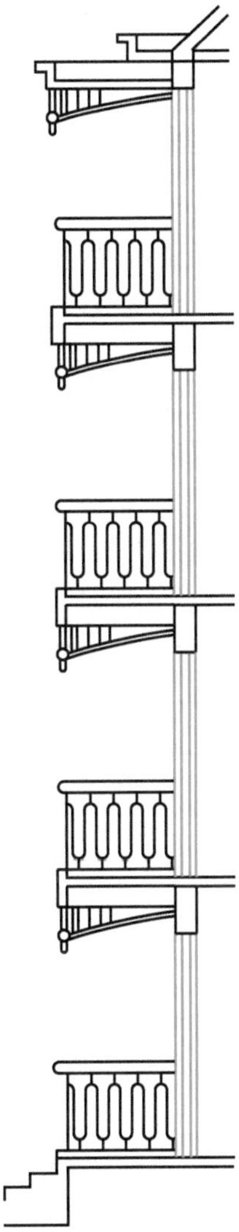

3. 技能训练

技能训练内容：完成立面门及门窗剖面图。学习结果评价见表 2-124。

表 2-124　学习结果评价——绘制立面门及门窗剖面图

序号	评价内容	评价标准				评价结果
		优秀 （91~100）	良好 （81~90）	一般 （71~80）	较差 （60~70）	
1	能根据绘图要求完成立面门及门窗剖面图					
2	培养学生严谨、细致的工作作风和良好的职业道德					

六、能绘制楼板与楼梯剖面图

1. 图纸尺寸分析

绘制剖面图时，楼板的厚度与梁的高度应结合结构施工图来进行绘制，在实际的图纸设计中，一般对于建筑图纸的梁板高度与厚度要求并不严格，可根据经验进行图纸绘制，本案例中楼板的厚度设置为100mm。

由建施-01四层平面图可知，室内楼梯梯段长度为2860mm，每级踏步宽度为220mm，踏步高200mm，踏步数为13+1=14级，楼梯宽度800mm，栏杆高度为960mm。

2. 操作步骤

楼板及梁剖面图的绘制见表2-125，楼梯剖面图的绘制见表2-126。

表 2-125　楼板及梁剖面图的绘制

序号	操作步骤	结果
1	切换"辅助线"为当前图层，执行"直线"命令，以A、B两点之间的中点为第一点绘制直线，来确定梁的位置。将左侧高度为500的梁复制到辅助线，执行"修剪"命令完成二层梁的绘制，如右图所示	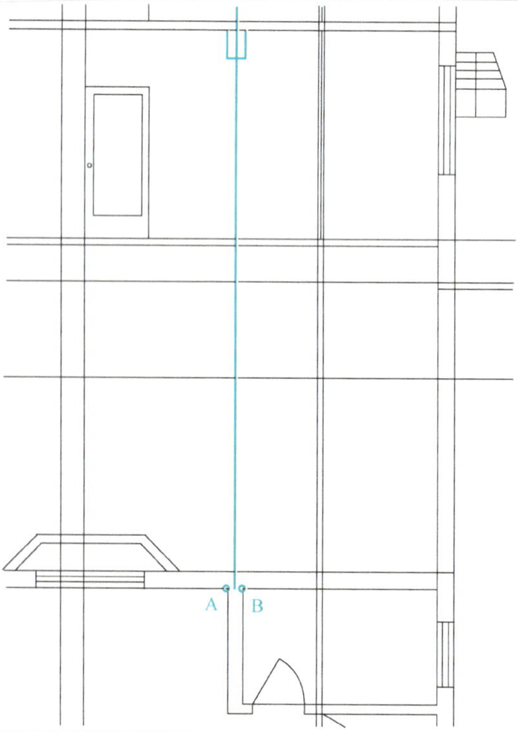

（续）

序号	操作步骤	结果
2	切换至"剖切到构件线"图层，利用"多段线"命令绘制二层楼板及梁的轮廓线，并移动到图形的外部，如右图所示	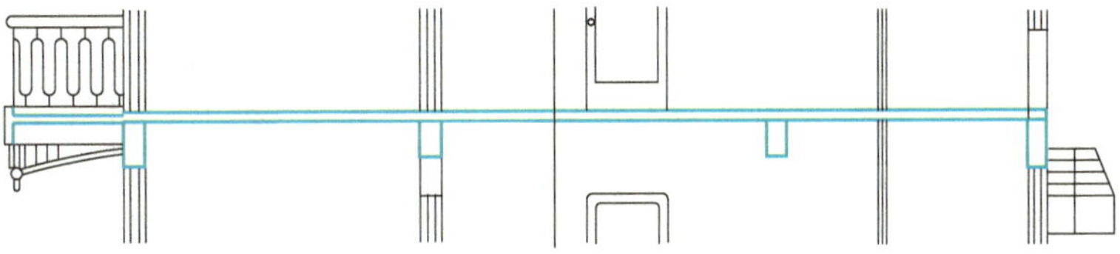
3	关闭"辅助线"图层，执行"修剪""删除"命令，将二~四层楼板及梁进行修剪、删除，如右图所示	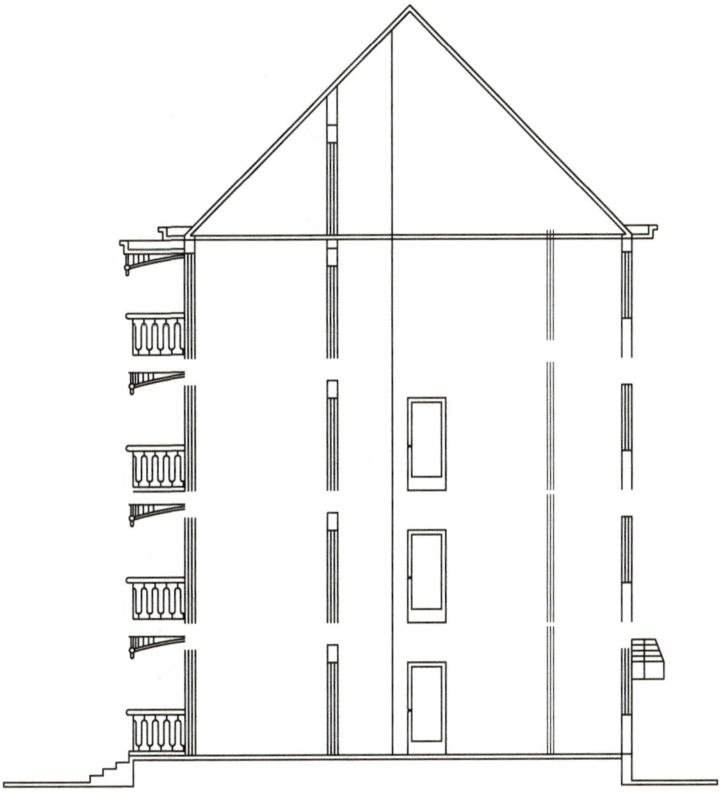

（续）

序号	操作步骤	结果
4	将绘制的二层楼板及梁复制至二～四层，如右图所示	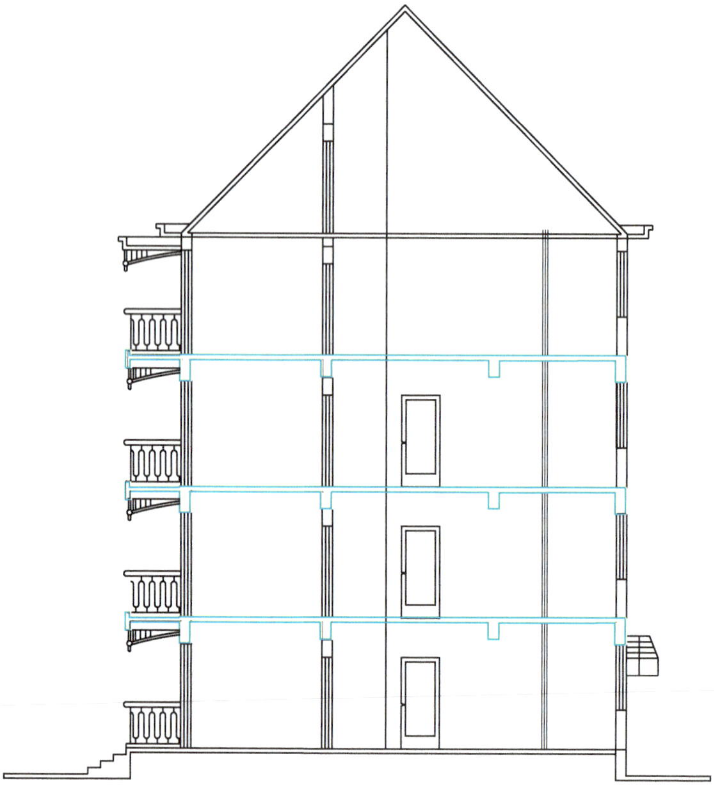
5	打开"辅助线"图层，将"剖切到构件线"图层置为当前，以辅助线为中线绘制厚度为240的墙体。利用"直线"命令，以C点为第一点，输入"@0，–200"@2760，0"。执行"偏移"命令，将水平直线向下偏移100，如右图所示	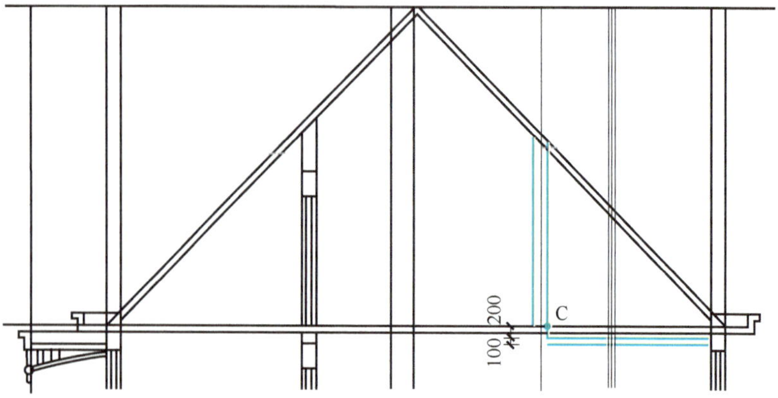

（续）

序号	操作步骤	结果
6	关闭"辅助线"图层，利用"圆角"命令，按住 <shift> 键不放，将墙体与楼板的端部闭合。利用"修剪"命令，继续完成屋面板的绘制，如右图所示	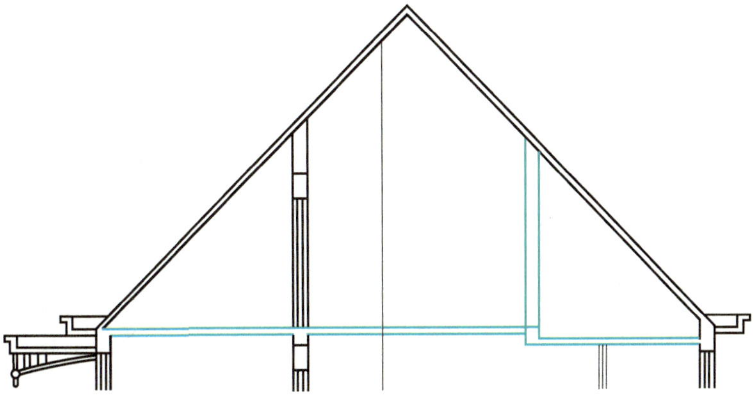

表 2-126　楼梯剖面图的绘制

序号	操作步骤	结果
1	将"剖切到构件线"图层置为当前，执行"多段线"命令，绘制楼梯段，楼梯的踏宽为 220，踏高为 200，共 14 级踏步。将绘制的楼梯段以 A 点为基点移动至合适位置。执行"直线"命令，以 A 点为起点绘制直线 AB。利用"偏移"命令，将直线向下偏移 100，如右图所示	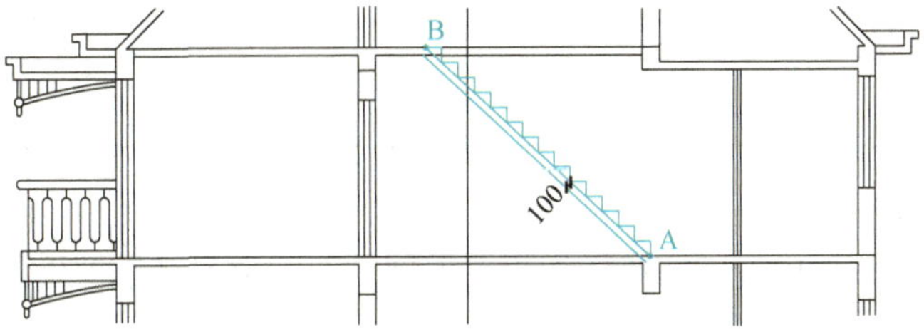
2	利用"修剪""删除"命令完成室内楼梯剖面图的绘制，如右图所示	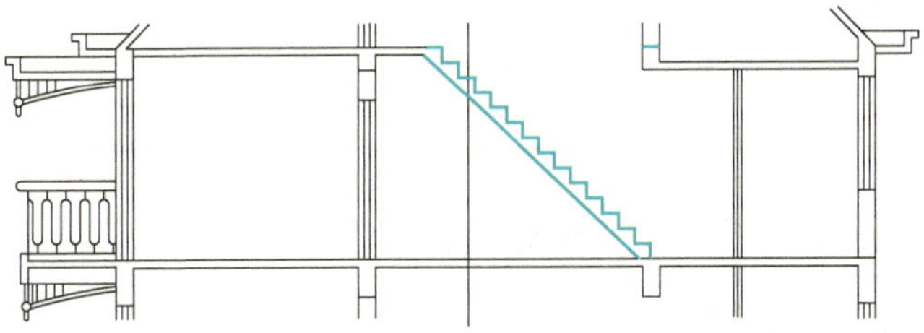

215

（续）

序号	操作步骤	结果
3	执行"直线"命令，以C点为起点绘制长度为960的直线。执行"偏移"命令，将直线向左偏移50，完成一个栏杆的绘制。将绘制的栏杆以C点为基点进行复制，如右图所示。	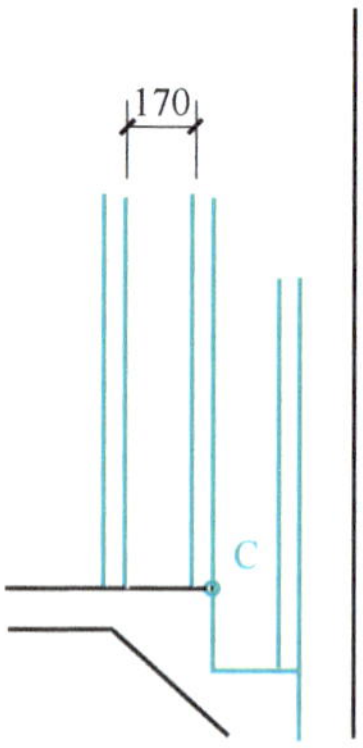
4	利用"直线""偏移""圆角"命令完成扶手的绘制，如右图所示	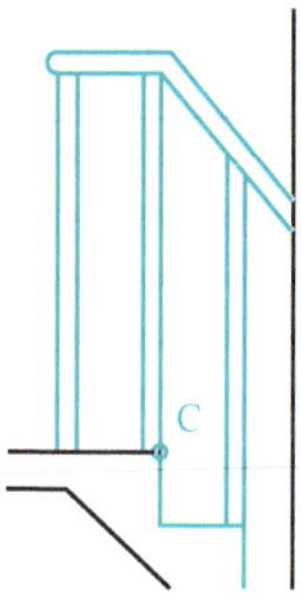

3. 技能训练

技能训练内容：完成楼板与楼梯剖面图。学习结果评价见表2-127。

表2-127　学习结果评价——绘制楼板与楼梯剖面图

序号	评价内容	评价标准				评价结果
		优秀 （91~100）	良好 （81~90）	一般 （71~80）	较差 （60~70）	
1	能根据绘图要求完成楼板与楼梯剖面图的绘制					
2	培养学生严谨、细致的工作作风和良好的职业道德					

七、能绘制露台立面图、C6窗剖面图

1. 图纸尺寸分析

查看建施-02屋顶平面图，得知露台顶部有700宽的屋檐，坡度随坡。根据Ⓕ—Ⓐ立面

图，屋檐下部高度为 13.6m。但平面图上 1—1 剖切符号无法剖切露台，只能体现露台边老虎窗的立面图，具体尺寸可参考建施 -04 中 2—2 剖面图、3—3 剖面图。

　　根据建施 -04 中 2—2 剖面图，C6 老虎窗板底高度为 14.77m。大样在建施 -03，窗顶部分采用钢筋混凝土，厚度为 100mm，窗底采用钢筋混凝土，厚度为 100mm。

　　露台立面图的绘制

2. 操作步骤

　　露台立面图的绘制见表 2-128，C6 窗剖面图的绘制见表 2-129。

表 2-128　露台立面图的绘制

序号	操作步骤	结果
1	切换"辅助线"层为当前图层，执行"偏移"命令，将 11.800 标高处水平辅助线向上偏移 960、1600、3400。继续执行"偏移"命令，将垂直辅助线向右偏移 2520，如右图所示	
2	打开"阳台栏杆"图层，利用"直线"命令，沿辅助线绘制露台立面轮廓线。执行"镜像""复制""延伸""修剪"命令，绘制阳台栏杆，如右图所示	

表 2-129　C6 窗剖面图的绘制

序号	操作步骤	结果
1	打开"辅助线"图层，利用"偏移"命令，将 11.7m 标号处水平辅助直线向上偏移 1320、1650。继续从建筑立面图中"C6 窗立面图"A、B 两点引出水平辅助直线，如右图所示	 老虎窗剖面图的绘制
2	打开"剖切到构件线"图层，执行"直线"命令，以 C 点为起点绘制垂线，继续绘制水平直线。执行"偏移"命令，将直线分别向左、向上偏移 100，如右图所示	

（续）

序号	操作步骤	结果
3	利用"直线"命令，沿辅助线绘制 C6 窗剖面图外轮廓，如右图所示	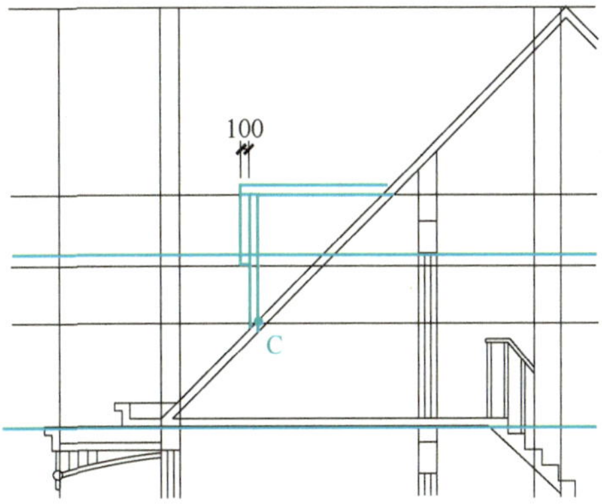
4	利用"修剪""圆角""删除"命令，完成 C6 窗剖面图的绘制，如右图所示	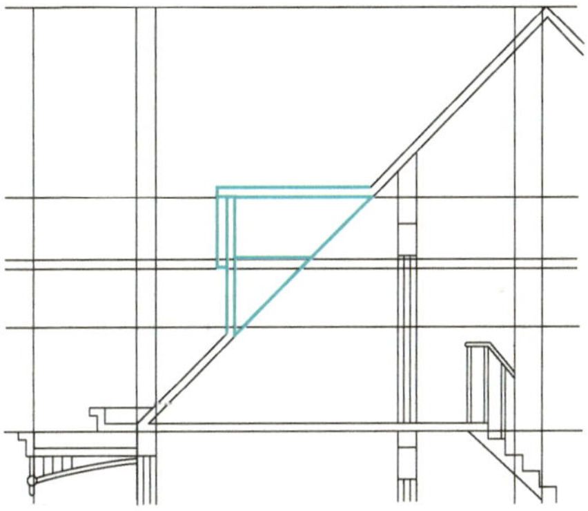

3. 技能训练

技能训练内容：完成露台立面图、C6 窗剖面图的绘制。学习结果评价见表 2-130。

表 2-130　学习结果评价——绘制露台立面图、C6 窗剖面图

序号	评价内容	评价标准				评价结果
		优秀 （91~100）	良好 （81~90）	一般 （71~80）	较差 （60~70）	
1	能根据绘图要求完成露台立面图、C6 窗剖面图的绘制					
2	培养学生严谨、细致的工作作风和良好的职业道德					

八、能完成屋顶与楼板图案填充、尺寸标注、定位轴线编号及图名与比例的绘制

1．操作步骤

屋顶与楼板图案填充的操作步骤见表 2-131，尺寸标注、定位轴线编号及图名与比例的绘制操作步骤见表 2-132。

表 2-131　屋顶与楼板图案填充

序号	操作步骤	结果
1	关闭除"剖切到构件线""台阶、雨篷、楼梯"以外的图层，如右图所示	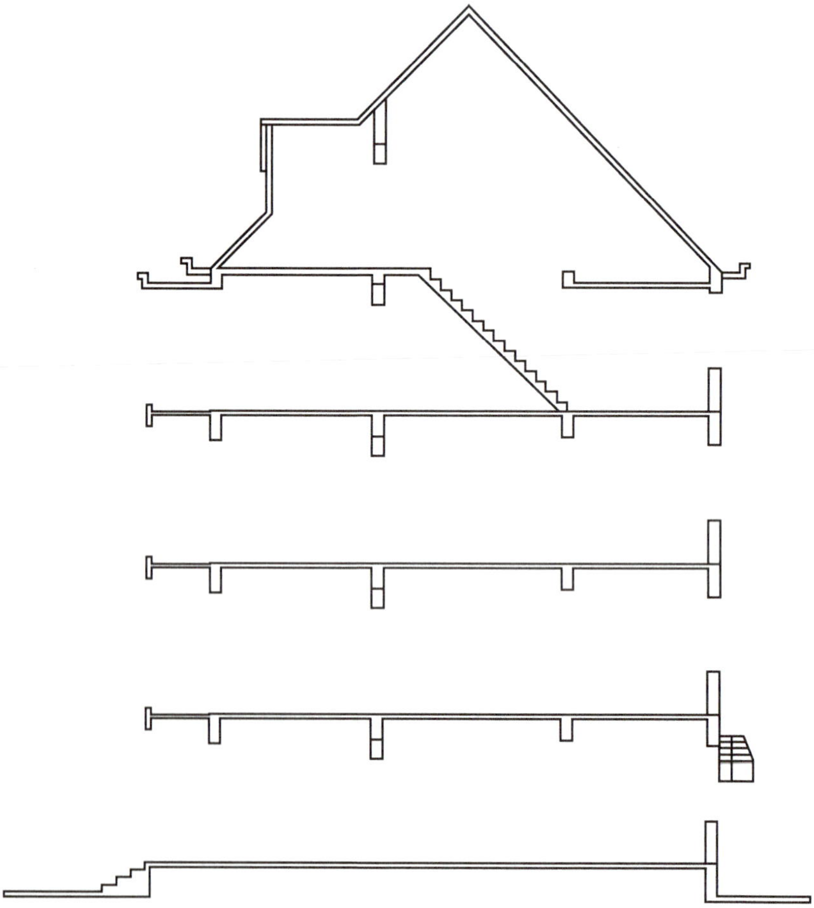

（续）

序号	操作步骤	结果
2	将"图案填充"图层置为当前，执行"图案填充"命令，利用"solid"图案对图形进行填充，如右图所示	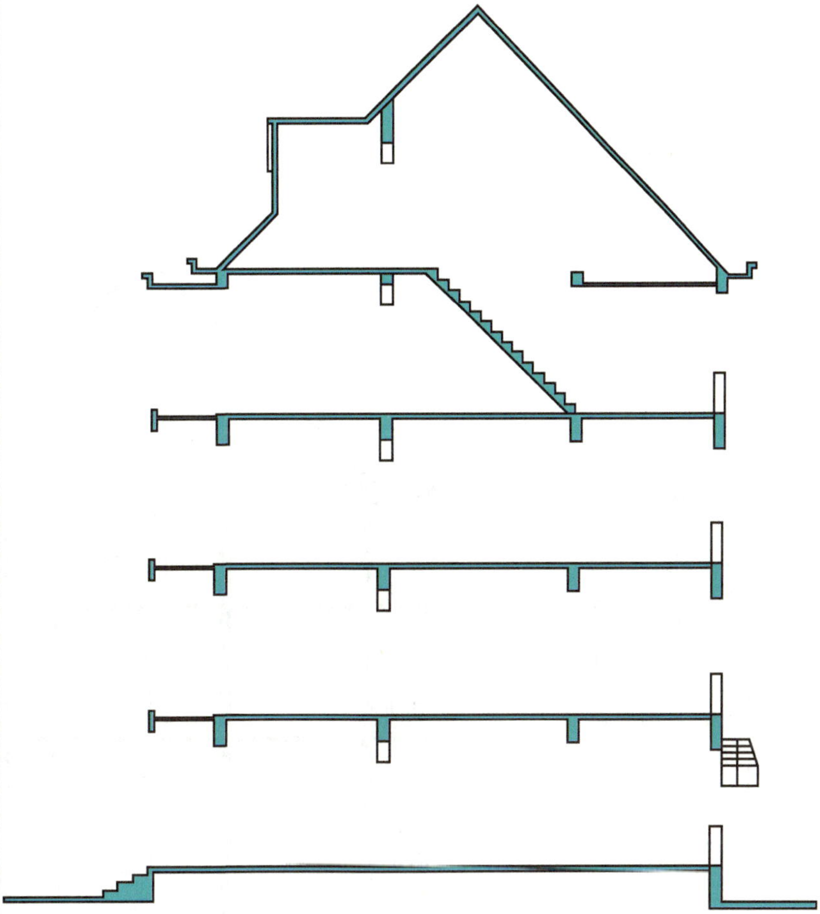
3	打开除"辅助线"以外的所有图层，继续执行"图案填充"命令，选择"预定义"→"STEEL"，角度设置为45°，比例设置为120，对露台屋顶部分进行图案填充，如右图所示	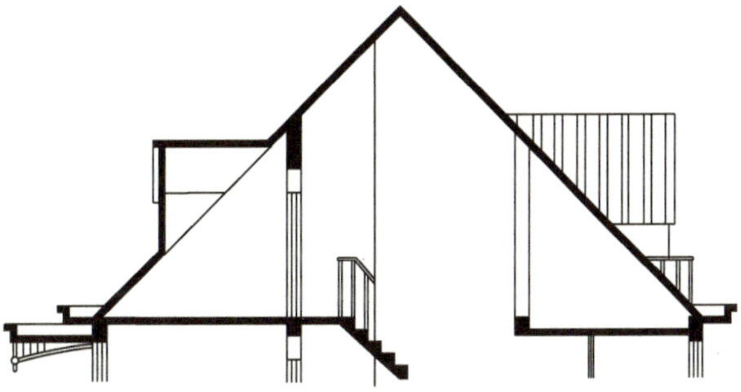

表 2-132　尺寸标注、定位轴线编号及图名与比例的绘制

序号	操作步骤	结果
1	将建筑平面图的定位轴线编号复制到建筑剖面图，修改轴线编号为"A"和"E"。在"尺寸标注 –250"标注样式的基础上，利用"线性标注""连续标注"和"基线标注"命令，对剖面图进行尺寸标注，如右图所示	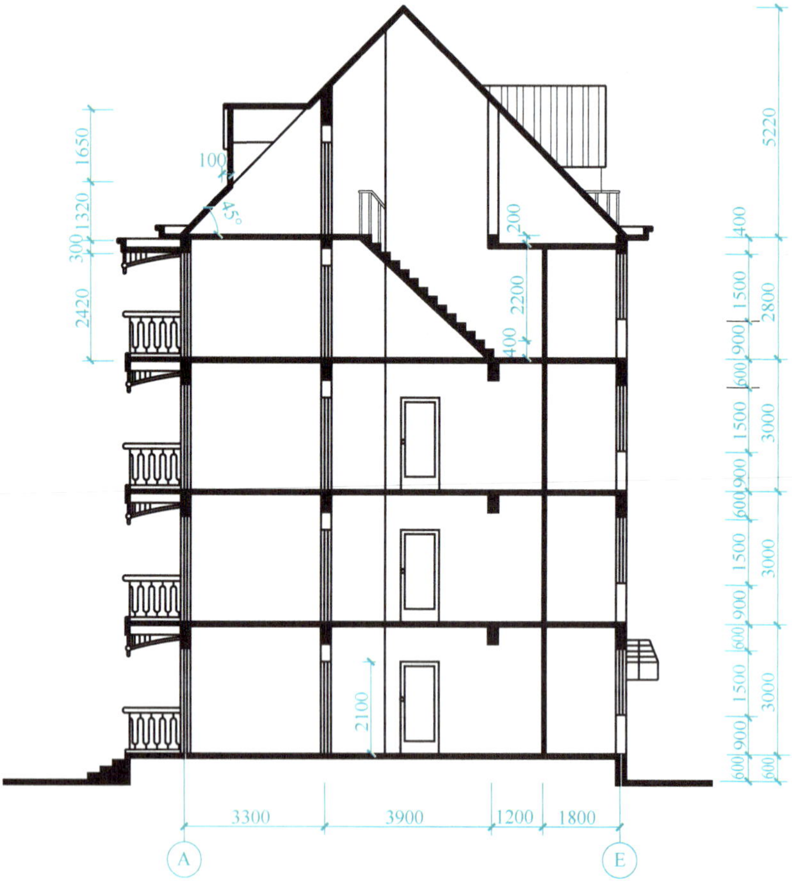

（续）

序号	操作步骤	结果
2	将"建筑平面图"的标高符号复制到"建筑剖面图"，将标高符号移动到 ±0.000 标高处，再沿垂直辅助线复制到各层楼板层高处，并更改标高值。继续复制标高符号到左侧 ±0.000 标高处，再沿垂直辅助线复制到各层楼板层高处，并更改标高值。再次将标高符号复制到合适位置，并更改标高值，如右图所示	

（续）

序号	操作步骤	结果
3	将"建筑平面图"的图名及比例复制到"建筑剖面图"，修改图名为"1—1剖面图"，比例为"1∶100"，完成建筑剖面图的绘制，如右图所示	 1—1剖面图 1:100

2. 技能训练

技能训练内容：完成屋顶与楼板图案填充、尺寸标注、定位轴线编号及图名与比例的绘制。学习结果评价见表 2-133。

表 2-133　学习结果评价——图案填充、尺寸标注、定位轴线编号及图名与比例的绘制

序号	评价内容	评价标准				评价结果
		优秀 （91~100）	良好 （81~90）	一般 （71~80）	较差 （60~70）	
1	能根据绘图要求完成屋顶与楼板图案填充、尺寸标注、定位轴线编号及图名与比例的绘制					
2	培养学生严谨、细致的工作作风和良好的职业道德					

九、能完成建筑剖面图虚拟打印出图

1. 操作步骤

建筑剖面图虚拟打印出图操作步骤见表 2-134。

表 2-134　建筑剖面图虚拟打印出图

序号	操作步骤	结果
1	绘制 A3 图框并放大 100，将建筑剖面图移动到图框的合适位置	
2	在命令行中输入"plot"命令，打开"打印-模型"对话框，设置打印机名称为"DWG To PDF.pc3"，图纸尺寸为"ISO full bleed A3（297.00×420.00 毫米）"，打印范围为"窗口"，新建打印样式表"建筑剖面图打印讲解.ctb"，图纸方向为"横向"，如右图所示	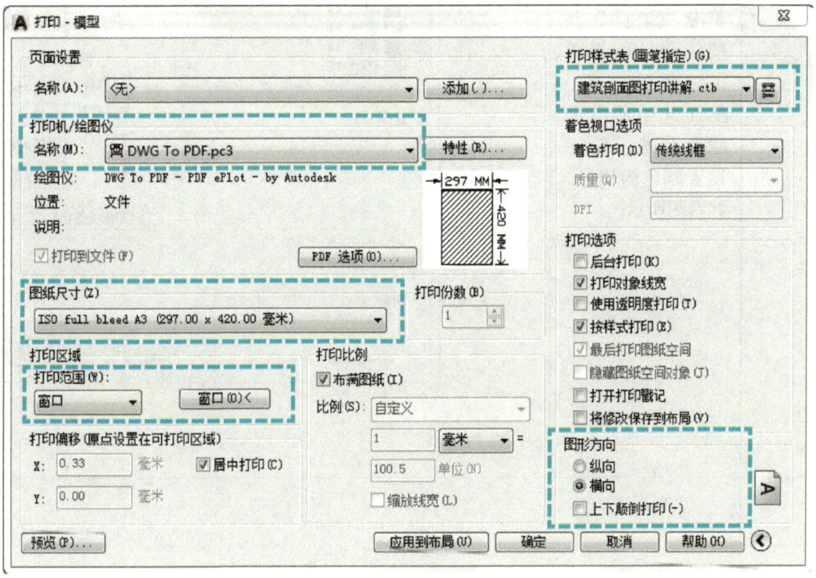
3	创建新的打印样式表为"建筑剖面图打印讲解"，如右图所示	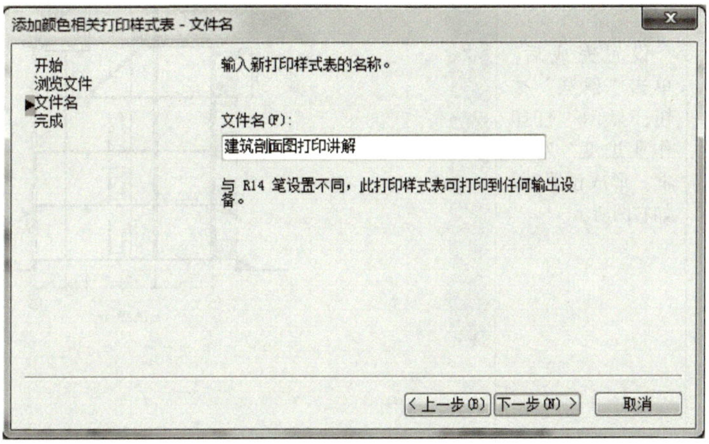

（续）

序号	操作步骤	结果
4	打开"打印样式表编辑器-建筑剖面图打印讲解.ctb"对话框，单击"颜色1"并按住<Shift>键单击"颜色255"，从而选中所有的颜色列表，统一设置颜色为黑色，如右图所示	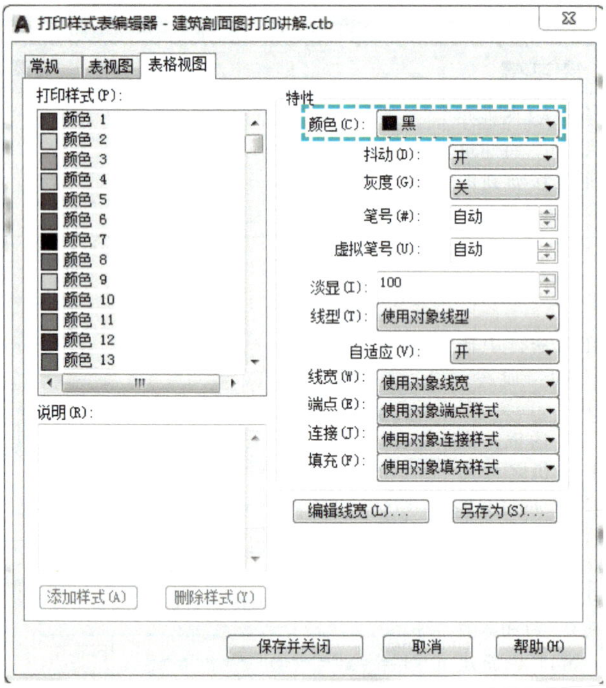
5	设置完成后，单击"预览"按钮，显示"打印作业进度"对话框，形成预览图，如右图所示	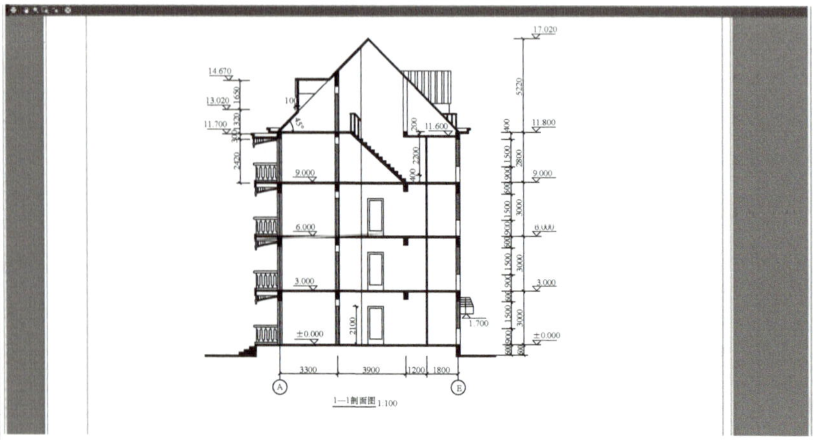

（续）

序号	操作步骤	结果
6	放大观察无误后单击左上方的"打印"按钮，保存 PDF 图到合适位置，完成建筑剖面图的虚拟打印出图，如右图所示	

2. 技能训练

技能训练内容：绘制建筑剖面图并虚拟打印出图。学习结果评价见表 2-135。

表 2-135　学习结果评价——建筑剖面图虚拟打印出图

序号	评价内容	评价标准				评价结果
		优秀（91~100）	良好（81~90）	一般（71~80）	较差（60~70）	
1	能根据要求完成建筑剖面图的绘图并虚拟打印出图					
2	激发学生应用现代信息技术的兴趣和开拓创新的职业精神					

3. 实训练习

用 AutoCAD 软件抄绘建筑平面图和建筑立面图，如图 2-67 所示，并补画出 1—1 建筑剖面图。

（1）图层设置要求

图层设置要求见表 2-136。

实训练习

浅绿色水刷石墙面　　　　浅绿色水刷石墙面

3.600

3.000

0.900

-0.300　　-0.020

2400

1920

100

470

3150

300

1　　　　　　　　4

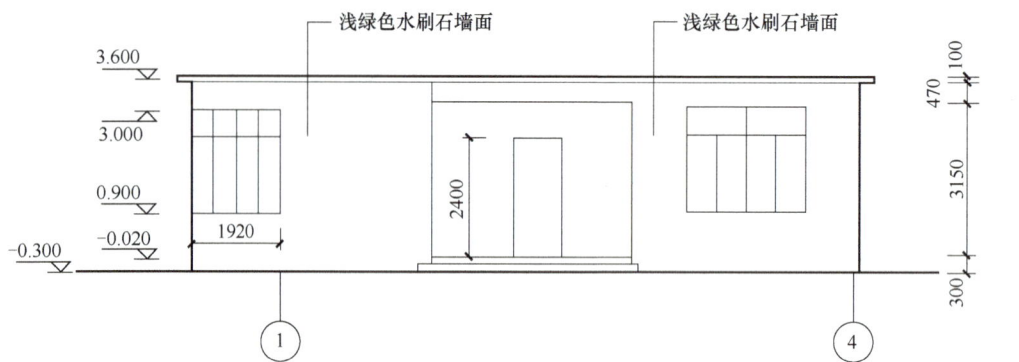

建筑立面图1∶100

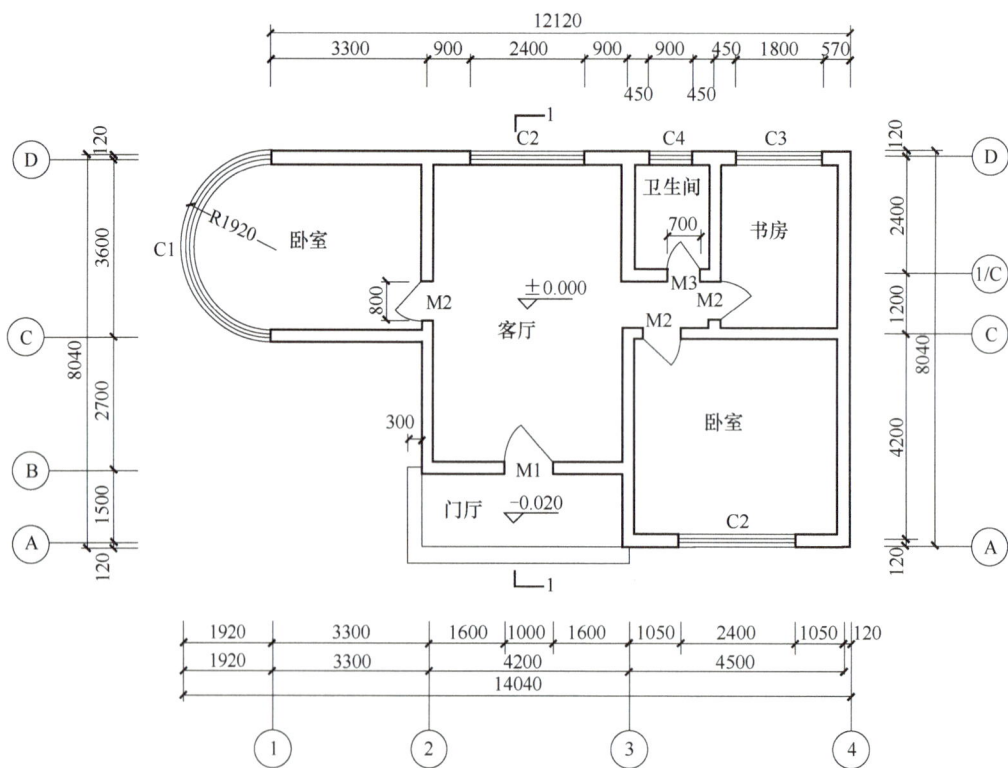

12120

3300　900　2400　900　900　450　1800　570

450　450

1　　C2　　C4　　C3

D

120

C1　R1920　卧室

800　　M2

卫生间

700

书房

M3

M2

3600

8040

2700

C

客厅

±0.000

M2

M2

2400

1200

8040

4200

1/C

C

1500

B

300

M1

门厅　-0.020

卧室

C2

A

120

120

D

A

1──1

1920　3300　1600　1000　1600　1050　2400　1050　120

1920　3300　4200　4500

14040

1　　2　　3　　4

建筑平面图 1∶100

图　2-67

表 2-136　实训练习图层设置

序号	图名	颜色	线型	线宽 /mm	评分标准
1	轴线	红色	CENTER	默认	
2	辅助线	7	连续	默认	
3	平面墙体	7	连续	0.5	
4	门窗	青色	连续	0.2	按要求设置图层，并在对应的图层上绘图，图层设置每错一处扣 0.5 分，不在对应的图层上绘图不得分
5	台阶	黄色	连续	0.25	
6	尺寸、轴号、标高	3	连续	默认	
7	文字、符号	7	连续	默认	
8	可见线	8	连续	默认	
9	立面轮廓线	7	连续	0.5	
10	剖切轮廓线	7	连续	默认	
11	地坪线	7	连续	0.7	

（2）字体设置要求

字体设置两种：

1）样式 1 名为"文字"，字体名为仿宋，宽度因子为 0.7；

2）样式 2 名为"数字"，字体名为 simplex.shx，大字体为 gbcbig.shx，宽度因子为 0.7。

（3）尺寸标注样式要求

尺寸标注样式名为"尺寸标注 -100"，尺寸数字采用样式名为"数字"的字体，字高为 3，起止符号大小为 1.5，基线间距为 5，固定长度的尺寸界线为 5，特征比例为 1∶100，主单位单位格式为小数，精度为 0。

（4）图框绘制要求

绘制 A3 图框，标题栏如图 2-68 所示。

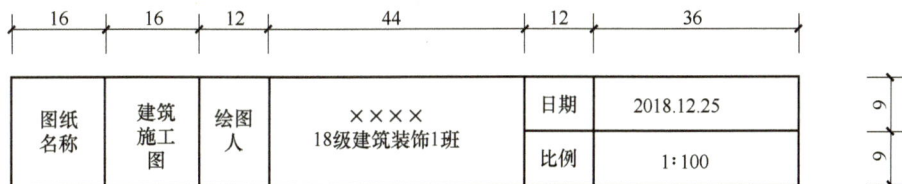

16	16	12	44	12	36

图纸名称	建筑施工图	绘图人	××××　18级建筑装饰1班	日期	2018.12.25
				比例	1∶100

图　2-68

（5）虚拟打印出图

将绘制的建筑施工图放置 A3 图框中，图框横向布置，居中打印。

附录

AutoCAD软件常用快捷键

绘图命令			
PO	单点	C	圆
L	直线	A	圆弧
ML	多线	EL	椭圆
PL	多段线	DO	圆环
XL	构造线	REC	矩形
RAY	射线	POL	正多边形
SPL	样条曲线	B	定义内部块
H	填充	I	插入块
T/MT	单行 / 多行文字	W	定义外部块
TAB	插入表格		
修改命令			
M	移动	X	分解
CO	复制	S	拉伸
O	偏移	SC	缩放
RO	旋转	CHA	倒角
MI	镜像	F	圆角
AR	阵列	PE	多线段编辑
E	删除	ED	修改文本
TR	修剪	BR	打断
EX	延伸	MA	特性匹配
AL	对齐		

（续）

尺寸标注命令			
DIM	快速标注	DOR	坐标标注
DLI	线性标注	DCO	连续标注
DAL	对齐标注	DBA	基线标注
DRA	半径标注	TOL	标注形位公差
DAR	弧长标注	MLD	多重引线
DDI	直径标注	D	标注样式
DCE	圆心标注	LE	快速引出标注
DAN	角度标注	DJO	折弯标注
其他操作命令			
LA	图层特性管理器	DI	距离查询
LT	线型管理器	AREA	面积查询
LW	线宽设置	ID	坐标查询
UN	图形单位	SET	变量设置
COL	选择颜色		
功能键命令			
F1	获取帮助	Ctrl+P	打印
F2	打开 / 关闭文本窗口	Ctrl+Z	放弃
F3	打开 / 关闭对象捕捉	Ctrl+X	剪切
F4	打开 / 关闭三维对象捕捉	Ctrl+C	复制
F5	打开 / 关闭等轴测平面	Shift+Ctrl+C	带基点复制
F6	打开 / 关闭动态 USC	Ctrl+V	粘贴
F7	打开 / 关闭栅格	Shift+Ctrl+V	粘贴为块
F8	打开 / 关闭正交模式	Ctrl+A	全部选择
F9	打开 / 关闭捕捉	Ctrl+0	全屏显示
F10	打开 / 关闭极轴	Ctrl+1	特性
F11	打开 / 关闭对象捕捉追踪	Ctrl+2	设计中心
F12	打开 / 关闭动态输入	Ctrl+3	工具选项板
Ctrl+N	新建	Ctrl+4	图纸集管理器
Ctrl+O	打开	Ctrl+8	快速计算器
Ctrl+S	保存	Ctrl+9	命令行
Shift+Ctrl+S	另存为		

参考文献

［1］刘吉新.建筑 CAD［M］.北京：教育科学出版社，2015.

［2］陆叔华，杨静霞.建筑制图与识图［M］.3 版.北京：高等教育出版社，2022.